时代

写字字典

TIMES CHINESE CHARACTER DICTIONARY

Helping learners to master the structure of Chinese characters

主编　　汪惠迪

编写　　范可育
　　　　高家莺
　　　　王志方

翻译　　孔　敬

联邦出版社
FEDERAL PUBLICATIONS
Singapore • Kuala Lumpur • Hong Kong

© 1998 联邦出版（新）私人有限公司

A member of the Times Publishing Group
Times Centre, 1 New Industrial Road, Singapore 536196
E-mail: fps@corp.tpl.com.sg
Online Book Store: http://www.timesone.com.sg/fpl

1998 年初版
1999 年 7 月第 5 次印刷

ISBN 981 01 3920 9

Printed by Pencetakan dan Perniagaan Berlian Sdn. Bhd.

目录
Contents

说　　明

一

学生学华文，从识字开始。

识字，必须记住字的形体，做到会写；识字，必须了解字的读音，做到会读；识字，必须懂得字的意思，做到会用。

教师教学生识字，要把字的形体、读音和意义告诉他们，使他们对一个字的形、音、义有一个完整而正确的认识。

一般字典大多只介绍字的读音和意义，本字典除了音义之外，主要是辨析字形，目的是指导学生写字。

本字典收了新加坡华族学生在小学阶段所学习的常用汉字2000个，这些字分别出现在现行小学华文课本中。这2000个字都会写了，就能触类旁通，举一反三了。

本字典辨析字形是把这2000个字楷、宋两体的标准字形、部首、笔画数、笔顺、结构类别、结构示意、部件辨正和楷宋辨异等多项内容具体、直观、简明地集中编排在一起，使用起来，非常方便。

教师可以参考这本字典进行识字教学，家长可以利用这本字典辅导孩子写字，学生可以凭借这本字典自己解决识字时碰到的问题。本字典也可供学习基础汉语的华族成人和外族人士参考。

二

本字典每个字都用汉语拼音注音。一个字在习惯上有两个或几个读法（异读字），或者一个字有几个读音（多音字）的，全部以新加坡教育部课程规划与发展署制定的《中小学华文字表》为依据，列出有关的读音。注音都注本调，不注变调。词语的拼写法参照中国制定的《汉语拼音正词法基本规则》。

每个字都在本字典所收的2000个字的范围内组成两三条常用的词语，让学生从词语举例中领会字的意思。词语都加注拼音。从新加坡的实际出发，我们用英文解释词语的含义，不过只选列主要的义项。

有些字典采用"跟随式"（一笔接一笔地写出整字）显示笔顺，我们采用"描红式"，为的是让学生对每个笔画在字中的位置有个整体印象。有些字的笔顺有分歧，写法不止一种，我们采用新加坡教育部小学华文教材编写组所选用的写法。

三

读者可以利用"笔画检字表"或"音序检字表"查字。书末的四个附录：汉字笔形名称表，汉字偏旁名称表，汉字结构类型表和本字典部首总表，为指导学生识字、写字提供了许多概括而实用的资料。

下面举例说明本字典的各项具体内容。
Features of this dictionary

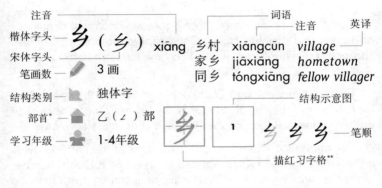

注音 — 楷体字头 — 宋体字头 — 笔画数 — 结构类别 — 部首* — 学习年级 —

乡（乡） xiāng 乡村 xiāngcūn *village*
家乡 jiāxiāng *hometown*
同乡 tóngxiāng *fellow villager*

词语 — 注音 — 英译

3画
独体字
乙（乚）部
1-4年级

结构示意图 — 笔顺 — 描红习字格**

迎（迎） yíng 迎接 yíngjiē *greet*
欢迎 huānyíng *welcome*

7画
结构类别 — 合体字
辶部
1-4年级

"卬"不是"卯"。 — 部件辨正
"辶"楷体比宋体多一个弯曲。 — 楷宋辨异
结构示意图

* 有些字可以归属几个不同的部首，就选择一个作为代表，其余的部首或部首的变形都放在括号内。
** 可用透明纸覆盖在上面按照笔顺练习写字。

How to Use this Dictionary

This dictionary is unique in that it goes beyond mere definitions of entries and pronunciation. Calligraphic features of Chinese characters are analyzed, illustrating how they are to be properly written.

The dictionary contains 2000 entries, based on the vocabulary list for the primary level. Students should have no problems in written Chinese if they can write these characters correctly.

The analysis of the calligraphic features of the entries covers the standard forms of *Kai* script and *Song* script, radicals, number of strokes, stroke sequence, structural classification, diagrammatic form of the structures, differences between similar components as well as differences between the two scripts. Every entry is provided with examples of common usage and Hanyu Pinyin. The examples will help make the meanings of each entry clearer.

It is hoped that this dictionary will be a useful aid to students in mastering their written Chinese.

笔画检字表
Stroke Index

说　明

1. 本表按汉字笔画数的次序排列。笔画数相同的字按起笔的笔形顺序（横、竖、撇、点、折）排列。起笔相同的字，按第二笔的笔形顺序排列。依此类推。
2. 横、竖、撇、点、折以外的笔形作以下规定：
　（1）提（ノ）作为横（一）。如："埋"的偏旁"土"是一丨一；"冷"的偏旁"冫"是、一
　（2）捺（㇏）作为点（、）。如："又"是一、。
　（3）竖钩（亅）作为竖（丨）。如："排"的偏旁"扌"是一丨一。
3. 单字右面的数码是本字典正文的页码。

1 画	九 190	才 32	个 117	已 438	天 363
一 435	几 158	寸 63	久 190	子 494	无 390
乙 438	儿 90	下 398	凡 93	卫 384	元 455
		大 64	丸 379	也 433	专 490
2 画	〔一〕	丈 468	及 160	女 268	云 458
〔一〕	了 227	与 453	夕 395	飞 97	扎 464
二 91	力 220	万 380	么 246	习 396	丐 111
十 328	刀 69			叉 38	艺 439
丁 79	又 449	〔丨〕	〔丶〕	马 241	木 259
厂 42		上 318	广 129	乡 403	五 390
七 286	**3 画**	小 406	亡 380		支 476
	〔一〕	口 205	门 249	**4 画**	厅 367
〔丨〕	三 312	巾 182	义 439	〔一〕	不 30
卜 29	干 112	山 316	之 476	丰 102	太 355
	于 451			王 380	区 301
〔丿〕	亏 209	〔丿〕	〔乛〕	井 186	历 222
人 307	土 373	千 290	尸 326	开 198	歹 65
入 310	士 331	乞 289	弓 120	夫 104	尤 449
八 5	工 119	川 56	己 161		

音序检字表
Phonetic Index

(19)

说　明

1. 本表按汉语拼音字母顺序排列。同音不同调的字，按新加坡《中小学华文字表》（以下简称《字表》）所采用的排列顺序（轻声、阴平、阳平、上声、去声）排列。同音同调的字，也按照《字表》所列顺序排列。

2. 多音字按照不同的读音分别出现。

3. 单字右面的数码是本字典正文的页码。

A

a	啊	1
ā	啊	1
	阿	1
á	啊	1
ǎ	啊	1
à	啊	1
āi	哀	1
ái	癌	1
ǎi	矮	2
ài	碍	2
	爱	2
ān	安	2
àn	暗	3
	岸	3
	按	3
	案	3
āng	肮	4
āo	凹	4
ào	傲	4

B

ba	罢	4
	吧	5
bā	吧	5
	八	5
	巴	5
	叭	5
	笆	6
bá	扒	269
	拔	6
bǎ	把	6
bà	罢	4
	霸	6
	把	6
	爸	7
bái	白	7
bǎi	百	7
	摆	7
	伯	28
bài	败	8
	拜	8
bān	颁	8
	班	8
	搬	9
	般	9
	斑	9
bǎn	版	9

	板	10
bàn	绊	10
	办	10
	半	10
	伴	11
	扮	11
bāng	邦	11
	帮	11
bǎng	膀	12
	绑	12
	榜	12
bàng	蚌	12
	傍	13
	棒	13
bāo	剥	13
	包	13
	胞	14
	炮	273
báo	薄	14
bǎo	宝	14
	饱	14
	保	15
bào	爆	15
	抱	15
	报	15
	豹	16
	暴	16
	臂	22

bēi	杯	16
	背	16
	悲	17
běi	北	17
bèi	背	16
	备	17
	贝	17
	被	18
	倍	18
	辈	18
bēn	奔	18
běn	本	19
bèn	笨	19
bēng	崩	19
bī	逼	19
bí	鼻	20
bǐ	比	20
	笔	20
	必	20
bì	壁	21
	避	21
	毕	21
	币	21

啊 (啊)

🖉 10 画

🔲 合体字

🏠 口部

🎓 1-4年级

	a	啊, 真忙啊。	Oh, what a busy time!
	ā	啊, 下雨了!	Ah, it's raining!
	á	啊, 有这事?	Oh, can that be true?
	ǎ	啊, 你说什么?	Eh, what did you say?
	à	啊, 原来是你!	Aha, so it's you there!

啊 啊 啊 啊 啊 啊 啊 啊 啊 啊

阿 (阿)

🖉 7 画

🔲 合体字

🏠 阝部

🎓 1-4年级

| ā | 阿姨 | āyí | aunt; auntie |
| ē | 刚正不阿 | gāngzhèngbù'ē | be upright and never stoop to fawning |

阿 阿 阿 阿 阿 阿 阿

哀 (哀)

🖉 9 画

🔲 合体字

🏠 亠部

🎓 5-6年级

āi	悲哀	bēi'āi	grief; sadness
	哀悼	āidào	mourn over somebody's death
	哀求	āiqiú	beg humbly; entreat

哀 哀 哀 哀 哀 哀 哀 哀 哀

癌 (癌)

🖉 17 画

🔲 合体字

🏠 疒部

🎓 高级华文

ái	癌	ái	cancer
	癌症	áizhèng	cancer
	肝癌	gān'ái	cancer of the liver

癌 癌 癌 癌 癌 癌 癌 癌 癌 癌 癌 癌 癌 癌 癌 癌 癌

矮 (矮) ǎi

矮	ǎi	short; low
矮小	ǎixiǎo	short and small
低矮	dīǎi	low

✏️ 13 画

▢ 合体字

🏠 矢部

🎓 1-4年级

碍 (碍) ài

碍事	àishì	be in the way
妨碍	fáng'ài	hinder; obstruct
碍手碍脚	àishǒu-àijiǎo	be a hindrance

✏️ 13 画

▢ 合体字

"寻" 不是 "寸"。

🏠 石部

🎓 高级华文

爱 (爱) ài

爱	ài	like; love
爱护	àihù	take care of
喜爱	xǐ'ài	love; like

✏️ 10 画

▢ 合体字

🏠 爪(爫)部

🎓 1-4年级

安 (安) ān

安定	āndìng	stable; settled
平安	píng'ān	safe and sound
治安	zhì'ān	public order

✏️ 6 画

▢ 合体字

🏠 宀部

🎓 1-4年级

暗 (暗)

àn

暗	àn	dark; dim
黑暗	hēi'àn	dark
暗号	ànhào	password

13 画

合体字

日部

1-4年级

岸 (岸)

àn

岸	àn	bank; shore
河岸	hé'àn	river bank
回头是岸	huítóushì'àn	repent and be saved

8 画

合体字

山部

1-4年级

按 (按)

àn

按	àn	press; push down
按照	ànzhào	according to
按时	ànshí	on time

9 画

合体字

扌部

1-4年级

案 (案)

àn

案子	ànzi	counter; case
方案	fāng'àn	scheme; plan
图案	tú'àn	pattern; design

10 画

合体字

宀(木)部

5-6年级

肮(肮)

āng　　肮脏　　āngzāng　　dirty; filthy

- ✏️ 8 画
- 🔲 合体字
- 🏠 月部
- 🎓 1-4年级

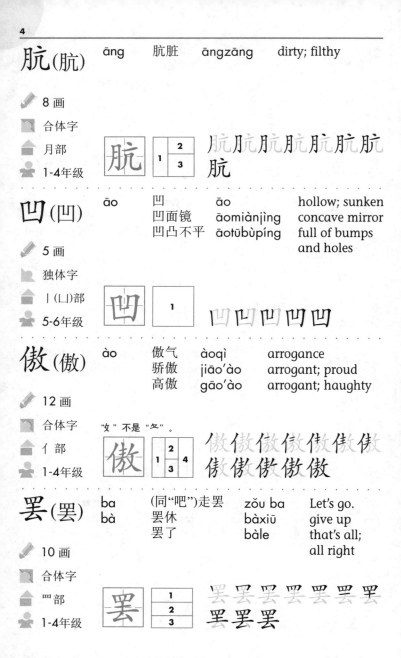

肮肮肮肮肮肮肮
肮

凹(凹)

āo

凹	āo	hollow; sunken
凹面镜	āomiànjìng	concave mirror
凹凸不平	āotūbùpíng	full of bumps and holes

- ✏️ 5 画
- 🔲 独体字
- 🏠 丨(凵)部
- 🎓 5-6年级

凹凹凹凹凹

傲(傲)

ào

傲气	àoqì	arrogance
骄傲	jiāo'ào	arrogant; proud
高傲	gāo'ào	arrogant; haughty

- ✏️ 12 画
- 🔲 合体字
- 🏠 亻部
- 🎓 1-4年级

"攵" 不是 "夂"。

傲傲傲傲傲傲傲
傲傲傲傲傲

罢(罢)

ba
bà

(同"吧")走罢	zǒu ba	Let's go.
罢休	bàxiū	give up
罢了	bàle	that's all; all right

- ✏️ 10 画
- 🔲 合体字
- 🏠 罒部
- 🎓 1-4年级

罢罢罢罢罢罢罢
罢罢罢

吧 (吧)

ba 来吧 lái ba come on
bā 酒吧 jiǔbā bar

✏ 7 画
◻ 合体字
🏠 口部
👤 1-4年级

吧 吧 吧 吧 吧 吧 吧 吧

八 (八)

bā 八 bā eight
八成 bāchéng eighty per cent; most likely
四面八方 sìmiànbāfāng all directions; far and near

✏ 2 画
◻ 独体字
🏠 八部
👤 1-4年级

八 八

巴 (巴)

bā 巴望 bāwàng look forward to
巴不得 bābude be only too anxious (to do sth)
锅巴 guōbā rice crust

✏ 4 画
◻ 独体字
🏠 乙(乛)部
👤 1-4年级

巴 巴 巴 巴

叭 (叭)

bā 叭儿狗 bārgǒu Pekinese
喇叭 lǎba trumpet
喇叭花 lǎbahuā morning glory

✏ 5 画
◻ 合体字
🏠 口部
👤 1-4年级

叭 叭 叭 叭 叭

6

笆(笆) bā | 笆斗 bādǒu | wicker basket
| 篱笆 líba | fence

✏️ 10 画

🔲 合体字

▱ 竹(⺮)部

👤 5-6年级

笆笆笆笆笆笆笆
笆笆笆

拔(拔) bá | 拔 bá | pull; draw
| 拔河 báhé | tug-of-war
| 选拔 xuǎnbá | select; choose

✏️ 8 画

🔲 合体字

"发"不是"发"。

▱ 扌部

👤 1-4年级

拔拔拔拔拔拔拔
拔

把(把) bǎ | 把门打开 bǎ mén dǎkāi | open the door
| 把门 bǎ mén | guard the gate
bà | 刀把 dāobà | hilt

✏️ 7 画

🔲 合体字

▱ 扌部

👤 1-4年级

把把把把把把把

霸(霸) bà | 霸道 bàdào | overbearing; high-handed
| 霸占 bàzhàn | occupy by force
| 路霸 lùbà | road bully

✏️ 21 画

🔲 合体字

▱ 雨(⻗)部

👤 高级华文

霸霸霸霸霸霸霸
霸霸霸霸霸霸霸
霸霸霸霸霸霸霸

爸(爸)

bà　　爸爸　　bàba　　papa

- 8 画
- 合体字
- 父部
- 1-4年级

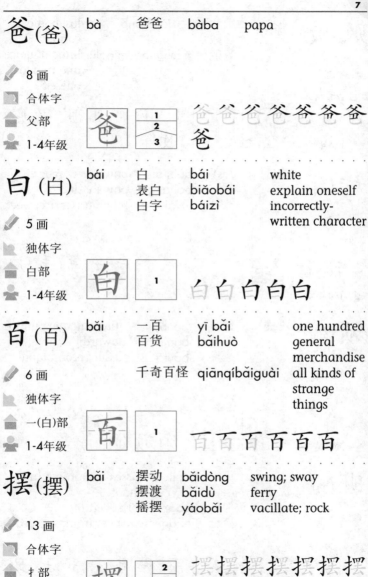

白 (白)

bái　　白　　　bái　　　　white
　　　　表白　biǎobái　　explain oneself
　　　　白字　báizì　　　incorrectly-
　　　　　　　　　　　　　written character

- 5 画
- 独体字
- 白部
- 1-4年级

百(百)

bǎi　　一百　　yī bǎi　　　one hundred
　　　　百货　　bǎihuò　　general
　　　　　　　　　　　　　　merchandise
　　　　千奇百怪　qiānqíbǎiguài　all kinds of
　　　　　　　　　　　　　　strange
　　　　　　　　　　　　　　things

- 6 画
- 独体字
- 一(白)部
- 1-4年级

摆(摆)

bǎi　　摆动　bǎidòng　swing; sway
　　　　摆渡　bǎidù　　ferry
　　　　摇摆　yáobǎi　　vacillate; rock

- 13 画
- 合体字
- 扌部
- 1-4年级

败(敗)

bài

败仗	bàizhàng	lost battle
腐败	fǔbài	corrupt
身败名裂	shēnbài-míngliè	bring disgrace and ruin to oneself

✏️ 8 画

▢ 合体字

🏛 贝部

🎓 1-4年级

"攵"不是"夂"。

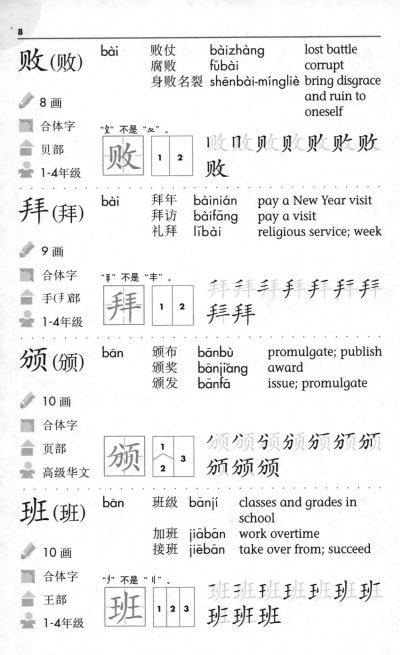

拜(拜)

bài

拜年	bàinián	pay a New Year visit
拜访	bàifǎng	pay a visit
礼拜	lǐbài	religious service; week

✏️ 9 画

▢ 合体字

🏛 手(扌)部

🎓 1-4年级

"手"不是"丰"。

颁(頒)

bān

颁布	bānbù	promulgate; publish
颁奖	bānjiǎng	award
颁发	bānfā	issue; promulgate

✏️ 10 画

▢ 合体字

🏛 页部

🎓 高级华文

班(班)

bān

班级	bānjí	classes and grades in school
加班	jiābān	work overtime
接班	jiēbān	take over from; succeed

✏️ 10 画

▢ 合体字

🏛 王部

🎓 1-4年级

"丿"不是"丨"。

搬(搬)

	bān	搬	bān	take away; move
		搬运	bānyùn	carry; transport
		搬弄	bānnòng	fiddle with

🖊 13 画

▢ 合体字

🏠 扌部

👤 1-4年级

般(般)

	bān	一般	yībān	general; ordinary
		百般	bǎibān	in every possible way
		万般	wànbān	all kinds

🖊 10 画

▢ 合体字

🏠 舟部

👤 1-4年级

斑(斑)

	bān	斑点	bāndiǎn	spot; stain; speckle
		汗斑	hànbān	sweat stain
		斑马线	bānmǎxiàn	zebra crossing

🖊 12 画

▢ 合体字

🏠 王部

👤 1-4年级

版(版)

	bǎn	出版	chūbǎn	publish
		初版	chūbǎn	first edition
		版权	bǎnquán	copyright

🖊 8 画

▢ 合体字

🏠 片部

👤 高级华文

板(板) băn

板书 bǎnshū writing on the blackboard
木板 mùbǎn plank; board
老板 lǎobǎn boss

✏ 8 画

▢ 合体字

🏠 木部

👤 1-4年级

板板板板板板板
板

绊(绊) bàn

绊脚石 bànjiǎoshí obstacle
绊手绊脚 bànshǒu-bànjiǎo be in the way

✏ 8 画

▢ 合体字

🏠 纟(糸)部

👤 高级华文

绊绊绊绊绊绊绊
绊

办(办) bàn

办事 bàn shì handle an affair
办法 bànfǎ way; means; method
开办 kāibàn open; set up; start

✏ 4 画

▢ 独体字

🏠 力部

👤 1-4年级

力力办办

半(半) bàn

半 bàn half
半边 bànbiān half; one side
深更半夜 shēngēng-bànyè at midnight

✏ 5 画

▢ 独体字

🏠 、部

👤 1-4年级

半半半半半

伴(伴)

✏️ 7 画

🗂️ 合体字

🏠 亻部

🎓 1-4年级

bàn		
伴奏	bànzòu	accompany (with musical instruments)
同伴	tóngbàn	companion
伙伴	huǒbàn	partner; companion

亻 伴 伴 伴 伴 伴 伴

扮(扮)

✏️ 7 画

🗂️ 合体字

🏠 扌部

🎓 1-4年级

"八" 不是 "入" 或 "人"。

bàn		
打扮	dǎban	dress up; make up
假扮	jiǎbàn	dress up as
扮演	bànyǎn	play the part of

扮 扮 扮 扮 扮 扮 扮

邦(邦)

✏️ 6 画

🗂️ 合体字

🏠 阝部

🎓 高级华文

"丰" 不是 "丰"。

bāng		
邦交	bāngjiāo	diplomatic relation
邻邦	línbāng	neighbouring country
联邦	liánbāng	federation; commonwealth

邦 邦 邦 邦 邦 邦

帮(帮)

✏️ 9 画

🗂️ 合体字

🏠 巾部

🎓 1-4年级

"阝" 不是 "阝"。
"丰" 不是 "丰"。

bāng		
帮助	bāngzhù	help; assist
帮忙	bāngmáng	lend a hand
匪帮	fěibāng	bandit; gang

帮 帮 帮 帮 帮 帮 帮
帮 帮

膀(膀)

bǎng	臂膀	bìbǎng	arm
	肩膀	jiānbǎng	shoulder
páng	膀胱	pángguāng	bladder

- 14 画
- 合体字
- 月部
- 1-4年级

绑(绑)

bǎng	绑	bǎng	bind; tie
	绑票	bǎngpiào	kidnap
	捆绑	kǔnbǎng	tie up

- 9 画
- 合体字
- 纟(糸)部
- 1-4年级

"丰"不是"丰"。

榜(榜)

bǎng	榜样	bǎngyàng	example; model
	发榜	fābǎng	publish a list of successful candidates
	甘榜	gānbǎng	Malay village; kampong

- 14 画
- 合体字
- 木部
- 5-6年级

蚌(蚌)

| bàng | 蚌 | bàng | clam |

- 10 画
- 合体字
- 虫部
- 高级华文

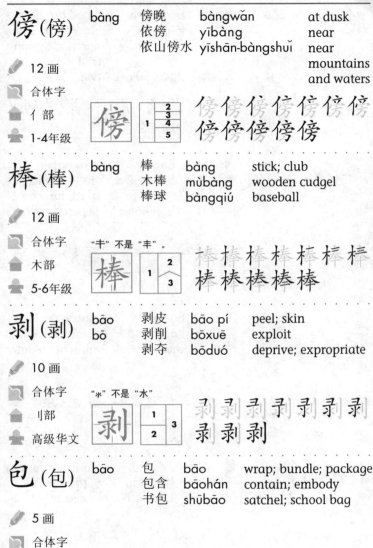

傍(傍)

bàng

傍晚	bàngwǎn	at dusk
依傍	yībàng	near
依山傍水	yīshān-bàngshuǐ	near mountains and waters

✏️ 12 画

📑 合体字

🏠 亻部

🎓 1-4年级

1 / 2 3 4 5

棒(棒)

bàng

棒	bàng	stick; club
木棒	mùbàng	wooden cudgel
棒球	bàngqiú	baseball

✏️ 12 画

📑 合体字　"キ" 不是 "丰"。

🏠 木部

🎓 5-6年级

1 / 2 3

剥(剥)

bāo
bō

剥皮	bāo pí	peel; skin
剥削	bōxuē	exploit
剥夺	bōduó	deprive; expropriate

✏️ 10 画

📑 合体字　"⺉" 不是 "水"

🏠 刂部

🎓 高级华文

1 / 2 / 3

包(包)

bāo

包	bāo	wrap; bundle; package
包含	bāohán	contain; embody
书包	shūbāo	satchel; school bag

✏️ 5 画

📑 合体字

🏠 勹部

🎓 1-4年级

1 / 2

胞 (胞)

bāo

胞兄	bāoxiōng	blood brothers
同胞	tóngbāo	born of the same parents; compatriot
双胞胎	shuāngbāotāi	twins

- 9 画
- 合体字
- 月部
- 5-6年级

薄 (薄)

báo
bó

bò

薄纸	báo zhǐ	thin paper
薄利多销	bólìduōxiāo	small profits but quick turnover
薄荷糖	bòhetáng	pepermint drops

- 16 画
- 合体字
- 艹部
- 1-4年级

宝 (宝)

bǎo

宝贝	bǎobèi	treasured object
宝贵	bǎoguì	valuable; precious
传家宝	chuánjiābǎo	family heirloom

- 8 画
- 合体字
- 宀部
- 1-4年级

饱 (饱)

bǎo

饱	bǎo	full (of eating)
饱满	bǎomǎn	plump
饱读诗书	bǎodúshīshū	learned; erudite

- 8 画
- 合体字
- 饣(食)部
- 1-4年级

保(保) bǎo

保护	bǎohù	protect; safeguard
保存	bǎocún	preserve; keep
担保	dānbǎo	assure; guarantee

9 画

合体字

亻部

1-4年级

保保保保保保保保保

爆(爆) bào

爆	bào	burst; quick-fry
爆炸	bàozhà	explode; blow up
引爆	yǐnbào	ignite; detonate

19 画

合体字

"水"不是"小"。

火部

高级华文

爆爆爆爆爆爆爆爆爆爆爆爆爆爆爆爆爆爆

抱(抱) bào

抱	bào	carry in the arms
抱怨	bàoyuàn	complain; grumble
拥抱	yōngbào	embrace; hug

8 画

合体字

火部

1-4年级

抱抱抱抱抱抱抱抱

报(报) bào

报纸	bàozhǐ	newspaper
报名	bàomíng	sign up; enter one's name for
画报	huàbào	pictorial

7 画

合体字

"艮"不是"及"。

扌部

1-4年级

报报报报报报报

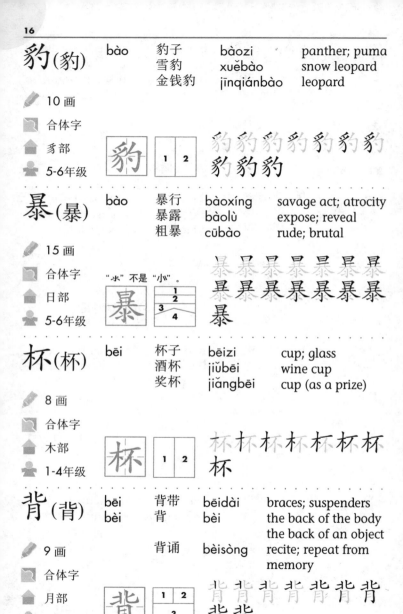

豹 (豹) bào

豹子	bàozi	panther; puma
雪豹	xuěbào	snow leopard
金钱豹	jīnqiánbào	leopard

10 画
合体字
豸部
5-6年级

暴 (暴) bào

暴行	bàoxíng	savage act; atrocity
暴露	bàolù	expose; reveal
粗暴	cūbào	rude; brutal

15 画
合体字
日部
5-6年级

"氺" 不是 "小"。

杯 (杯) bēi

杯子	bēizi	cup; glass
酒杯	jiǔbēi	wine cup
奖杯	jiǎngbēi	cup (as a prize)

8 画
合体字
木部
1-4年级

背 (背) bēi bèi

背带	bēidài	braces; suspenders
背	bèi	the back of the body
		the back of an object
背诵	bèisòng	recite; repeat from memory

9 画
合体字
月部
1-4年级

悲 (悲) bēi

悲伤	bēishāng	sorrowful
慈悲	cíbēi	merciful
乐极生悲	lèjíshēngbēi	extreme joy begets sorrow

12 画

合体字

心部

5-6年级

"心"的第二笔楷体是卧钩，宋体是竖弯钩。

悲 悲 悲 悲 悲 悲 悲 悲 悲 悲 悲 悲

北 (北) běi

北	běi	north
北极	běijí	the North Pole
南征北战	nánzhēng-běizhàn	fight north and south on many fronts

5 画

合体字

丨部

1-4年级

北 北 北 北 北

备 (备) bèi

准备	zhǔnbèi	prepare; get ready
设备	shèbèi	equipment; facilities
后备	hòubèi	reserve

8 画

合体字

夂(田)部

1-4年级

"夂"不是"夊"。

备 备 备 备 备 备 备 备

贝 (贝) bèi

贝壳	bèiké	shell
贝母	bèimǔ	the bulb of fritillary
宝贝	bǎobèi	treasure; darling

4 画

独体字

贝部

1-4年级

贝 贝 贝 贝

被(被) bèi 被选 bèi xuǎn be elected
被子 bèizi quilt; comforter
毛巾被 máojīnbèi towelling coverlet

10 画
合体字
"衤"不是"衤"。
衤 部
1-4年级

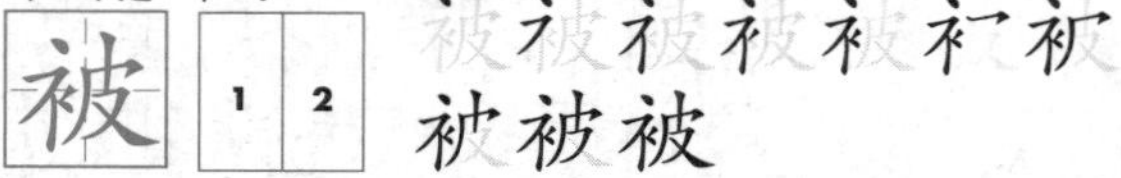

倍(倍) bèi 倍数 bèishù multiple
加倍 jiābèi double
事半功倍 shìbàn-gōngbèi get twice the
result with
half the effort

10 画
合体字
亻 部
5-6年级

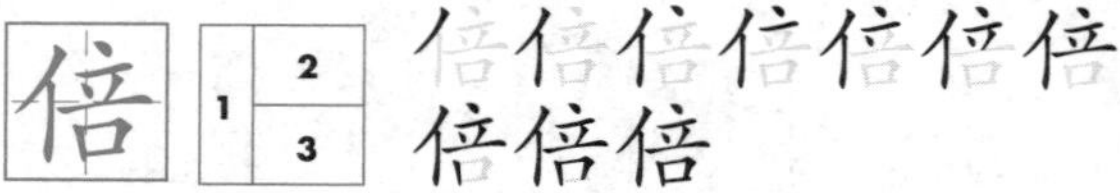

辈(辈) bèi 长辈 zhǎngbèi senior
人才辈出 réncáibèichū people of talent
coming forth in
large numbers

12 画
合体字
车部
5-6年级

奔(奔) bēn 奔跑 bēnpǎo run
奔放 bēnfàng bold; untrammelled
飞奔 fēibēn dash; tear along

8 画
合体字
大部
5-6年级

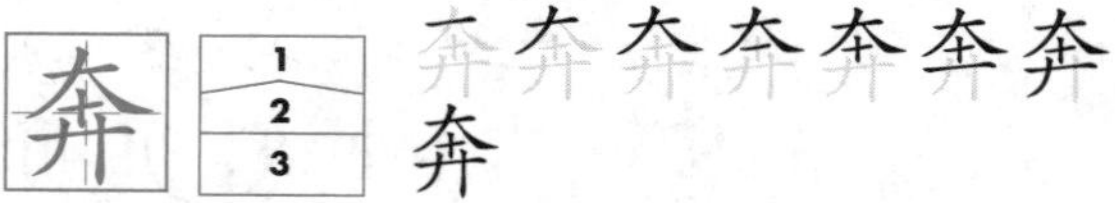

本(本) běn

根本 gēnběn　essential; fundamental
课本 kèběn　textbook
本质 běnzhì　essence; nature

✏ 5画

▨ 独体字

🏠 一(木)部

🎓 1-4年级

本　| 1 |

一 十 才 木 本

笨(笨) bèn

笨 bèn　silly; slow-witted
笨重 bènzhòng　ponderous; lumpish
愚笨 yúbèn　foolish; stupid

✏ 11画

▨ 合体字

🏠 竹(竹)口部

🎓 1-4年级

笨　| 1 | 2 |
　　| 3 |

笨笨笨笨笨笨笨
笨笨笨笨

崩(崩) bēng

崩溃 bēngkuì　collapse; fall apart
雪崩 xuě bēng　snow slide
土崩瓦解 tǔbēng-wǎjiě　crumble

✏ 11画

▨ 合体字

🏠 山部

🎓 高级华文

崩　| 1 |
　　| 2 | 3 |

崩崩崩崩崩崩崩
崩崩崩崩

逼(逼) bī

逼 bī　force; compel
逼迫 bīpò　coerce; threaten
威逼 wēibī　intimidate; threaten by force

✏ 12画

▨ 合体字

"辶"，楷体比宋体多一个弯曲。

🏠 辶部

🎓 高级华文

逼　| 1 |
　| 2 |
　| 3 |
4 |

逼逼逼逼逼逼逼
逼逼逼逼逼

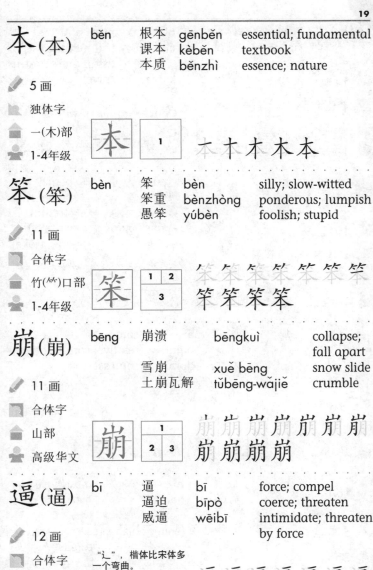

鼻(鼻)

bí

鼻子	bízi	nose
刺鼻	cìbí	irritate the nose; assail one's nostrils
哭鼻子	kūbízi	snivel

✏ 14 画

▨ 合体字

🏠 鼻部

🎓 1-4年级

"丌" 不是 "廾"。

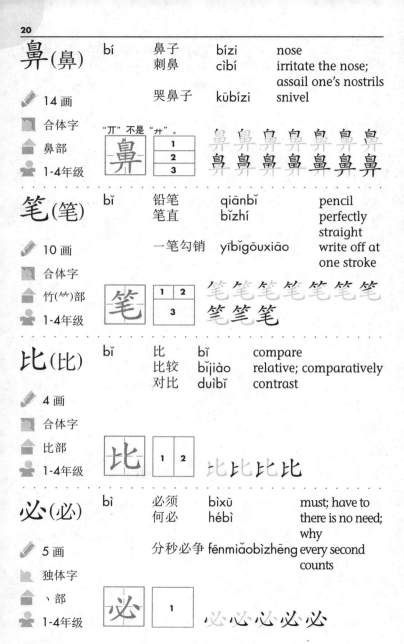

鼻	1
	2
	3

鼻 鼻 鼻 鼻 鼻 鼻 鼻
鼻 鼻 鼻 鼻 鼻 鼻 鼻

笔(笔)

bǐ

铅笔	qiānbǐ	pencil
笔直	bǐzhí	perfectly straight
一笔勾销	yībǐgōuxiāo	write off at one stroke

✏ 10 画

▨ 合体字

🏠 竹(⺮)部

🎓 1-4年级

| 笔 | 1 | 2 |
| | 3 | |

笔 笔 笔 笔 笔 笔 笔
笔 笔 笔

比(比)

bǐ

比	bǐ	compare
比较	bǐjiào	relative; comparatively
对比	duìbǐ	contrast

✏ 4 画

▨ 合体字

🏠 比部

🎓 1-4年级

| 比 | 1 | 2 |

比 比 比 比

必(必)

bì

必须	bìxū	must; have to
何必	hébì	there is no need; why
分秒必争	fēnmiǎobìzhēng	every second counts

✏ 5 画

▨ 独体字

🏠 、部

🎓 1-4年级

| 必 | 1 |

必 必 必 必 必

壁(壁) bì

壁画	bìhuà	fresco
隔壁	gébì	next door
铜墙铁壁	tóngqiáng-tiěbì	a bastion of iron

16 画
合体字
土部
1-4年级

避(避) bì

躲避	duǒbì	hide; avoid
避风	bìfēng	take shelter from the wind
避雷针	bìléizhēn	lightening rod

16 画
合体字

"辶"，楷体比宋体多一个弯曲。

辶部
1-4年级

毕(畢) bì

完毕	wánbì	finish
毕业	bìyè	graduate
毕恭毕敬	bìgōng-bìjìng	reverent and respectful

6 画
合体字
比(十)部
5-6年级

币(幣) bì

货币	huòbì	money; currency
纸币	zhǐbì	paper money; banknote
硬币	yìngbì	coin

4 画
独体字
丿(巾)部
5-6年级

闭(閉) bì

关闭　guānbì　close; shut
倒闭　dǎobì　close down; go bankrupt
闭幕　bìmù　lower the curtain; conclude

✏ 6 画
▢ 合体字
🏠 门部
🎖 5-6年级

闭闭闭闭闭闭

臂(臂) bì
bei

臂膀　bìbǎng　upper arm
胳臂　gēbei　arm

✏ 17 画
▢ 合体字
🏠 月部
🎖 5-6年级

臂臂尸尸戶戶戶
戶戶戶臂臂臂臂
臂臂臂

鞭(鞭) biān

鞭子　biānzi　whip; lash
鞭刑　biānxíng　caning
马鞭　mǎbiān　horsewhip

✏ 18 画
▢ 合体字
🏠 革部
🎖 高级华文

鞭鞭鞭鞭鞭苗
苗革革靳靳靳
靳鞭鞭鞭

边(边) biān

旁边　pángbiān　side
江边　jiāngbiān　river bank
边界　biānjiè　boundary; border

✏ 5 画
▢ 合体字
🏠 辶部
🎖 1-4年级

"辶"，楷体比宋体多一个弯曲。

フカ力边边

编(編) biān

编号	biānhào	number
编造	biānzào	compile; concoct
新编	xīnbiān	new version; new edition

✏️ 12画

🔲 合体字

🏠 纟(糸)部

🎓 5-6年级

编 编 编 编 编 编 编
编 编 编 编 编

扁(扁)

biǎn

| 扁 | biǎn | flat |
| 扁担 | biǎndàn | carrying pole; shoulder pole |

piān

| 扁舟 | piānzhōu | small boat; skiff |

✏️ 9画

🔲 合体字

🏠 户部

🎓 高级华文

扁 扁 扁 扁 扁 扁
扁 扁

辩(辯)

biàn

辩论	biànlùn	debate; argue
辩护	biànhù	defend; plead
争辩	zhēngbiàn	contend; wrangle

✏️ 16画

🔲 合体字

"訁"不是"辛"。

🏠 辛(訁)部

🎓 高级华文

辩 辩 辩 辩 辩 辩 辩
辩 辩

便(便)

biàn

| 方便 | fāngbiàn | convenient |
| 大便 | dàbiàn | defecate; shit |

pián

| 便宜 | piányi | cheap; inexpensive |

✏️ 9画

🔲 合体字

🏠 亻部

🎓 1-4年级

便 便 便 便 便 便 便
便 便

24

变 (變) biàn

变	biàn	change; become
变动	biàndòng	change; alternation
演变	yǎnbiàn	develop; evolve

8 画
合体字
亠部
1-4年级

"亦"不是"亦"。
"亦"第五笔楷体是点，宋体是撇。

遍 (遍) biàn

遍地	biàndì	everywhere; all over
遍布	biànbù	be found everywhere; spread all over
普遍	pǔbiàn	common; general

12 画
合体字
辶部
1-4年级

"辶"，楷体比宋体多一个弯曲。

辨 (辨) biàn

辨别	biànbié	distinguish; discriminate
辨认	biànrèn	identify; recognize
分辨	fēnbiàn	differentiate; tell apart

16 画
合体字
辛(辛)部
5-6年级

"辛"不是"刂"。

标 (標) biāo

标记	biāojì	sign; mark
标准	biāozhǔn	standard; criterion
目标	mùbiāo	goal; aim

9 画
合体字
木部
1-4年级

"小"第二笔楷体是点，宋体是撇。

表 (表)

biǎo

表格	biǎogé	form; table
表演	biǎoyǎn	perform; act
手表	shǒubiǎo	wrist watch

✏️ 8 画

🔲 合体字

🏠 一部

👤 1-4年级

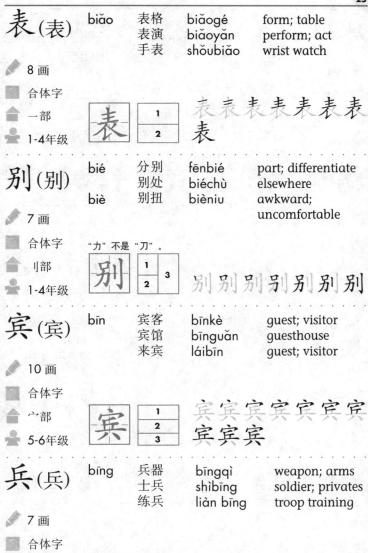

表表表表表表表
表

别 (別)

bié

| 分别 | fēnbié | part; differentiate |
| 别处 | biéchù | elsewhere |

biè

| 别扭 | bièniu | awkward; uncomfortable |

✏️ 7 画

🔲 合体字   "力" 不是 "刀"。

🏠 刂部

👤 1-4年级

别别别别别别别

宾 (賓)

bīn

宾客	bīnkè	guest; visitor
宾馆	bīnguǎn	guesthouse
来宾	láibīn	guest; visitor

✏️ 10 画

🔲 合体字

🏠 宀部

👤 5-6年级

宾宾宾宾宾宾宾
宾宾宾

兵 (兵)

bīng

兵器	bīngqì	weapon; arms
士兵	shìbīng	soldier; privates
练兵	liàn bīng	troop training

✏️ 7 画

🔲 合体字

🏠 八部

👤 1-4年级

兵兵兵兵兵兵兵

冰(冰) bīng

冰	bīng	ice
冰箱	bīngxiāng	icebox; refrigerator
溜冰	liū bīng	skating

✏ 6 画

▢ 合体字

🏠 冫 部

👤 1-4年级

冰冰冰冰冰冰

柄(柄) bǐng

刀柄	dāo bǐng	the handle of a knife
把柄	bǎbǐng	handle
话柄	huàbǐng	subject for ridicule

✏ 9 画

▢ 合体字

🏠 木部

👤 高级华文

柄柄柄柄柄柄柄
柄柄

饼(饼) bǐng

饼干	bǐnggān	biscuit; cracker
肉饼	ròubǐng	meat pie
月饼	yuèbǐng	moon cake

✏ 9 画

▢ 合体字

🏠 饣(食)部

👤 1-4年级

饼饼饼饼饼饼饼
饼饼

丙(丙) bǐng

甲乙丙丁	jiǎ yǐ bǐng dīng	A, B, C and D; first, second, third and forth

✏ 5 画

▢ 独体字

🏠 一部

👤 1-4年级

丙丙丙丙丙

病(病) bìng

病人	bìngrén	patient
疾病	jíbìng	disease
治病救人	zhìbìngjiùrén	cure a patient of a disease

✏ 10画

▢ 合体字

▢ 疒部

★ 1-4年级

病病病病病病病
病病病

1　2

并(并) bìng

并且	bìngqiě	moreover; furthermore
合并	hébìng	merge; amalgamate
并肩	bìngjiān	shoulder to shoulder; side by side

✏ 6画

▢ 合体字

▢ 八(丷)部

★ 1-4年级

并并并并并并

1
2

玻(玻) bō

玻璃	bōlí	glass
玻璃纸	bōlizhǐ	cellophane; glassine
毛玻璃	máobōlí	frosted glass

✏ 9画

▢ 合体字

▢ 王部

★ 1-4年级

玻玻玻玻玻玻玻
玻玻

1　2

波(波) bō

波浪	bōlàng	wave
风波	fēngbō	storm; disturbance
短波	duǎnbō	short-wave

✏ 8画

▢ 合体字

▢ 氵部

★ 1-4年级

波波波波波波波
波

1　2

播(播) bō

播音	bōyīn	transmit; broadcast
广播	guǎngbō	broadcast
传播	chuánbō	propagate; spread

- 15 画
- 合体字
- 扌部
- 1-4年级

拔(拨) bō

拨	bō	stir; poke
拨款	bōkuǎn	allocate funds
挑拨	tiǎobō	sow discord; instigate

- 8 画
- 合体字 "发" 不是 "友"。
- 扌部
- 5-6年级

泊(泊) bó

| 停泊 | tíngbó | lie at anchor |
| 漂泊 | piāobó | drift; lead a wandering life |

pō

| 湖泊 | húpō | lakes |

- 8 画
- 合体字
- 氵部
- 高级华文

伯(伯) bó

| 伯父 | bófù | father's elder brother; uncle |
| 伯乐 | Bólè | talent finder |

bǎi

| 大伯子 | dàbǎizi | brother-in-law; husband's elder brother |

- 7 画
- 合体字
- 亻部
- 1-4年级

博(博) bó 广博 guǎngbó erudite; extensive
博士 bóshì doctor
博物馆 bówùguǎn museum

✏️ 12 画

🔲 合体字 "十" 不是 "忄"。

🏠 十部

👤 5-6年级

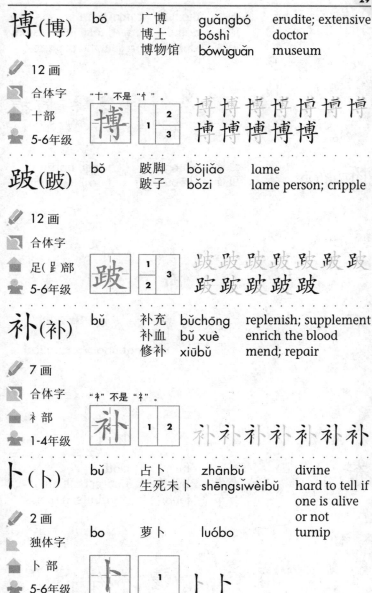

跛(跛) bǒ 跛脚 bǒjiǎo lame
跛子 bǒzi lame person; cripple

✏️ 12 画

🔲 合体字

🏠 足(𧾷)部

👤 5-6年级

补(补) bǔ 补充 bǔchōng replenish; supplement
补血 bǔ xuè enrich the blood
修补 xiūbǔ mend; repair

✏️ 7 画

🔲 合体字 "衤" 不是 "礻"。

🏠 衤部

👤 1-4年级

卜(卜) bǔ 占卜 zhānbǔ divine
生死未卜 shēngsǐwèibǔ hard to tell if
one is alive
or not

✏️ 2 画

🔲 独体字 bo 萝卜 luóbo turnip

🏠 卜部

👤 5-6年级

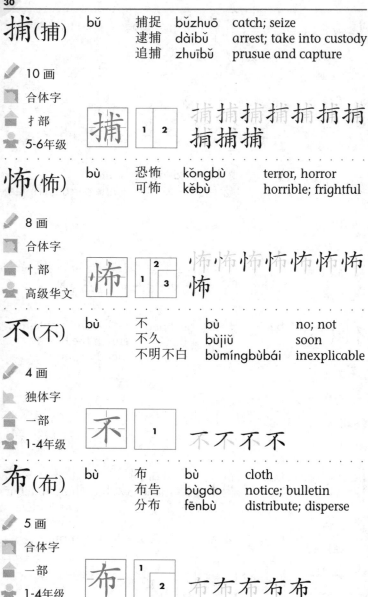

捕(捕)

bǔ

捕捉	bǔzhuō	catch; seize
逮捕	dàibǔ	arrest; take into custody
追捕	zhuībǔ	prusue and capture

✏️ 10 画

🔲 合体字

🔳 扌部

👤 5-6年级

捕捕捕捕捕捕捕
捕捕捕

怖(怖)

bù

| 恐怖 | kǒngbù | terror, horror |
| 可怖 | kěbù | horrible; frightful |

✏️ 8 画

🔲 合体字

🔳 忄部

👤 高级华文

怖怖怖怖怖怖怖
怖

不(不)

bù

不	bù	no; not
不久	bùjiǔ	soon
不明不白	bùmíngbùbái	inexplicable

✏️ 4 画

🔲 独体字

🔳 一部

👤 1-4年级

不不不不

布(布)

bù

布	bù	cloth
布告	bùgào	notice; bulletin
分布	fēnbù	distribute; disperse

✏️ 5 画

🔲 合体字

🔳 一部

👤 1-4年级

布布布布布

步 (步)   bù

步伐	bùfá	tempo; pace
脚步	jiǎobù	step; pace
进步	jìnbù	progress; advance

7 画

合体字

止部

1-4年级

"少"不是"少"。
"少"第二笔楷体是点，
宋体是撇。

	1
	2

步 步 步 步 步 步 步

簿 (簿)   bù

簿子	bùzi	notebook; book
帐簿	zhàngbù	account book
练习簿	liànxíbù	exercise book

19 画

合体字

竹(⺮)部

1-4年级

1	2
3	4
	5

簿 簿 簿 簿 簿 簿 簿
簿 簿 簿 簿 簿 簿 簿
簿 簿 簿 簿 簿

部 (部)   bù

部门	bùmén	department; section
部长	bùzhǎng	minister; director
俱乐部	jùlèbù	club

10 画

合体字

阝部

1-4年级

"阝"不是"卩"。

	1
2	3

部 部 部 部 部 部 部
部 部 部

擦 (擦)   cā

擦	cā	wipe; brush
擦板球	cābǎnqiú	touch ball; edge ball

17 画

合体字

扌部

1-4年级

"癶"不是"夬"。
"示"第四笔楷体是点，
宋体是撇。

	2
1	3
	4
	5

擦 擦 擦 擦 擦 擦 擦
擦 擦 擦 擦 擦 擦 擦
擦 擦 擦

猜(猜)

cāi

猜	cāi	guess
猜谜	cāi mí	guess at riddles
猜想	cāixiǎng	guess; suppose

- 11 画
- 合体字
- 犭部
- 1-4年级

猜猜猜猜猜猜猜
猜猜猜猜

才(才)

cái

人才	réncái	talent; person of talent
刚才	gāngcái	just now; a moment ago
才走	cái zǒu	have just left

- 3 画
- 独体字
- 一部
- 1-4年级

一ナ才

财(财)

cái

财产	cáichǎn	property; possessions
财物	cáiwù	property; belongings
发财	fācái	get rich; make a fortune

- 7 画
- 合体字
- 贝部
- 1-4年级

财财财财财财财

材(材)

cái

材料	cáiliào	material
教材	jiàocái	teaching material
器材	qìcái	equipment

- 7 画
- 合体字
- 木部
- 5-6年级

一ナ才材材材材

裁(裁)

cái

裁	cái	cut
裁缝	cáiféng	tailor
体裁	tǐcái	genre; form of literary works

✏️ 12 画

📄 合体字

🏠 衣部

🎓 5-6年级

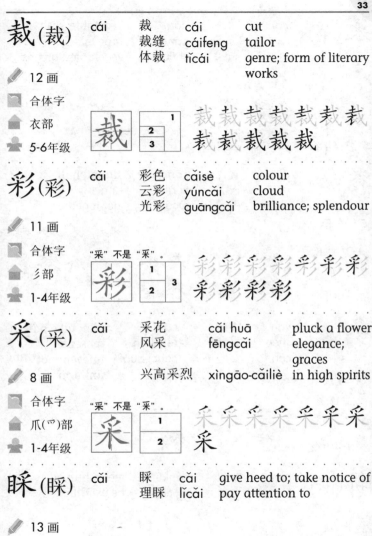

彩(彩)

cǎi

彩色	cǎisè	colour
云彩	yúncǎi	cloud
光彩	guāngcǎi	brilliance; splendour

✏️ 11 画

📄 合体字

🏠 彡部

🎓 1-4年级

"采" 不是 "釆"。

采(采)

cǎi

采花	cǎi huā	pluck a flower
风采	fēngcǎi	elegance; graces
兴高采烈	xìngāo-cǎiliè	in high spirits

✏️ 8 画

📄 合体字

🏠 爪(爫)部

🎓 1-4年级

"采" 不是 "釆"。

睬(睬)

cǎi

| 睬 | cǎi | give heed to; take notice of |
| 理睬 | lǐcǎi | pay attention to |

✏️ 13 画

📄 合体字

🏠 目部

🎓 5-6年级

"采" 不是 "釆"。

菜(菜)

cài

菜	cài	vegetable; dish
菜油	càiyóu	rape oil;
蔬菜	shūcài	vegetables; greens

11 画

合体字

"采" 不是 "采"。

艹 部

1-4年级

菜茓菜菜菜菜菜
菜莱菜菜

餐(餐)

cān

餐厅	cāntīng	dining hall
快餐	kuàicān	snack
聚餐	jùcān	get-together

16 画

合体字

食部

1-4年级

餐餐餐冬餐冬奴奴
叕叕叕叕叕叕餐
餐餐

参(参)

cān
shēn
cēn

参加	cānjiā	join; take part in
人参	rénshēn	ginseng
参差不齐	cēncī-bùqí	uneven; not uniform

8 画

合体字

厶 部

1-4年级

参参台乡矢矢参
参

惭(惭)

cán

| 惭愧 | cánkuì | feel ashamed |
| 羞惭 | xiūcán | be ashamed |

11 画

合体字

忄 部

5-6年级

惭惭忄斩忄斩忙斩忙斩
忙斩惭惭惭

残 (残)

cán

残废	cánfèi	disabled; maimed
残暴	cánbào	brutal; savage
伤残	shāngcán	disabled in an injury; seriously hurt and not fully recovered

- 9 画
- 合体字
- 歹部
- 5-6年级

残残残残残残残
残残

惨 (惨)

cǎn

惨痛	cǎntòng	painful; bitter
惨败	cǎnbài	smashing defeat
悲惨	bēicǎn	tragic; miserable

- 11 画
- 合体字
- 忄部
- 5-6年级

惨惨惨惨惨惨惨
惨惨惨惨

灿 (灿)

càn

灿烂	cànlàn	bright; brilliant
光灿灿	guāngcàncàn	glossy; lustrous
金灿灿	jīncàncàn	golden shiny; splendid

- 7 画
- 合体字
- 火部
- 高级华文

灿灿灿灿灿灿灿

苍 (苍)

cāng

苍蝇	cāngying	fly; housefly
苍白	cāngbái	pale; pallid
苍天	cāngtiān	Heaven; the blue sky

- 7 画
- 合体字
- 艹部
- 5-6年级

"巴" 不是 "匕"。

苍苍苍苍苍苍苍

藏(藏)

cáng	藏	cáng	hide; store up
	躲藏	duǒcáng	conceal; hide
zàng	宝藏	bǎozàng	treasure

🖊 17 画

▨ 合体字

🏠 艹部

👥 1-4年级

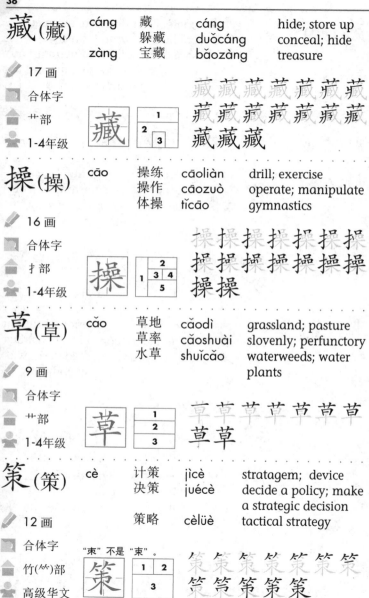

藏藏藏藏藏藏藏藏
藏藏藏藏藏藏藏
藏藏藏

操(操)

cāo	操练	cāoliàn	drill; exercise
	操作	cāozuò	operate; manipulate
	体操	tǐcāo	gymnastics

🖊 16 画

▨ 合体字

🏠 扌部

👥 1-4年级

操操操操操操操
操操操操操操操
操操

草(草)

cǎo	草地	cǎodì	grassland; pasture
	草率	cǎoshuài	slovenly; perfunctory
	水草	shuǐcǎo	waterweeds; water plants

🖊 9 画

▨ 合体字

🏠 艹部

👥 1-4年级

草草草草草草草
草草

策(策)

cè	计策	jìcè	stratagem; device
	决策	juécè	decide a policy; make a strategic decision
	策略	cèlüè	tactical strategy

🖊 12 画

▨ 合体字

"束" 不是 "束"。

🏠 竹(⺮)部

👥 高级华文

策策策策策策策
策策策策策

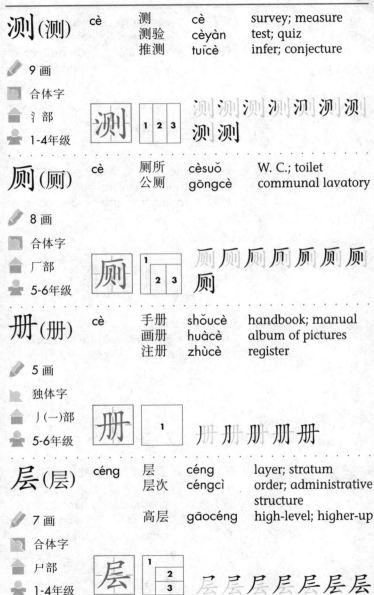

测(測)   cè

测	cè	survey; measure
测验	cèyàn	test; quiz
推测	tuīcè	infer; conjecture

9 画

合体字

氵部

1-4年级

厕(厠)   cè

| 厕所 | cèsuǒ | W. C.; toilet |
| 公厕 | gōngcè | communal lavatory |

8 画

合体字

厂部

5-6年级

册(冊)   cè

手册	shǒucè	handbook; manual
画册	huàcè	album of pictures
注册	zhùcè	register

5 画

独体字

丿(一)部

5-6年级

层(層)   céng

层	céng	layer; stratum
层次	céngcì	order; administrative structure
高层	gāocéng	high-level; higher-up

7 画

合体字

尸部

1-4年级

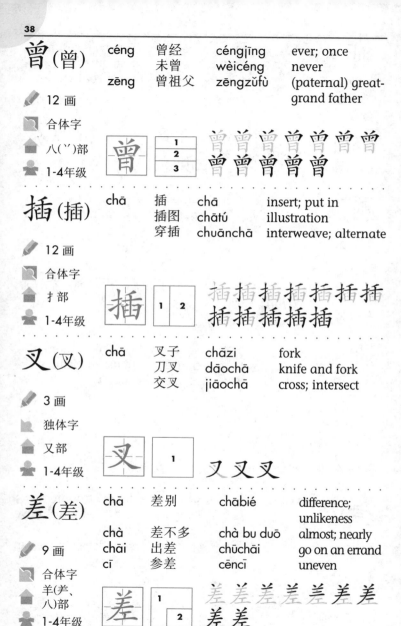

曾 (曾)

céng	曾经	céngjīng	ever; once
	未曾	wèicéng	never
zēng	曾祖父	zēngzǔfù	(paternal) great-grand father

✏️ 12 画

🔲 合体字

🏠 八(ˇ)部

👤 1-4年级

插 (插)

chā	插	chā	insert; put in
	插图	chātú	illustration
	穿插	chuānchā	interweave; alternate

✏️ 12 画

🔲 合体字

🏠 扌部

👤 1-4年级

叉 (叉)

chā	叉子	chāzi	fork
	刀叉	dāochā	knife and fork
	交叉	jiāochā	cross; intersect

✏️ 3 画

🔲 独体字

🏠 又部

👤 1-4年级

差 (差)

chā	差别	chābié	difference; unlikeness
chà	差不多	chà bu duō	almost; nearly
chāi	出差	chūchāi	go on an errand
cī	参差	cēncī	uneven

✏️ 9 画

🔲 合体字

🏠 羊(⺶、八)部

👤 1-4年级

搽 (搽)

| chá | 搽 | chá | apply; rub |
| | 搽药 | chá yào | apply an ointment to; rub an ointment on |

- ✏️ 12 画
- 合体字
- 扌部
- 高级华文

"ホ" 不是 "木"。
"ホ" 第三笔楷体是点，宋体是撇。

茶 (茶)

chá	茶馆	cháguǎn	teahouse
	茶花	cháhuā	camellia
	奶茶	nǎichá	tea with milk

- ✏️ 9 画
- 合体字
- 艹部
- 1-4年级

"ホ" 不是 "木"。
"ホ" 第三笔楷体是点，宋体是撇。

察 (察)

chá	察看	chákàn	inspect; look over
	警察	jǐngchá	police; policeman
	观察	guānchá	observe

- ✏️ 14 画
- 合体字
- 宀部
- 1-4年级

"⺍" 不是 "⺌"。
"小" 第二笔楷体是点，宋体是撇。

查 (查)

chá	查	chá	check; examine
	调查	diàochá	look into; investigate
zhā	查	zhā	Zha (surname)

- ✏️ 9 画
- 合体字
- 木部
- 1-4年级

拆(拆)　chāi

拆	chāi	tear down; dismantle
拆穿	chāichuān	expose; uncover
拆散	chāisàn	break up; separate

8画

合体字

"斥"不是"斥"。

扌部

1-4年级

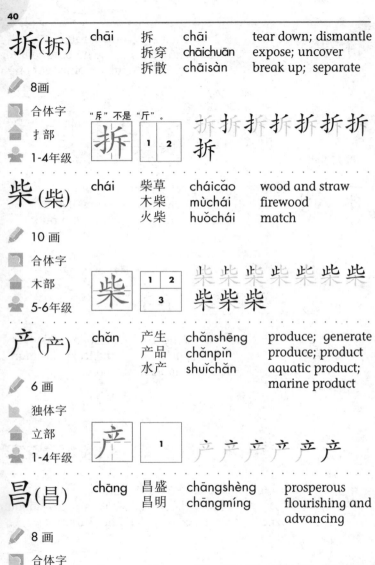

柴(柴)　chái

柴草	cháicǎo	wood and straw
木柴	mùchái	firewood
火柴	huǒchái	match

10 画

合体字

木部

5-6年级

产(产)　chǎn

产生	chǎnshēng	produce; generate
产品	chǎnpǐn	produce; product
水产	shuǐchǎn	aquatic product; marine product

6 画

独体字

立部

1-4年级

昌(昌)　chāng

| 昌盛 | chāngshèng | prosperous |
| 昌明 | chāngmíng | flourishing and advancing |

8 画

合体字

日部

高级华文

长(長)	cháng	长	cháng	long
		延长	yáncháng	prolong; extend
	zhǎng	长	zhǎng	older; senior
		长大	zhǎngdà	grow up

✏️ 4 画

🀫 独体字

🏠 丿部

👤 1-4年级

长 一 长 长 长

常(常)	cháng	常识	chángshí	common sense
		经常	jīngcháng	often; frequently
		反常	fǎncháng	abnormal; unusual

✏️ 11 画

🀫 合体字

🏠 小(⺌、巾)部

👤 1-4年级

常常常常常常常
常常常常

尝(嘗)	cháng	尝试	chángshì	try; attempt
		品尝	pǐncháng	taste; savour
		未尝	wèicháng	never

✏️ 9 画

🀫 合体字

🏠 小(⺌)部

👤 1-4年级

尝尝尝尝尝尝尝
尝尝

场(場)	cháng	场院	chángyuàn	threshing ground
	chǎng	操场	cāochǎng	playground; drill ground
		广场	guǎngchǎng	public square

✏️ 6 画

🀫 合体字

🏠 土部

👤 1-4年级

场场场 场场场

偿(償)

cháng

偿还	chánghuán	repay; pay back
补偿	bǔcháng	reimburse; recoup
赔偿	péicháng	compensate

11 画

合体字

亻部

5-6年级

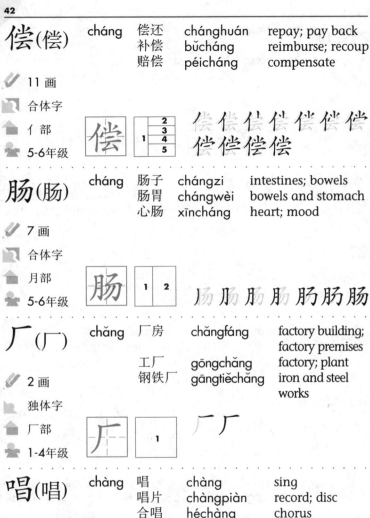

肠(腸)

cháng

肠子	chángzi	intestines; bowels
肠胃	chángwèi	bowels and stomach
心肠	xīncháng	heart; mood

7 画

合体字

月部

5-6年级

厂(廠)

chǎng

厂房	chǎngfáng	factory building; factory premises
工厂	gōngchǎng	factory; plant
钢铁厂	gāngtiěchǎng	iron and steel works

2 画

独体字

厂部

1-4年级

唱(唱)

chàng

唱	chàng	sing
唱片	chàngpiàn	record; disc
合唱	héchàng	chorus

11 画

合体字

口部

1-4年级

抄 (抄)

chāo

抄	chāo	copy
抄身	chāoshēn	search a person
摘抄	zhāichāo	extract; excerpt

7 画

合体字

扌部

1-4年级

"少"第二笔楷体是点，宋体是撇。

一 十 扌 扎 扑 抄 抄

钞 (钞)

chāo

钞票	chāopiào	banknote; bill
现钞	xiànchāo	cash
会钞	huìchāo	stand treat

9 画

合体字

钅(金)部

5-6年级

"少"第二笔楷体是点，宋体是撇。

丿 钅 钅 钅 钅 钅 钞 钞

超 (超)

chāo

超出	chāochū	overstep; exceed
超等	chāoděng	superior grade
高超	gāochāo	superb; excellent

12 画

合体字

走部

5-6年级

超 超 超 走 走 走 走
起 起 起 超 超

朝 (朝)

cháo

| 朝 | cháo | face; towards |
| 朝代 | cháodài | dynasty |

zhāo

| 朝气 | zhāoqì | vigour; vitality |

12 画

合体字

月部

5-6年级

朝 朝 朝 古 古 朝 直 直
卓 朝 朝 朝 朝

潮(潮)

	cháo	潮水	cháoshuǐ	tide
		潮流	cháoliú	trend; current
		回潮	huícháo	resurgence; reversion

- 15 画
- 合体字
- 氵部
- 5-6年级

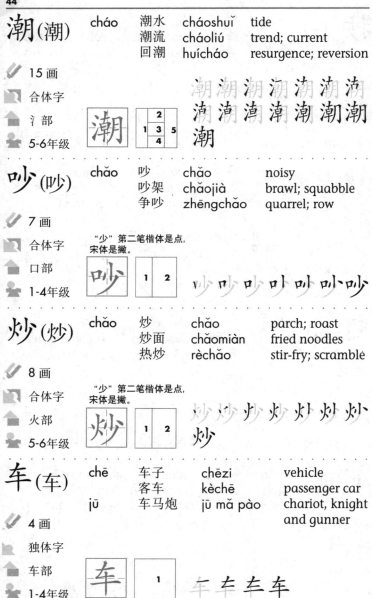

吵(吵)

	chǎo	吵	chǎo	noisy
		吵架	chǎojià	brawl; squabble
		争吵	zhēngchǎo	quarrel; row

- 7 画
- 合体字

"少"第二笔楷体是点,宋体是撇。

- 口部
- 1-4年级

炒(炒)

	chǎo	炒	chǎo	parch; roast
		炒面	chǎomiàn	fried noodles
		热炒	rèchǎo	stir-fry; scramble

- 8 画
- 合体字

"少"第二笔楷体是点,宋体是撇。

- 火部
- 5-6年级

车(车)

	chē	车子	chēzi	vehicle
		客车	kèchē	passenger car
	jū	车马炮	jū mǎ pào	chariot, knight and gunner

- 4 画
- 独体字
- 车部
- 1-4年级

陈 (陈)

chén

陈列	chénliè	display
陈旧	chénjiù	out of date
推陈出新	tuīchén-chūxīn	weed through the old to bring forth the new

7 画

合体字

阝部

1-4年级

"东"不是"东"。
"东"第四笔楷体是点，宋体是撇。

陈 | 1 | 2

阝陈陈陈陈陈陈陈

晨 (晨)

chén

早晨	zǎochén	morning
清晨	qīngchén	early morning
晨星	chénxīng	morning star

11 画

合体字

日部

1-4年级

晨 | 1 / 2 / 3 / 4

晨晨晨晨晨晨晨晨晨晨晨

尘 (尘)

chén

尘土	chéntǔ	dirt
灰尘	huīchén	dust
吸尘器	xīchénqì	dust catcher; vacuum cleaner

6 画

合体字

"小"第二笔楷体是点，宋体是撇。

小(土)部

1-4年级

尘 | 1 / 2

尘尘尘尘尘尘

沉 (沉)

chén

沉	chén	sink; heavy
沉重	chénzhòng	heavy; weighty
低沉	dīchén	gloomy; depressed

7 画

合体字

"冗"不是"尤"。

氵部

1-4年级

沉 | 1 / 2 / 3

沉沉沉沉沉沉沉

臣（臣） chén

臣子 chénzǐ — subject; courtier
大臣 dàchén — (king's) minister
忠臣 zhōngchén — official loyal to his sovereign

6 画
独体字
臣部
5-6年级

趁（趁） chèn

趁早 chènzǎo — seize the first opportunity

趁热打铁 chènrèdǎtiě — strike while the iron is hot

12 画
合体字
走部
5-6年级

称（称） chēng

称 chēng — call; address
称呼 chēnghu — call; address

chèn 称心 chènxīn — be content; contended

10 画
合体字

"小"第二笔楷体是点，宋体是撇。

禾部
1-4年级

成（成） chéng

成功 chénggōng — succeed
成绩 chéngjì — achievement; success

三成 sān chéng — thirty percent

6 画
独体字
戈部
1-4年级

诚 (誠)

chéng

诚恳	chéngkěn	sincere
诚实	chéngshi	honest and reliable
忠诚	zhōngchéng	loyal; faithful

8 画

合体字

讠(言)部

1-4年级

诚 诚 诉 讠 讠 诚 诚 诚

承 (承)

chéng

承认	chéngrèn	acknowledge
承担	chéngdān	undertake; assume
继承	jìchéng	inherit; carry on

8 画

独体字

乙(乛)部

1-4年级

承 了 了 手 手 承 承 承

城 (城)

chéng

城市	chéngshì	city; town
京城	jīngchéng	capital city
名城	míngchéng	well-known city

9 画

合体字

土部

1-4年级

城 城 城 城 城 坊 城 城 城

乘 (乘)

chéng

shèng

乘车	chéng chē	by car
乘法	chéngfǎ	multiplication
千乘之国	qiānshèngzhīguó	state with a thousand chariots

10 画

合体字

禾(丿)部

1-4年级

乘 乘 千 乘 乘 乘 乘 乘 乘 乘

橙 (橙)

| chéng | 橙 | chéng | orange |
| | 橙黄 | chénghuáng | orange; orange-coloured |

✏️ 16 画

🔲 合体字

🏠 木部

👤 1-4年级

"⺍" 不是 "⺌"。

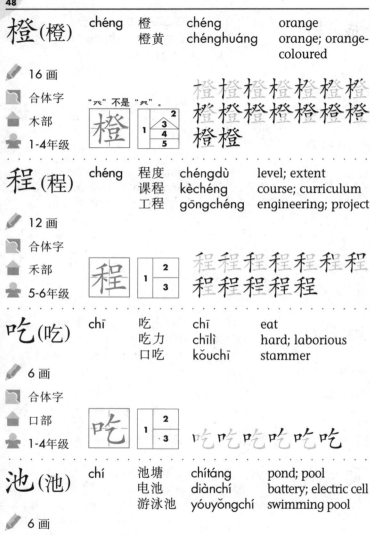

橙橙橙橙橙橙橙
橙橙橙橙橙橙橙
橙橙

程 (程)

chéng	程度	chéngdù	level; extent
	课程	kèchéng	course; curriculum
	工程	gōngchéng	engineering; project

✏️ 12 画

🔲 合体字

🏠 禾部

👤 5-6年级

程程程程程程程
程程程程程

吃 (吃)

chī	吃	chī	eat
	吃力	chīlì	hard; laborious
	口吃	kǒuchī	stammer

✏️ 6 画

🔲 合体字

🏠 口部

👤 1-4年级

吃吃吃吃吃吃

池 (池)

chí	池塘	chítáng	pond; pool
	电池	diànchí	battery; electric cell
	游泳池	yóuyǒngchí	swimming pool

✏️ 6 画

🔲 合体字

🏠 氵部

👤 1-4年级

池池池池池池

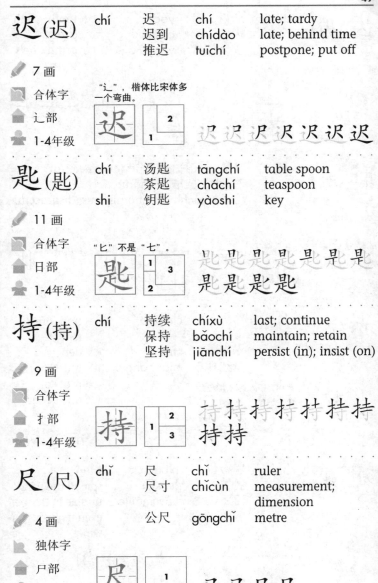

迟(遲)   chí

迟	chí	late; tardy
迟到	chídào	late; behind time
推迟	tuīchí	postpone; put off

✏ 7 画

📄 合体字

"辶"，楷体比宋体多一个弯曲。

🏠 辶部

👤 1-4年级

匙(匙)   chí
               shi

汤匙	tāngchí	table spoon
茶匙	cháchí	teaspoon
钥匙	yàoshi	key

✏ 11 画

📄 合体字

"匕" 不是 "七"。

🏠 日部

👤 1-4年级

持(持)   chí

持续	chíxù	last; continue
保持	bǎochí	maintain; retain
坚持	jiānchí	persist (in); insist (on)

✏ 9 画

📄 合体字

🏠 扌部

👤 1-4年级

尺(尺)   chǐ

尺	chǐ	ruler
尺寸	chǐcùn	measurement; dimension
公尺	gōngchǐ	metre

✏ 4 画

📄 独体字

🏠 尸部

👤 1-4年级

齿 (齿)　chǐ

牙齿	yáchǐ	tooth; teeth
齿轮	chǐlún	gear
咬牙切齿	yǎoyá-qièchǐ	grind one's teeth

8 画
合体字
止(齿)部
1-4年级

齿 齿 齿 齿 齿 齿 齿 齿

耻 (耻)　chǐ

耻笑	chǐxiào	scoff (at); sneer (at)
羞耻	xiūchǐ	shame
可耻	kěchǐ	ignominious; disgraceful

10 画
合体字
耳部
5-6年级

耻 耻 耻 耻 耻 耻 耻 耻 耻 耻

赤 (赤)　chì

赤脚	chìjiǎo	bare one's feet
赤字	chìzì	deficit
面红耳赤	miànhóng-ěrchì	blush to the roots of one's hair

"赤"第六笔楷体是点，宋体是撇。

7 画
合体字
赤部
高级华文

赤 赤 赤 赤 赤 赤 赤

翅 (翅)　chì

翅膀	chìbǎng	wing
展翅	zhǎnchì	spread the wings
插翅难飞	chāchìnánfēi	unable to escape even if given wings

10 画
合体字
羽部
1-4年级

翅 翅 翅 翅 翅 翅 翅 翅 翅 翅

冲 (冲)

6 画

合体字

氵部

1-4年级

	chōng	冲	chōng	rush; dash
		冲刷	chōngshuā	scour
	chòng	冲劲儿	chòngjìnr	full of energy; dynamic

冲冲冲冲冲冲

充 (充)

6 画

合体字

亠(儿)部

1-4年级

chōng	充满	chōngmǎn	be full; be filled (with)
	充足	chōngzú	abundant; sufficient
	补充	bǔchōng	replenish; supplement

充充充充充充

虫 (虫)

6 画

独体字

虫部

1-4年级

chóng	虫子	chóngzi	insect; worm
	昆虫	kūnchóng	insect
	害虫	hàichóng	destructive insect

虫虫口虫虫虫

抽 (抽)

8 画

合体字

扌部

1-4年级

chōu	抽	chōu	take out; shrink
	抽签	chōuqiān	draw lots
	抽查	chōuchá	selective examination; spot check

抽抽抽抽抽抽
抽

愁 (愁) chóu

愁	chóu	worry; be anxious
愁闷	chóumèn	feel gloomy; be in low spirits
忧愁	yōuchóu	sad; worried

13 画

合体字

心部

1-4年级

愁愁愁愁愁愁愁
愁愁愁愁愁愁

仇 (仇) chóu / qiú

仇恨	chóuhèn	hatred; enmity
报仇	bàochóu	revenge; avenge
仇	qiú	a Chinese surname

4画

合体字

亻部

1-4年级

仇仇仇仇

丑 (丑) chǒu

丑恶	chǒu'è	ugly; repulsive
小丑	xiǎochǒu	clown; buffoon
献丑	xiànchǒu	show one's incompetence; show oneself up

4 画

独体字

乙(乛、一)部

5-6年级

丑丑丑丑

臭 (臭) chòu / xiù

臭气	chòuqì	bad smell
乳臭	rǔxiù	smelling of milk (childish)

10 画

合体字

自部

1-4年级

臭臭臭臭臭臭臭
臭臭臭

出 (出)

chū

出生	chūshēng	be born
出动	chūdòng	set out; dispatch
退出	tuìchū	secede; withdraw

5 画

独体字

乙(一、｜、凵)部

1-4年级

出 出 出 出 出

初 (初)

chū

初步	chūbù	initial; preliminary
初级	chūjí	elementary; primary
当初	dāngchū	at that time; originally

7 画

合体字

"礻" 不是 "衤"。

礻部

5-6年级

初 初 初 初 初 初 初

除 (除)

chú

除外	chúwài	except; not including
除法	chúfǎ	division
清除	qīngchú	clear away; get rid of

9 画

合体字

"余" 第六笔楷体是点，宋体是撇。

阝部

1-4年级

除 除 除 除 除 除 除
除 除

厨 (厨)

chú

厨房	chúfáng	kitchen
厨师	chúshī	cook; chef
名厨	míngchú	famous chef

12 画

合体字

厂部

1-4年级

厨 厨 厨 厨 厨 厨 厨
厨 厨 厨 厨 厨

橱 (橱)   chú   橱窗   chúchuāng   display window; showcase

书橱   shūchú   bookcase

16 画

合体字

木部

1-4年级

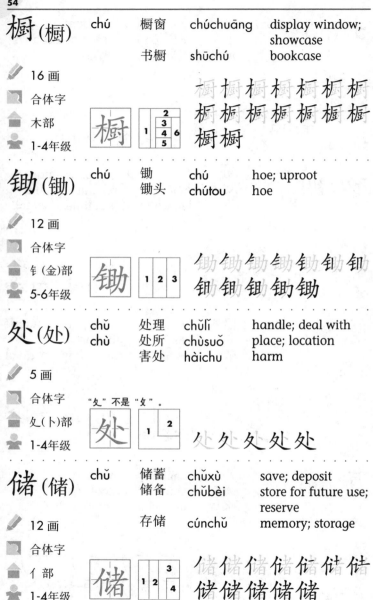

锄 (锄)   chú   锄   chú   hoe; uproot

锄头   chútou   hoe

12 画

合体字

钅(金)部

5-6年级

处 (処)   chǔ   处理   chǔlǐ   handle; deal with

chù   处所   chùsuǒ   place; location

害处   hàichu   harm

5 画

合体字

"夂" 不是 "夊"。

夂(卜)部

1-4年级

储 (儲)   chǔ   储蓄   chǔxù   save; deposit

储备   chǔbèi   store for future use; reserve

12 画

存储   cúnchǔ   memory; storage

合体字

亻部

1-4年级

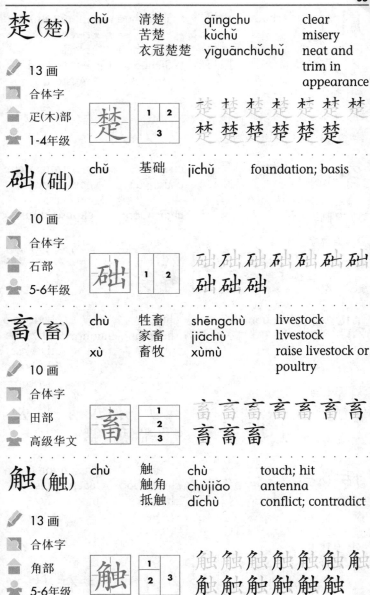

楚 (楚)

chǔ

清楚	qīngchu	clear
苦楚	kǔchǔ	misery
衣冠楚楚	yīguānchǔchǔ	neat and trim in appearance

✏️ 13 画

🔲 合体字

🏠 疋(木)部

👤 1-4年级

楚 楚 楚 楚 楚 楚 楚 梺 梺 梺 梺 楚 楚

础 (础)

chǔ

| 基础 | jīchǔ | foundation; basis |

✏️ 10 画

🔲 合体字

🏠 石部

👤 5-6年级

础 础 础 础 础 础 础 砂 砂 础 础

畜 (畜)

chù

| 牲畜 | shēngchù | livestock |
| 家畜 | jiāchù | livestock |

xù

| 畜牧 | xùmù | raise livestock or poultry |

✏️ 10 画

🔲 合体字

🏠 田部

👤 高级华文

畜 畜 畜 畜 畜 畜 畜 畜 畜 畜

触 (触)

chù

触	chù	touch; hit
触角	chùjiǎo	antenna
抵触	dǐchù	conflict; contradict

✏️ 13 画

🔲 合体字

🏠 角部

👤 5-6年级

触 触 触 角 角 角 角 角 角 角 触 触 触

川 (川)

3 画

独体字

丿部

高级华文

chuān	山川	shānchuān	mountains and rivers
	冰川	bīngchuān	glacier
	四川菜	Sìchuāncài	hot pickled mustard

川 | ' | 川 川 川

穿 (穿)

9 画

合体字

穴部

1-4年级

chuān	穿	chuān	penetrate; wear
	穿越	chuānyuè	pass through; cut across
	拆穿	chāichuān	expose; unmask

穿 | 1 2 3 | 穿穿穿穿穿穿穿 穿穿

船 (船)

11 画

合体字

舟部

1-4年级

| chuán | 船 | chuán | boat; ship |
| | 水涨船高 | shuǐzhǎng-chuángāo | when the river rises the boat goes up |

船 | 1 2 3 | 船船船船船船船 船船船船

传 (传)

6 画

合体字

亻部

1-4年级

chuán	传	chuán	pass; hand down
	传说	chuánshuō	legend; it is said
zhuàn	传记	zhuànjì	biography

传 | 1 2 | 传传传传传传

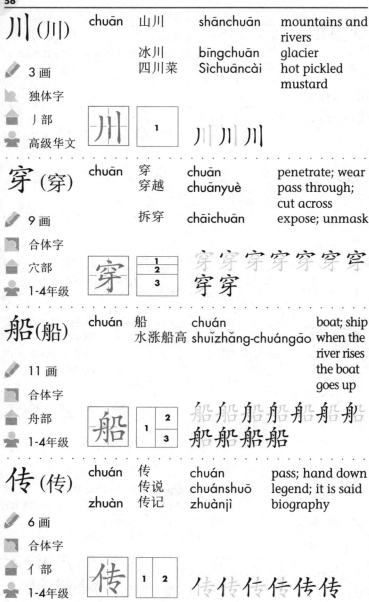

串(串)

chuàn

| 串通 | chuàntōng | collaborate; collude |
| 一连串 | yīliánchuàn | a succession of; a series of |

7 画

独体字

丨部

1-4年级

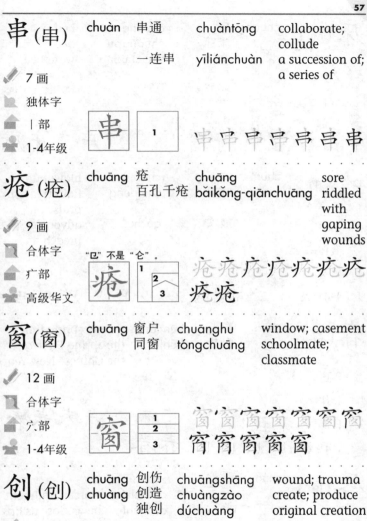

串 中 串 串 吕 吕 串

疮(疮)

chuāng

| 疮 | chuāng | sore |
| 百孔千疮 | bǎikǒng-qiānchuāng | riddled with gaping wounds |

9 画

合体字

"巳"不是"仑"。

疒部

高级华文

疮 疮 庐 疒 疒 疒 疒 疼 疮

窗(窗)

chuāng

| 窗户 | chuānghu | window; casement |
| 同窗 | tóngchuāng | schoolmate; classmate |

12 画

合体字

宀部

1-4年级

窗 窗 窗 窗 窗 窗 窗 窗 窗 窗 窗 窗

创(创)

chuāng
chuàng

创伤	chuāngshāng	wound; trauma
创造	chuàngzào	create; produce
独创	dúchuàng	original creation

6 画

合体字

"巳"不是"仑"。

刂部

1-4年级

丿 创 仝 今 仓 创 创

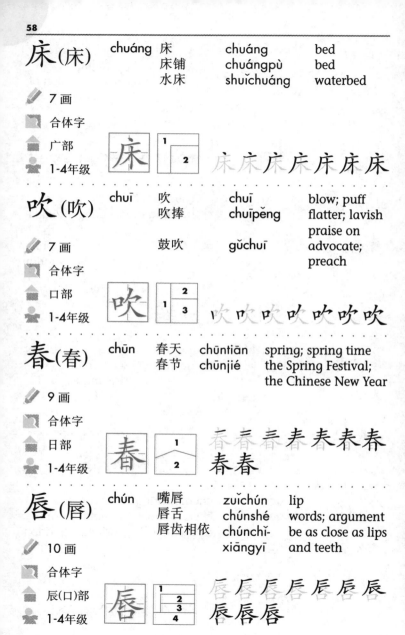

床 (床) chuáng 床 chuáng bed
床铺 chuángpù bed
水床 shuǐchuáng waterbed

7 画
合体字
广部
1-4年级

床 床 床 床 床 床 床

吹 (吹) chuī 吹 chuī blow; puff
吹捧 chuīpěng flatter; lavish praise on
鼓吹 gǔchuī advocate; preach

7 画
合体字
口部
1-4年级

吹 吹 吹 吹 吹 吹 吹

春 (春) chūn 春天 chūntiān spring; spring time
春节 chūnjié the Spring Festival; the Chinese New Year

9 画
合体字
日部
1-4年级

春 春 春 春 春 春 春 春 春

唇 (唇) chún 嘴唇 zuǐchún lip
唇舌 chúnshé words; argument
唇齿相依 chúnchǐ-xiāngyī be as close as lips and teeth

10 画
合体字
辰(口)部
1-4年级

唇 唇 唇 唇 唇 唇 辰 辰 唇 唇

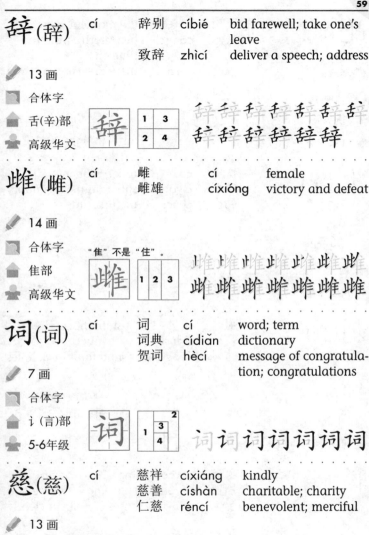

辞(辭) cí

| 辞别 | cíbié | bid farewell; take one's leave |
| 致辞 | zhìcí | deliver a speech; address |

- 13 画
- 合体字
- 舌(辛)部
- 高级华文

雌(雌) cí

| 雌 | cí | female |
| 雌雄 | cíxióng | victory and defeat |

- 14 画
- 合体字
- 佳部 — "佳" 不是 "住"。
- 高级华文

词(詞) cí

词	cí	word; term
词典	cídiǎn	dictionary
贺词	hècí	message of congratulation; congratulations

- 7 画
- 合体字
- 讠(言)部
- 5-6年级

慈(慈) cí

慈祥	cíxiáng	kindly
慈善	císhàn	charitable; charity
仁慈	réncí	benevolent; merciful

- 13 画
- 合体字
- 心部
- 5-6年级

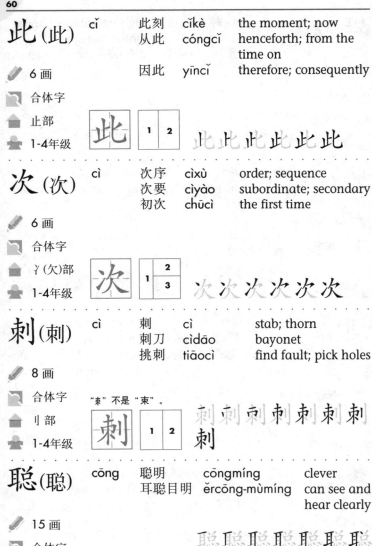

此 (此) cǐ

此刻	cǐkè	the moment; now
从此	cóngcǐ	henceforth; from the time on
因此	yīncǐ	therefore; consequently

- 6 画
- 合体字
- 止部
- 1-4年级

此 此 此 此 此 此

次 (次) cì

次序	cìxù	order; sequence
次要	cìyào	subordinate; secondary
初次	chūcì	the first time

- 6 画
- 合体字
- 冫(欠)部
- 1-4年级

次 次 次 次 次 次

刺 (刺) cì

刺	cì	stab; thorn
刺刀	cìdāo	bayonet
挑刺	tiāocì	find fault; pick holes

- 8 画
- 合体字
- 刂部
- 1-4年级

"朿" 不是 "束"。

刺 刺 刺 刺 刺 刺 刺 刺

聪 (聪) cōng

| 聪明 | cōngmíng | clever |
| 耳聪目明 | ěrcōng-mùmíng | can see and hear clearly |

- 15 画
- 合体字
- 耳部
- 1-4年级

聪 聪 聪 聪 聪 聪 聪 聪 聪 聪 聪 聪 聪 聪 聪

匆(匆) cōng

匆忙	cōngmáng	hastily; in a hurry
匆促	cōngcù	hastily; in a rush
匆匆	cōngcōng	hurriedly; in a hurry

5 画

独体字

勹部

1-4年级

匆 匆 匆 匆 匆

从(從) cóng

| 从来 | cónglái | at all times; all along |
| 听从 | tīngcóng | heed; comply with |

4 画

合体字

人部

1-4年级

从 从 从 从

丛(叢) cóng

| 草丛 | cǎocóng | a thick growth of grass |
| 丛书 | cóngshū | a series of books; collection |

5 画

合体字

一(人)部

5-6年级

丛 丛 丛 丛 丛

粗(粗) cū

粗	cū	thick
粗心	cūxīn	careless
粗枝大叶	cūzhī-dàyè	crude and careless

11 画

合体字

米部

1-4年级

粗 粗 粗 粗 粗 粗 粗 粗 粗 粗

促(促)

cù

促进	cùjìn	promote; accelerate
促销	cùxiāo	sales promotion
急促	jícù	hurried; rapid

9 画

合体字

亻部

高级华文

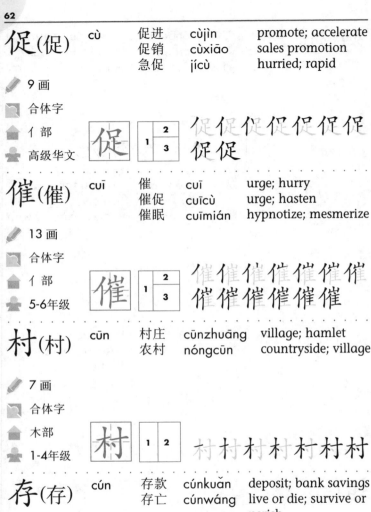

促促促促促促促
促促

催(催)

cuī

催	cuī	urge; hurry
催促	cuīcù	urge; hasten
催眠	cuīmián	hypnotize; mesmerize

13 画

合体字

亻部

5-6年级

催催催催催催催
催催催催催催

村(村)

cūn

| 村庄 | cūnzhuāng | village; hamlet |
| 农村 | nóngcūn | countryside; village |

7 画

合体字

木部

1-4年级

村村村村村村村

存(存)

cún

存款	cúnkuǎn	deposit; bank savings
存亡	cúnwáng	live or die; survive or perish
保存	bǎocún	preserve; conserve

6 画

合体字

子部

1-4年级

存存存存存存

寸(寸)　cùn　尺寸　chǐcùn　measurement
　　　　　　　得寸进尺　décùnjìnchǐ　give him an inch and he'll take an ell

✏ 3 画

独体字

寸部

1-4年级

一丁寸

错(错)　cuò　错　cuò　fault; wrong
　　　　　错误　cuòwù　mistake; error
　　　　　差错　chācuò　mishap; slip

✏ 13 画

合体字

钅(金)部

1-4年级

ノ钅钅钅钅钅钅错
错错错错错错

搭(搭)　dā　搭乘　dāchéng　travel by
　　　　　搭配　dāpèi　arrange in pairs
　　　　　勾搭　gōudā　gang up with; seduce

✏ 12 画

合体字

扌部

1-4年级

搭搭搭搭搭搭搭
搭搭搭搭搭

答(答)　dā　答应　dāyìng　answer; promise
　　　　　dá　答案　dá'àn　key; solution
　　　　　　　回答　huídá　reply; response

✏ 12 画

合体字

竹(⺮)部

1-4年级

答答答答答答答
答答答答答

达(達)

dá

达到	dádào	reach; achieve
表达	biǎodá	express; convey
发达	fādá	developed; flourishing

✏️ 6 画

🔲 合体字

🏠 辶部

👤 1-4年级

"辶" 楷体比宋体多一个弯曲。

达 达 达 达 达 达

打(打)

dá
dǎ

打	dá	dozen
打鼓	dǎgǔ	beat a drum; feel uncertain
打听	dǎting	ask about; inquire about

✏️ 5 画

🔲 合体字

🏠 扌部

👤 1-4年级

打 打 打 打 打

大(大)

dà

dài

大	dà	large; great
大家	dàjiā	everybody
大夫	dàifu	doctor; physician

✏️ 3 画

🔲 独体字

🏠 大部

👤 1-4年级

大 大 大

待(待)

dāi

dài

待一会儿	dāiyīhuìr	wait for a moment
对待	duìdài	treat
招待	zhāodài	entertain

✏️ 9 画

🔲 合体字

🏠 彳部

👤 1-4年级

"土" 不是 "士"。

待 待 待 待 待 待 待 待 待

呆(呆) dāi

发呆	fādāi	stare blankly
书呆子	shūdāizi	bookworm; nerd
呆头呆脑	dāitóu-dāinǎo	dull-looking

✎ 7 画
合体字
口部
5-6年级

歹(歹) dǎi

歹徒	dǎitú	scoundrel; ruffian
好歹	hǎodǎi	anyhow
为非作歹	wéifēi-zuòdǎi	do evil; commit crimes

✎ 4 画
独体字
歹部
5-6年级

带(帶) dài

带	dài	take; lead
带领	dàilǐng	lead; guide
连带	liándài	related

✎ 9 画
合体字
"卅"不是"卄"。
巾部
1-4年级

袋(袋) dài

袋鼠	dàishǔ	kangaroo
口袋	kǒudài	bag; sack
脑袋	nǎodài	head

✎ 11 画
合体字
衣部
1-4年级

代(代)

dài

代替	dàitì	replace; substitute for
代表	dàibiǎo	representative; stand for
时代	shídài	times; epoch

5 画

合体字

亻部

1-4年级

代代代代代

戴(戴)

dài

戴	dài	wear; respect
佩戴	pèidài	wear; put on
爱戴	àidài	love and respect

17 画

合体字

戈部

1-4年级

戴戴戴戴戴戴戴戴戴戴戴戴戴戴戴戴戴戴戴

丹(丹)

dān

丹心	dānxīn	loyalty
牡丹	mǔdan	peony
灵丹妙药	língdān-miàoyào	miraculous cure; panacea

4 画

独体字

丿部

1-4年级

丹丿月丹

单(单)

dān

单纯	dānchún	pure; merely
单独	dāndú	singlehanded; on one's own
名单	míngdān	name list

8 画

独体字

八(丷)部

1-4年级

单单单单单单单单

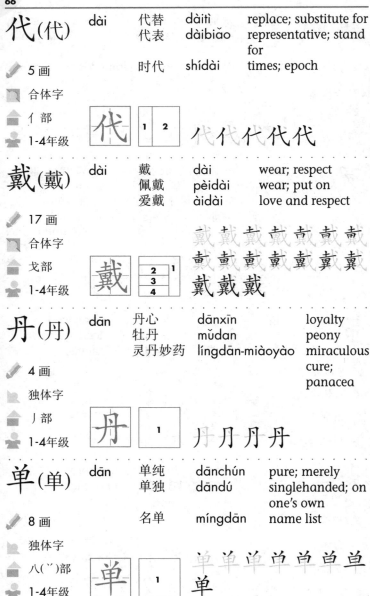

担(擔) dān
	担当	dāndāng	undertake; assume
	担心	dānxīn	worry; feel anxious
dàn	重担	zhòngdàn	heavy burden; difficult task

✏️ 8 画

📄 合体字

🏠 扌部

🎓 1-4年级

担担担担担担担

胆(膽) dǎn
胆量	dǎnliàng	guts; courage
大胆	dàdǎn	bold; audacious
瓶胆	píngdǎn	glass liner

✏️ 9 画

📄 合体字

🏠 月部

🎓 1-4年级

胆胆胆胆胆胆胆胆胆

蛋(蛋) dàn
蛋糕	dàngāo	cake
鸡蛋	jīdàn	egg
坏蛋	huàidàn	bad egg; bastard

✏️ 11 画

📄 合体字

🏠 疋(虫)部

🎓 1-4年级

蛋蛋蛋蛋蛋蛋蛋蛋蛋蛋蛋

但(但) dàn
但是	dànshì	but; nevertheless
非但	fēidàn	not only

✏️ 7 画

📄 合体字

🏠 亻部

🎓 1-4年级

但但但但但但但

68

淡(淡)　dàn

淡薄	dànbó	flag; faint
冷淡	lěngdàn	indifferent; desolate
平淡	píngdàn	insipid; prosaic

✏ 11 画
▨ 合体字
🏠 氵部
👤 1-4年级

弹(弹)　dàn / tán

子弹	zǐdàn	bullet
弹琴	tánqín	pluck a musical instrument
弹性	tánxìng	elasticity; resilience

✏ 11 画
▨ 合体字
🏠 弓部
👤 1-4年级

诞(诞)　dàn

诞生	dànshēng	be born; emerge
圣诞节	Shèngdànjié	Christmas
荒诞	huāngdàn	fantastic; incredible

✏ 8 画
▨ 合体字
🏠 讠(言)部
👤 5-6年级

"疋" 不是 "正"。

旦(旦)　dàn

元旦	yuándàn	New Year's Day
花旦	huādàn	female role in Chinese opera
一旦	yīdàn	once; in a very short time

✏ 5 画
▨ 合体字
🏠 日部
👤 5-6年级

当 (當)

	dāng	当时	dāngshí	then; at that time
		充当	chōngdāng	serve as; act as
	dàng	恰当	qiàdàng	proper; appropriate

✏️ 6 画

📄 合体字

🏠 小(⺌、彐)部

🎓 1-4年级

当 当 当 当 当 当

挡 (擋)

	dǎng	挡	dǎng	ward off; block
		阻挡	zǔdǎng	resist; obstruct

✏️ 9 画

📄 合体字

🏠 扌部

🎓 5-6年级

挡 挡 挡 挡 挡 挡 挡 挡 挡

荡 (蕩)

	dàng	荡秋千	dàngqiūqiān	play on a swing
		摇荡	yáodàng	rock; sway
		动荡	dòngdàng	upheaval; unrest

✏️ 9 画

📄 合体字

🏠 艹部

🎓 5-6年级

荡 荡 荡 荡 荡 荡 荡 荡 荡

刀 (刀)

	dāo	刀	dāo	knife
		巴冷刀	bālěngdāo	Malay knife; parang
		两面三刀	liǎngmiàn-sāndāo	double-faced tactics

✏️ 2 画

📄 独体字

🏠 刀部

🎓 1-4年级

刀 刀

祷 (祷)

dǎo

| 祷告 | dǎogào | pray; say one's prayers |
| 祈祷 | qídǎo | pray; say one's prayers |

✏️ 11 画

📄 合体字

🏠 礻(示)部

🎓 高级华文

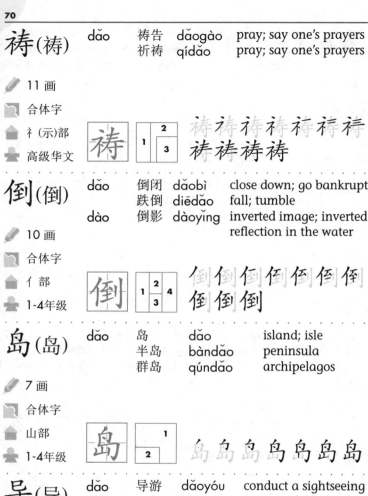

倒 (倒)

dǎo

| 倒闭 | dǎobì | close down; go bankrupt |
| 跌倒 | diēdǎo | fall; tumble |

dào

| 倒影 | dàoyǐng | inverted image; inverted reflection in the water |

✏️ 10 画

📄 合体字

🏠 亻部

🎓 1-4年级

岛 (岛)

dǎo

岛	dǎo	island; isle
半岛	bàndǎo	peninsula
群岛	qúndǎo	archipelagos

✏️ 7 画

📄 合体字

🏠 山部

🎓 1-4年级

导 (导)

dǎo

导游	dǎoyóu	conduct a sightseeing tour; guidebook
导师	dǎoshī	teacher; supervisor
教导	jiàodǎo	instruct; teaching

✏️ 6 画

📄 合体字

🏠 巳(寸)部

🎓 1-4年级

蹈(蹈)

dǎo

| 舞蹈 | wǔdǎo | dance |
| 手舞足蹈 | shǒuwǔ-zúdǎo | dance for joy |

✏️ 17 画

📄 合体字

🏠 足(⻊)部

🎓 5-6年级

"臼" 不是 "白"。

稻(稻)

dào

| 稻田 | dàotián | paddy field; rice field |
| 水稻 | shuǐdào | paddy; rice |

✏️ 15 画

📄 合体字

🏠 禾部

🎓 高级华文

"臼" 不是 "白"。

到(到)

dào

到	dào	arrive; reach
来到	láidào	arrive; come
周到	zhōudào	attentive and satisfactory; considerate

✏️ 8 画

📄 合体字

🏠 刂部

🎓 1-4年级

道(道)

dào

道喜	dàoxǐ	congratulate somebody on a happy occasion
过道	guòdào	passageway; corridor
知道	zhīdào	know; realize

✏️ 12 画

📄 合体字

🏠 辶部

🎓 1-4年级

"辶" 楷体比宋体多一个弯曲。

盗(盜) dào

盗贼	dàozéi	robber
强盗	qiángdào	bandit
欺世盗名	qīshì-dàomíng	win popularity by cheap means

11 画

合体字

皿部

1-4年级

盗盗盗盗盗次次
盗盗盗盗

得(得) dé / děi / de

得到	dédào	get; obtain
得注意	děi zhùyì	require attention; worthy of notice
跑得快	pǎo de kuài	run fast

11 画

合体字

彳部

1-4年级

得得得得得得得
得得得得

德(德) dé

道德	dàodé	morality; ethics
品德	pǐndé	moral character
功德	gōngdé	merits and virtues

15 画

合体字

"心"第二笔楷体是卧钩，宋体是竖弯钩。

彳部

1-4年级

德德德德德德德
德德德德德德德
德

灯(灯) dēng

灯火	dēnghuǒ	lights
路灯	lùdēng	street lamp
交通灯	jiāotōngdēng	traffic light

6 画

合体字

火部

1-4年级

灯灯灯灯灯灯

登(登)	dēng	登山	dēngshān	mountain-climbing
		登记	dēngjì	register
		一步登天	yībùdēngtiān	have a meteoric rise

✏ 12 画

🔲 合体字

🏠 豆部

👤 5-6年级

"癶"，不是"癶"。

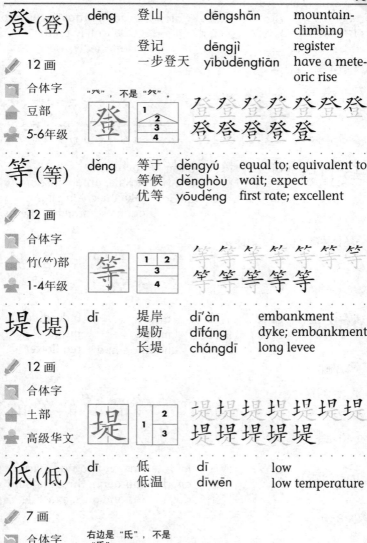

等(等)	děng	等于	děngyú	equal to; equivalent to
		等候	děnghòu	wait; expect
		优等	yōuděng	first rate; excellent

✏ 12 画

🔲 合体字

🏠 竹(⺮)部

👤 1-4年级

堤(堤)	dī	堤岸	dī'àn	embankment
		堤防	dīfáng	dyke; embankment
		长堤	chángdī	long levee

✏ 12 画

🔲 合体字

🏠 土部

👤 高级华文

| 低(低) | dī | 低 | dī | low |
| | | 低温 | dīwēn | low temperature |

✏ 7 画

🔲 合体字

🏠 亻部

👤 1-4年级

右边是"氐"，不是"氏"。

74

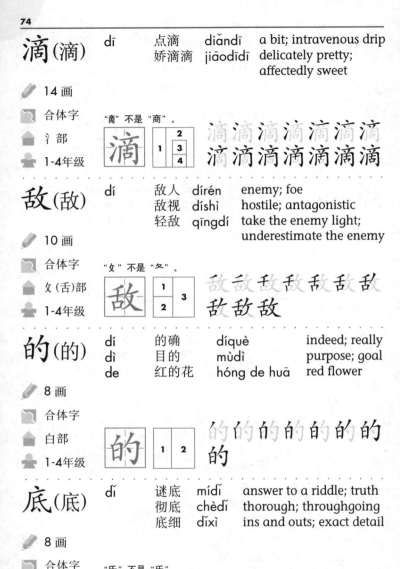

滴(滴) dī 点滴 diǎndī a bit; intravenous drip
娇滴滴 jiāodīdī delicately pretty; affectedly sweet

✏ 14 画
合体字 "啇"不是"商"。
氵部
1-4年级

敌(敵) dí 敌人 dírén enemy; foe
敌视 díshì hostile; antagonistic
轻敌 qīngdí take the enemy light; underestimate the enemy

✏ 10 画
合体字 "攵"不是"夂"。
攵(舌)部
1-4年级

的(的) dí 的确 díquè indeed; really
dì 目的 mùdì purpose; goal
de 红的花 hóng de huā red flower

✏ 8 画
合体字
白部
1-4年级

底(底) dǐ 谜底 mídǐ answer to a riddle; truth
彻底 chèdǐ thorough; throughgoing
底细 dǐxì ins and outs; exact detail

✏ 8 画
合体字 "氐"不是"氏"。
广部
1-4年级

抵(抵)	dǐ	抵达	dǐdá	arrive; reach
		抵消	dǐxiāo	offset; counteract
		抵制	dǐzhì	resist; boycott

8 画

合体字

右边是"氐"，不是"氏"。

扌部

1-4年级

抵抵抵抵扺扺抵抵

地(地)	dì	地面	dìmiàn	ground; area
		荒地	huāngdì	wasteland
	de	慢慢地走	mànmànde zǒu	walk slowly

6 画

合体字

土部

1-4年级

地地地地地地

| 弟(弟) | dì | 弟弟 | dìdi | younger brother |
| | | 称兄道弟 | chēngxiōng-dàodì | fraternize with; be on friendly terms |

7 画

合体字

八(丷)部

1-4年级

弟弟弟弟弟弟弟

| 第(第) | dì | 第一 | dì-yī | the first; the best |
| | | 等第 | děngdì | class; rank |

11 画

合体字

竹(⺮)部

1-4年级

第第第第第第第第第第第

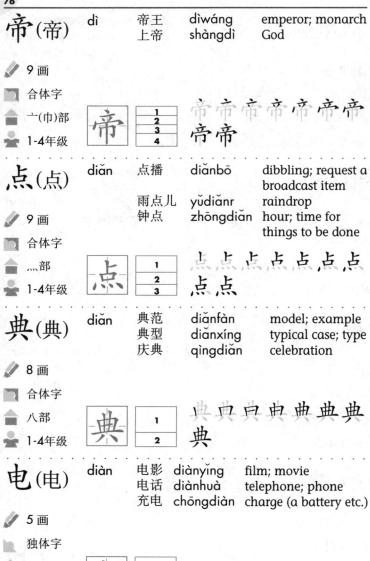

帝(帝)   dì   帝王   dìwáng   emperor; monarch
上帝   shàngdì   God

9 画

合体字

亠(巾)部

1-4年级

点(点)   diǎn   点播   diǎnbō   dibbling; request a broadcast item
雨点儿   yǔdiǎnr   raindrop
钟点   zhōngdiǎn   hour; time for things to be done

9 画

合体字

灬部

1-4年级

典(典)   diǎn   典范   diǎnfàn   model; example
典型   diǎnxíng   typical case; type
庆典   qìngdiǎn   celebration

8 画

合体字

八部

1-4年级

电(电)   diàn   电影   diànyǐng   film; movie
电话   diànhuà   telephone; phone
充电   chōngdiàn   charge (a battery etc.)

5 画

独体字

丨部

1-4年级

店 (店) diàn

店铺	diànpù	shop; store
商店	shāngdiàn	shop; store
书店	shūdiàn	bookshop; bookstore

✏️ 8 画

🔲 合体字

🏠 广部

👤 1-4年级

店 店 店 店 店 店 店 店

吊 (吊) diào

吊车	diàochē	crane
吊灯	diàodēng	pendent lamp
提心吊胆	tíxīn-diàodǎn	filled with anxiety or fear

✏️ 6 画

🔲 合体字

🏠 口部

👤 高级华文

吊 吊 吊 吊 吊 吊

掉 (掉) diào

掉换	diàohuàn	exchange; swap
掉队	diàoduì	drop out; fall behind
忘掉	wàngdiào	forget; let slip from one's mind

✏️ 11 画

🔲 合体字

🏠 扌部

👤 1-4年级

掉 掉 掉 掉 掉 掉 掉 掉 掉 掉 掉

钓 (钓) diào

钓鱼	diào yú	fish with a hook and line
钓竿	diàogān	fishing rod
钓钩	diàogōu	fishhook

✏️ 8 画

🔲 合体字

"勺" 不是 "勾"。

🏠 钅 (金)部

👤 1-4年级

钓 钓 钓 钓 钓 钓 钓 钓

跌 (跌) diē

跌	diē	tumble; drop
跌倒	diēdǎo	fall; tumble
暴跌	bàodiē	steep fall; slump

12 画

合体字

足(⻊)部

1-4年级

跌 跌 跌 跌 跌 跌 跌
跌 跌 跌 跌 跌

爹 (爹) diē

爹爹	diēdie	dad; father
干爹	gāndiē	godfather

10 画

合体字

父部

1-4年级

爹 爹 爹 爹 爹 爹 爹
爹 爹 爹

蝶 (蝶) dié

蝴蝶	húdié	butterfly
粉蝶	fěndié	white butterfly
蝶泳	diéyǒng	butterfly stroke

15 画

合体字

虫部

1-4年级

蝶 蝶 蝶 蝶 蝶 蝶 蝶
蝶 蝶 蝶 蝶 蝶 蝶 蝶
蝶

碟 (碟) dié

碟子	diézi	small dish; plate
光碟	guāngdié	compact disc (CD)

14 画

合体字

石部

1-4年级

碟 碟 碟 碟 碟 碟 碟
碟 碟 碟 碟 碟 碟 碟

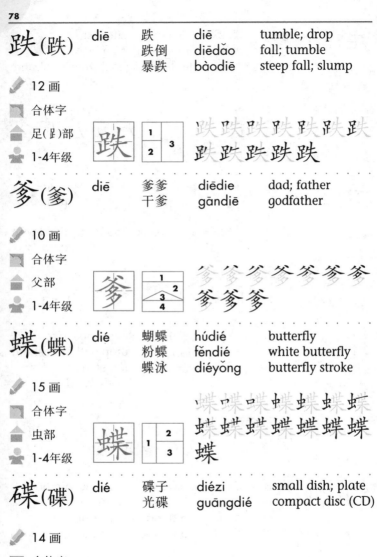

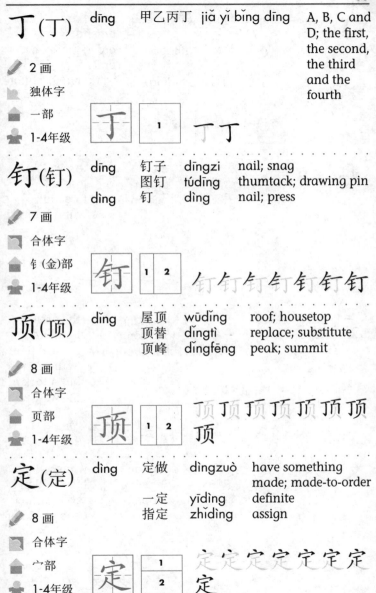

丁(丁) dīng 甲乙丙丁 jiǎ yǐ bǐng dīng A, B, C and D; the first, the second, the third and the fourth

- 2 画
- 独体字
- 一部
- 1-4年级

丁 ' 丁丁

钉(钉) dīng 钉子 dīngzi nail; snag
图钉 túdīng thumbtack; drawing pin
dìng 钉 dìng nail; press

- 7 画
- 合体字
- 钅(金)部
- 1-4年级

钉 1 2 钅 钅 钅 钅 钅 钉 钉

顶(顶) dīng 屋顶 wūdǐng roof; housetop
顶替 dǐngtì replace; substitute
顶峰 dǐngfēng peak; summit

- 8 画
- 合体字
- 页部
- 1-4年级

顶 1 2 顶 顶 顶 顶 顶 顶 顶 顶

定(定) dìng 定做 dìngzuò have something made; made-to-order
一定 yīdìng definite
指定 zhǐdìng assign

- 8 画
- 合体字
- 宀部
- 1-4年级

定 1 2 定 定 定 定 定 定 定 定

订 (訂)

dìng

订正	dìngzhèng	make corrections; amend
订购	dìnggòu	order; place an order
制订	zhìdìng	work out; formulate

4 画

合体字

讠(言)部

5-6年级

订 订 订 订

丢 (丢)

diū

丢	diū	throw; lose
丢失	diūshī	lose
丢三落四	diūsān-làsì	forgetful; scatterbrained

6 画

合体字

"王" 不是 "王"。

丿部

1-4年级

丢 丢 丢 丢 丢 丢

东 (東)

dōng

东方	dōngfāng	the east
房东	fángdōng	landlord
声东击西	shēngdōng-jīxī	make a feint to the east but attack in the west

5 画

独体字

第四笔楷体是点，宋体是撇。

一(木)部

1-4年级

东 东 东 东 东

冬 (冬)

dōng

冬天	dōngtiān	winter
冬眠	dōngmián	hibernation
寒冬	hándōng	severe winter; dead of winter

5 画

合体字

"冬" 不是 "夂"。

夂 部

1-4年级

冬 冬 冬 冬 冬

懂(懂) dǒng

懂 dǒng understand; know
懂事 dǒngshì sensible; intelligent

15 画
合体字
忄部
1-4年级

动(动) dòng

动 dòng move; change
动听 dòngtīng interesting; pleasant
运动 yùndòng sports

6 画
合体字
力部
1-4年级

洞(洞) dòng

洞 dòng hole; cavity
山洞 shāndòng cave; cavern
洞察 dòngchá see clearly; have an insight into

9 画
合体字
氵部
1-4年级

冻(冻) dòng

冻结 dòngjié freeze; congeal
冻冰 dòngbīng freeze
解冻 jiědòng thaw; unfreeze

7 画
合体字
"东"第四笔楷体是点，宋体是撇。
氵部
5-6年级

抖(抖)

dǒu	抖	dǒu	quiver; jerk
	抖动	dǒudòng	shake; vibrate
	发抖	fādǒu	tremble; shiver

7 画
合体字
扌部
1-4年级

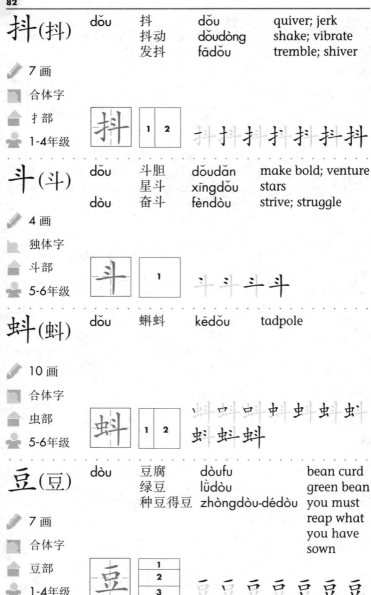

一 † 扌 扌 扌 扗 抖

斗(斗)

dǒu	斗胆	dǒudǎn	make bold; venture
	星斗	xīngdǒu	stars
dòu	奋斗	fèndòu	strive; struggle

4 画
独体字
斗部
5-6年级

丶 丶 二 斗

蚪(蚪)

| dǒu | 蝌蚪 | kēdǒu | tadpole |

10 画
合体字
虫部
5-6年级

丨 口 口 中 虫 虫 虫 蚪 蚪 蚪

豆(豆)

dòu	豆腐	dòufu	bean curd
	绿豆	lǜdòu	green bean
	种豆得豆	zhòngdòu-dédòu	you must reap what you have sown

7 画
合体字
豆部
1-4年级

豆 豆 豆 豆 豆 豆 豆

都(都)

dū	都市	dūshì	city; metropolis
	首都	shǒudū	capital city
dōu	都来	dōu lái	all come

10 画

合体字

阝部

1-4年级

者 都 都

都 都 都 者 者 者 者

读(读)

dú	读	dú	read; attend school
	读本	dúběn	textbook; reader
	朗读	lǎngdú	read aloud

10 画

合体字

"夫"不是"土"。

讠(言)部

1-4年级

读 读 读 读 读 读 读 读 读 读

毒(毒)

dú	毒	dú	poison; toxin
	毒贩	dúfàn	drug smuggler
	消毒	xiāodú	disinfect; sterilize

9 画

合体字

"母"不是"毋"。

母(一)部

5-6年级

毒 毒 毒 毒 毒 毒 毒 毒 毒

独(独)

dú	独自	dúzì	alone; by oneself
	独立	dúlì	stand alone; independent
	单独	dāndú	singlehanded; on one's own

9 画

合体字

犭部

5-6年级

独 独 独 独 独 独 独 独 独

肚(肚)　dǔ　牛肚　niúdǔ　tripe
　　　　dù　肚子　dùzi　belly; abdomen
　　　　　　肚量　dùliàng　tolerance; magnanimity

✏ 7 画

▨ 合体字

🏠 月部

👤 1-4年级

丿 肚 几 月 土 月 月 月土 肝 肚 肚

赌(赌)　dǔ　赌　dǔ　gamble
　　　　　　赌气　dǔqì　feel wronged and act rashly
　　　　　　打赌　dǎdǔ　bet; wager

✏ 12 画

▨ 合体字

🏠 贝部

👤 5-6年级

丿赌 冂赌 贝赌 贝者 贝吉 贝吉 贝吉 贝吉 赌 赌 赌

度(度)　dù　度量　dùliàng　tolerance; magnanimity
　　　　　　制度　zhìdù　system; institution
　　　　duó　测度　cèduó　estimate; infer

✏ 9 画

▨ 合体字

🏠 广部

👤 1-4年级

度 度 度 度 度 度 度 庐 度

渡(渡)　dù　渡口　dùkǒu　ferry
　　　　　　轮渡　lúndù　(steam) ferry
　　　　　　引渡　yǐndù　extradite

✏ 12 画

▨ 合体字

🏠 氵部

👤 5-6年级

渡 渡 渡 渡 渡 渡 渡 渡 渡 渡 渡 渡

端(端)	duān	端正 端详 尖端	duānzhèng duānxiáng jiānduān	upright; proper examine pointed end; most advanced

📏 14 画

🔲 合体字

🏠 立部

🎓 5-6年级

端端端端立立立
端端端端端端端

短(短)	duǎn	短期 短途 简短	duǎnqī duǎntú jiǎnduǎn	short-term short-distance brief; concise

📏 12 画

🔲 合体字

🏠 矢部

🎓 1-4年级

短短短矢矢短短
短短短短短

断(斷)	duàn	断 断绝 果断	duàn duànjué guǒduàn	snap; break off sever; cut off resolute; decisive

📏 11 画

🔲 合体字

🏠 斤部

🎓 1-4年级

断断断半米米兰
断断断断

段(段)	duàn	段落 阶段 手段	duànluò jiēduàn shǒuduàn	paragraph; stage stage; phase means; method

📏 9 画

🔲 合体字

"段"不是"段"。

🏠 殳部

🎓 5-6年级

段段段段段段段
段段

锻(锻) duàn

| 锻炼 | duànliàn | have physical training; toughen |
| 锻造 | duànzào | forging; smithing |

✏️ 14 画

▢ 合体字

🔺 钅(金)部 · "段"不是"叚"。

🔺 5-6年级

锻 | 1 2 3 / 4

锻锻锻锻锻锻锻
锻锻锻锻锻锻锻

堆(堆) duī

堆放	duīfàng	pile up; stack
堆积	duījī	heap up; accumulation
雪堆	xuěduī	snow drift

✏️ 11 画

▢ 合体字

🔺 土部

🔺 1-4年级

堆 | 1 2

堆堆堆堆堆堆堆
堆堆堆堆

队(隊) duì

队伍	duìwu	troops; ranks
排队	páiduì	line up; queue up
乐队	yuèduì	orchestra; band

✏️ 4 画

▢ 合体字

🔺 阝部

🔺 1-4年级

队 | 1 2

队队队队

对(對) duì

对象	duìxiàng	target; boy or girl friend
对付	duìfu	tackle; cope with
面对	miànduì	face; confront

✏️ 5 画

▢ 合体字

🔺 又(寸)部

🔺 1-4年级

对 | 1 2

对对对对对

蹲 (蹲) dūn

蹲　dūn　squat; crouch down

- 19 画
- 合体字
- 足(⻊)部
- 高级华文

"酋" 不是 "酉"。

蹲蹲蹲蹲蹲蹲蹲蹲蹲蹲蹲蹲蹲蹲蹲蹲蹲蹲蹲

顿 (頓) dùn

顿时	dùnshí	immediately; at once
停顿	tíngdùn	pause; halt
整顿	zhěngdùn	reorganize; overhaul

- 10 画
- 合体字
- 页部
- 1-4年级

顿顿顿顿顿顿顿顿顿顿

盾 (盾) dùn

盾牌	dùnpái	shield; pretext
后盾	hòudùn	backing; backup force
矛盾	máodùn	contradictory; contradiction

- 9 画
- 合体字
- 目部
- 5-6年级

"厂" 不是 "厂"。

盾盾盾盾盾盾盾盾盾

多 (多) duō

多	duō	many; a lot
多心	duōxīn	oversensitive; suspicious
许多	xǔduō	many; a great deal of

- 6 画
- 合体字
- 夕部
- 1-4年级

多多多多多多

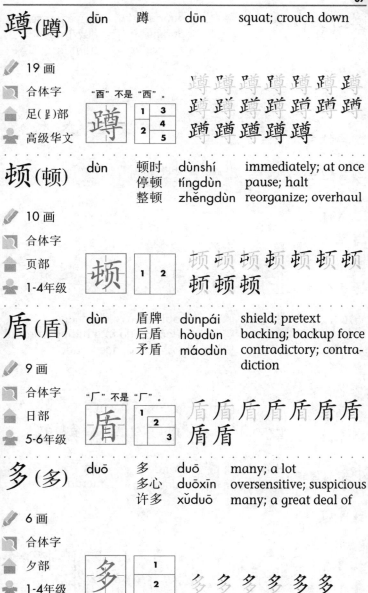

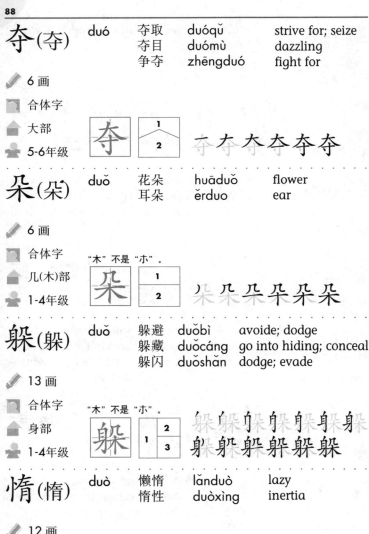

夺(奪) duó

夺取	duóqǔ	strive for; seize
夺目	duómù	dazzling
争夺	zhēngduó	fight for

6 画

合体字

大部

5-6年级

夌 夼 大 夻 夻 夺

朵(朵) duǒ

| 花朵 | huāduǒ | flower |
| 耳朵 | ěrduo | ear |

6 画

合体字

"木" 不是 "朮"。

几(木)部

1-4年级

朵 朵 朵 朵 朵 朵

躲(躲) duǒ

躲避	duǒbì	avoide; dodge
躲藏	duǒcáng	go into hiding; conceal
躲闪	duǒshǎn	dodge; evade

13 画

合体字

"木" 不是 "朮"。

身部

1-4年级

躲 躲 躲 躲 躲 躲 躲 躲 躲 躲 躲 躲 躲

惰(惰) duò

| 懒惰 | lǎnduò | lazy |
| 惰性 | duòxìng | inertia |

12 画

合体字

忄部

1-4年级

惰 惰 惰 惰 惰 惰 惰 惰 惰 惰 惰 惰

额 (額)

é	额头	étóu	forehead
	额外	éwài	extra; additional
	名额	míng'é	quota of people

✏️ 15 画

🔲 合体字

🏠 页部

👤 高级华文

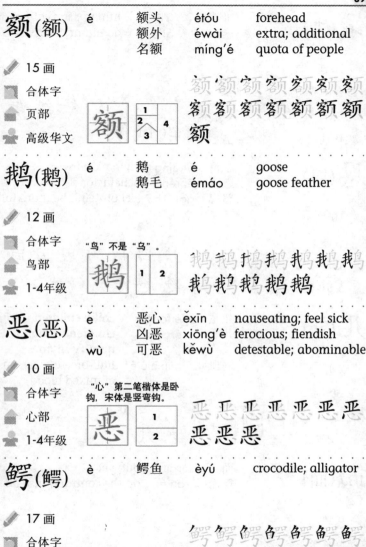

鹅 (鵝)

é	鹅	é	goose
	鹅毛	émáo	goose feather

✏️ 12 画

🔲 合体字

🏠 鸟部

👤 1-4年级

"鸟"不是"乌"。

恶 (惡)

ě	恶心	ěxīn	nauseating; feel sick
è	凶恶	xiōng'è	ferocious; fiendish
wù	可恶	kěwù	detestable; abominable

✏️ 10 画

🔲 合体字

🏠 心部

👤 1-4年级

"心"第二笔楷体是卧钩，宋体是竖弯钩。

鳄 (鰐)

è	鳄鱼	èyú	crocodile; alligator

✏️ 17 画

🔲 合体字

🏠 鱼(魚)部

👤 高级华文

饿(餓) è

饥饿　　jī'è　　hungry; starvation
挨饿　　ái'è　　go hungry; starve

10 画
合体字
饣(食)部
1-4年级

饿	1	2

饿饿饿饿饿饿饿
饿饿饿

恩(恩) ēn

恩情　　ēnqíng　　loving-kindness
恩人　　ēnrén　　benefactor
感恩　　gǎn'ēn　　feel grateful; be thankful

10 画
合体字
心部
5-6年级

恩	1 2
	3

恩恩恩恩恩恩恩
恩恩恩

儿(兒) ér

儿童　　értóng　　child; children
儿歌　　érgē　　children's song; nursery rhymes
混血儿　　hùnxuè'ér　　half-breed; a person of mixed blood

2 画
独体字
儿部
1-4年级

儿	1

儿儿

而(而) ér

而且　　érqiě　　but; yet
反而　　fǎn'ér　　on the contrary; instead

6 画
独体字
一部
1-4年级

而	1

而而而而而而

| 耳(耳) | ěr | 耳机 | ěrjī | earphone; headset |
| | | 耳目一新 | ěrmùyīxīn | a pleasant change of atmosphere |

6 画
独体字
耳部
1-4年级

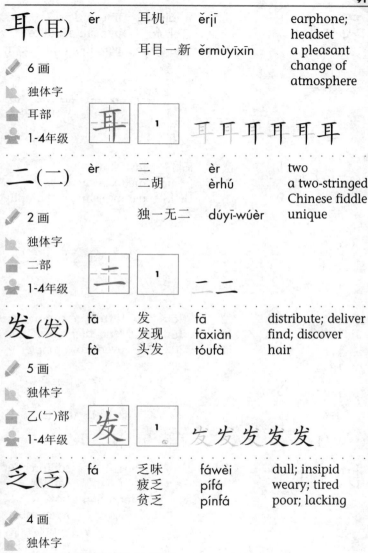

二(二)	èr	二	èr	two
		二胡	èrhú	a two-stringed Chinese fiddle
		独一无二	dúyī-wúèr	unique

2 画
独体字
二部
1-4年级

发(发)	fā	发	fā	distribute; deliver
		发现	fāxiàn	find; discover
	fà	头发	tóufà	hair

5 画
独体字
乙(乛)部
1-4年级

乏(乏)	fá	乏味	fáwèi	dull; insipid
		疲乏	pífá	weary; tired
		贫乏	pínfá	poor; lacking

4 画
独体字
丿部
高级华文

罚 (罰) fá

罚金	fájīn	fine; forfeit
处罚	chǔfá	punish; penalize
刑罚	xíngfá	penalty; punishment

✏ 9 画

▢ 合体字

🏠 罒 部

🎓 1-4年级

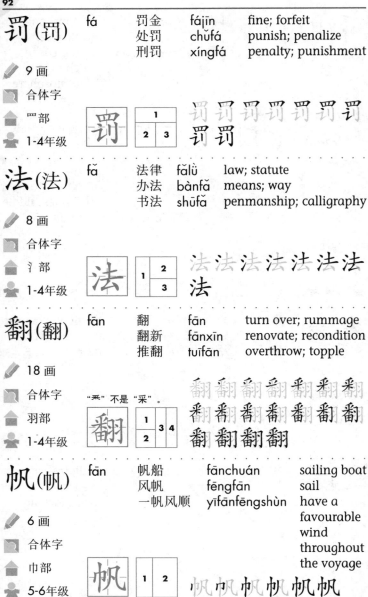

罚 罚 罚 罚 罚 罚 罚 罚 罚

法 (法) fǎ

法律	fǎlǜ	law; statute
办法	bànfǎ	means; way
书法	shūfǎ	penmanship; calligraphy

✏ 8 画

▢ 合体字

🏠 氵 部

🎓 1-4年级

法 法 法 法 法 法 法 法

翻 (翻) fān

翻	fān	turn over; rummage
翻新	fānxīn	renovate; recondition
推翻	tuīfān	overthrow; topple

✏ 18 画

▢ 合体字

"釆" 不是 "采"。

🏠 羽部

🎓 1-4年级

翻 翻 翻 番 釆 釆 釆 番 番 番 番 番 番 翻 翻 翻 翻

帆 (帆) fān

帆船	fānchuán	sailing boat
风帆	fēngfān	sail
一帆风顺	yīfānfēngshùn	have a favourable wind throughout the voyage

✏ 6 画

▢ 合体字

🏠 巾部

🎓 5-6年级

帆 巾 帆 帆 帆 帆

烦(煩) fán

烦闷 fánmèn be unhappy; be worried
烦心 fánxīn be vexed; be worried
麻烦 máfan troublesome; bother

🖊 10 画

▨ 合体字

🏠 火(页)部

🎓 1-4年级

烦 烦 烦 烦 烦 烦 烦 烦 烦 烦

繁(繁) fán

繁荣 fánróng flourishing; prosper
纷繁 fēnfán numerous and complicated

🖊 17 画

▨ 合体字

"夊" 不是 "夂"。

🏠 糸部

🎓 5-6年级

繁 繁 繁 繁 繁 每 每 敏 繁 敏 敏 繁 繁 繁 繁 繁

凡(凡) fán

平凡 píngfán ordinary; common
凡是 fánshì every; all

🖊 3 画

▨ 独体字

🏠 几部

🎓 5-6年级

凡 凡 凡

反(反) fǎn

反面 fǎnmiàn opposite; reverse side
反正 fǎnzhèng anyway; in any case
相反 xiāngfǎn opposite; contrary

🖊 4 画

▨ 合体字

🏠 丿(又)部

🎓 1-4年级

反 反 反 反

| 返(返) | fǎn | 返回 | fǎnhuí | return; go back |
| | | 往返 | wǎngfǎn | journey to and fro; travel to and fro |

✏️ 7 画

🔲 合体字

🔺 辶部

👤 5-6年级

"辶" 楷体比宋体多一个弯曲。

返 万 厉 反 返 返 返

饭(饭)	fàn	饭碗	fànwǎn	means of livelihood
		米饭	mǐfàn	rice
		家常便饭	jiāchángbiànfàn	homely food

✏️ 7 画

🔲 合体字

🔺 饣(食)部

👤 1-4年级

饭 饭 饭 饭 饭 饭 饭

贩(贩)	fàn	贩卖	fànmài	peddle; sell
		贩运	fànyùn	transport goods for sale; traffic
		小贩	xiǎofàn	pedlar; vendor

✏️ 8 画

🔲 合体字

🔺 贝部

👤 1-4年级

贩 贩 贩 贩 贩 贩 贩 贩

范(范)	fàn	范围	fànwéi	scope; range
		模范	mófàn	model; examplary person
		规范	guīfàn	standard; norm

✏️ 8 画

🔲 合体字

🔺 艹部

👤 1-4年级

"巳" 不是 "已"。

范 范 范 范 范 范 范 范

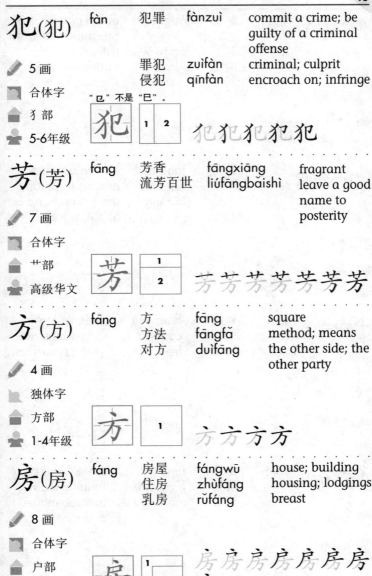

犯(犯)	fàn	犯罪	fànzuì	commit a crime; be guilty of a criminal offense
		罪犯	zuìfàn	criminal; culprit
		侵犯	qīnfàn	encroach on; infringe

5 画
合体字
犭部
5-6年级

"巳" 不是 "已"。

犯 1 2

犯犯犯犯犯

| 芳(芳) | fāng | 芳香 | fāngxiāng | fragrant |
| | | 流芳百世 | liúfāngbǎishì | leave a good name to posterity |

7 画
合体字
艹部
高级华文

芳 1 2

芳芳芳芳芳芳芳

方(方)	fāng	方	fāng	square
		方法	fāngfǎ	method; means
		对方	duìfāng	the other side; the other party

4 画
独体字
方部
1-4年级

方 1

方方方方

房(房)	fáng	房屋	fángwū	house; building
		住房	zhùfáng	housing; lodgings
		乳房	rǔfáng	breast

8 画
合体字
户部
1-4年级

房 1 2

房房房房房房房房

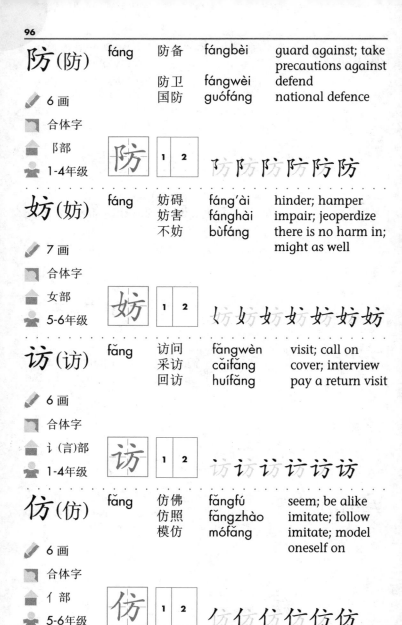

防(防) fáng

防备 fángbèi guard against; take precautions against
防卫 fángwèi defend
国防 guófáng national defence

6 画
合体字
阝部
1-4年级

丨 阝 阡 阞 防 防

妨(妨) fáng

妨碍 fáng'ài hinder; hamper
妨害 fánghài impair; jeopderize
不妨 bùfáng there is no harm in; might as well

7 画
合体字
女部
5-6年级

乚 女 女 圩 奵 妨 妨

访(访) fǎng

访问 fǎngwèn visit; call on
采访 cǎifǎng cover; interview
回访 huífǎng pay a return visit

6 画
合体字
讠(言)部
1-4年级

访 访 访 访 访 访

仿(仿) fǎng

仿佛 fǎngfú seem; be alike
仿照 fǎngzhào imitate; follow
模仿 mófǎng imitate; model oneself on

6 画
合体字
亻部
5-6年级

仿 仿 仿 仿 仿 仿

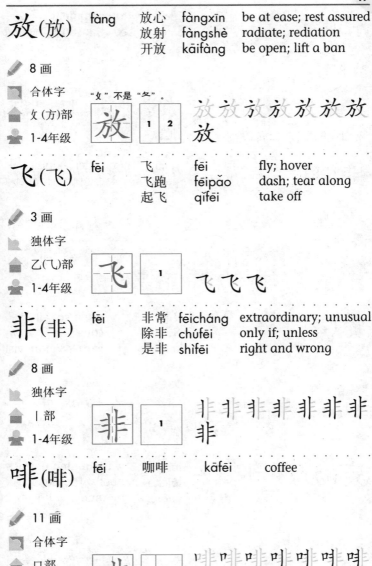

放(放) fàng

放心　fàngxīn　be at ease; rest assured
放射　fàngshè　radiate; rediation
开放　kāifàng　be open; lift a ban

- 8 画
- 合体字
- 攵(方)部
- 1-4年级

"攵"不是"夂"。

飞(飞) fēi

飞　fēi　fly; hover
飞跑　fēipǎo　dash; tear along
起飞　qǐfēi　take off

- 3 画
- 独体字
- 乙(乁)部
- 1-4年级

非(非) fēi

非常　fēicháng　extraordinary; unusual
除非　chúfēi　only if; unless
是非　shìfēi　right and wrong

- 8 画
- 独体字
- 丨部
- 1-4年级

啡(啡) fēi

咖啡　kāfēi　coffee

- 11 画
- 合体字
- 口部
- 1-4年级

肥(肥)　féi　肥胖　féipàng　fat; corpulent
　　　　　　　减肥　jiǎnféi　be on a slimming diet

🖊 8 画
▢ 合体字
▣ 月部
♟ 1-4年级

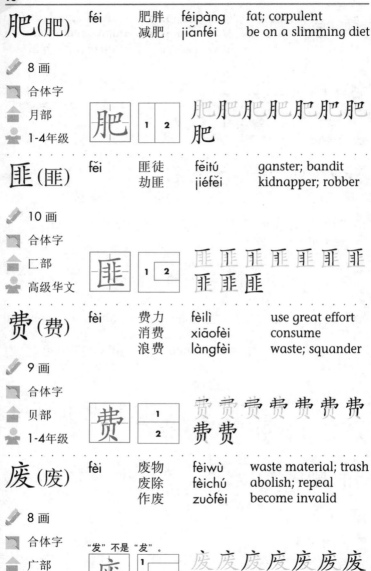

肥肥肥肥肥肥肥
肥

匪(匪)　fěi　匪徒　fěitú　ganster; bandit
　　　　　　　劫匪　jiéfěi　kidnapper; robber

🖊 10 画
▢ 合体字
▣ 匚部
♟ 高级华文

匪匪匪匪匪匪匪
匪匪匪

费(费)　fèi　费力　fèilì　use great effort
　　　　　　　消费　xiāofèi　consume
　　　　　　　浪费　làngfèi　waste; squander

🖊 9 画
▢ 合体字
▣ 贝部
♟ 1-4年级

费费费费费费费
费费

废(废)　fèi　废物　fèiwù　waste material; trash
　　　　　　　废除　fèichú　abolish; repeal
　　　　　　　作废　zuòfèi　become invalid

🖊 8 画
▢ 合体字
▣ 广部
♟ 1-4年级

"发"不是"发"。

废废废废废废废
废

肺(肺)   fèi   肺   fèi   lung
   肺病   fèibìng   pulmonary tuberculosis; TB

8 画   狼心狗肺   lángxīn-gǒufèi   cruel and unscrupulous

合体字   "市" 不是 "市"。

月部

5-6年级

丿 月 月 月 肝 肝 肺 肺

吠(吠)   fèi   狂吠   kuángfèi   bark furiously; howl

7 画

合体字

口部

5-6年级

吠 吠 吠 吠 吠 吠 吠

芬(芬)   fēn   芬芳   fēnfāng   sweet-smelling; fragrant

7 画

合体字   "八" 不是 "人" 或 "入"。

艹部

高级华文

芬 芬 芬 芬 芬 芬 芬

分(分)   fēn   分   fēn   divide; separate
   分散   fēnsàn   disperse; scatter
   fèn   身分   shēnfèn   status; identity

4 画

合体字   "八" 不是 "人" 或 "入"。

八(刀)部

1-4年级

分 分 分 分

吩(吩)　fēn　吩咐　fēnfù　instruct; tell

✏ 7 画

▢ 合体字　"八" 不是 "人" 或 "入"。

🏠 口部

👤 1-4年级

吣 吣 口 吣 吩 吩 吩

纷(纷)　fēn　纷乱　fēnluàn　numerous and disorderly
　　　　　纠纷　jiūfēn　dispute; issue

✏ 7 画

▢ 合体字　"八" 不是 "人" 或 "入"。

🏠 纟(糸)部

👤 5-6年级

纷 纷 纟 纟 纟 纷 纷

坟(坟)　fén　坟墓　fénmù　grave; tomb
　　　　　上坟　shàngfén　visit a grave to honour the memory of the dead

✏ 7 画

▢ 合体字

🏠 土部

👤 5-6年级

坟 坟 土 圹 圹 坟 坟

粉(粉)　fěn　粉　fěn　powder; pink
　　　　　粉笔　fěnbǐ　chalk
　　　　　奶粉　nǎifěn　milk powder; dried milk

✏ 10 画

▢ 合体字　"八" 不是 "人" 或 "入"。

🏠 米部

👤 1-4年级

粉 粉 粉 半 半 半 粉 粉 粉 粉

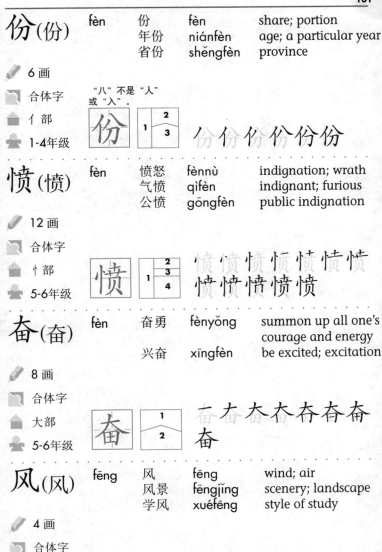

份(份) fèn

份	fèn	share; portion
年份	niánfèn	age; a particular year
省份	shěngfèn	province

6 画

合体字

亻部

1-4年级

"八"不是"人"或"入"。

愤(憤) fèn

愤怒	fènnù	indignation; wrath
气愤	qìfèn	indignant; furious
公愤	gōngfèn	public indignation

12 画

合体字

忄部

5-6年级

奋(奮) fèn

| 奋勇 | fènyǒng | summon up all one's courage and energy |
| 兴奋 | xīngfèn | be excited; excitation |

8 画

合体字

大部

5-6年级

奋 大 大 杏 杏 杏 奋 奋

风(風) fēng

风	fēng	wind; air
风景	fēngjǐng	scenery; landscape
学风	xuéfēng	style of study

4 画

合体字

几(風)部

1-4年级

风 几 凡 风

蜂(蜂) fēng 蜂蜜 fēngmì honey
蜜蜂 mìfēng bee; honey bee

13 画
合体字　　"夂"不是"夂"。
　　　　　"丰"不是"丰"。
虫部
1-4年级

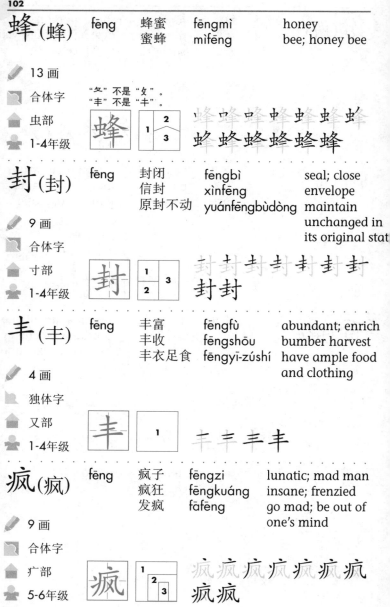

封(封) fēng 封闭 fēngbì seal; close
信封 xìnfēng envelope
原封不动 yuánfēngbùdòng maintain
unchanged in
its original stat

9 画
合体字
寸部
1-4年级

丰(丰) fēng 丰富 fēngfù abundant; enrich
丰收 fēngshōu bumber harvest
丰衣足食 fēngyī-zúshí have ample food
and clothing

4 画
独体字
又部
1-4年级

疯(疯) fēng 疯子 fēngzi lunatic; mad man
疯狂 fēngkuáng insane; frenzied
发疯 fāfēng go mad; be out of
one's mind

9 画
合体字
扩部
5-6年级

锋(鋒)

fēng

| 锋利 | fēnglì | sharp; pungent |
| 先锋 | xiānfēng | vanguard; van |

✏️ 12 画

📋 合体字

"夂"不是"攵"。
"丰"不是"丯"。

🏛️ 钅(金)部

👤 5-6年级

锋 锋 锋 锋 锋 锋 锋
锋 锋 锋 锋 锋

峰(峰)

fēng

山峰	shānfēng	mountain peak
高峰	gāofēng	summit; peak
峰会	fēnghuì	summit

✏️ 10 画

📋 合体字

"夂"不是"攵"。
"丰"不是"丯"。

🏛️ 山部

👤 5-6年级

峰 峰 峰 峰 峰 峰 峰
峰 峰 峰

逢(逢)

féng

逢	féng	meet; come upon
相逢	xiāngféng	meet; come across
棋逢对手	qíféngduìshǒu	meet one's match in a chess game

✏️ 10 画

📋 合体字

"夂"不是"攵"。
"丰"不是"丯"。

🏛️ 辶部

👤 5-6年级

逢 逢 逢 逢 逢 逢 逢
逢 逢 逢

缝(縫)

féng

缝	féng	sew; stitch
裁缝	cáiféng	tailor; dressmaker
门缝	ménfèng	a crack between a door and its frame

✏️ 13 画

📋 合体字

"夂"不是"攵"。
"丰"不是"丯"。

🏛️ 纟(糸)部

👤 1-4年级

缝 缝 缝 缝 缝 缝 缝
缝 缝 缝 缝 缝 缝

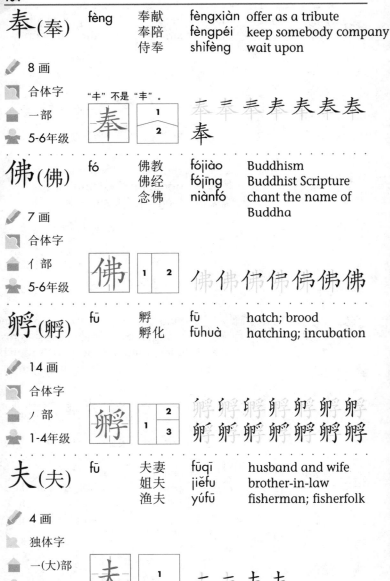

奉(奉)　fèng

奉献　fèngxiàn　offer as a tribute
奉陪　fèngpéi　keep somebody company
侍奉　shìfèng　wait upon

✏ 8 画

🁢 合体字

🏠 一部

👥 5-6年级

"龶" 不是 "丰"。

奉 奉 奉 奉 奉 奉 奉 奉

佛(佛)　fó

佛教　fójiào　Buddhism
佛经　fójīng　Buddhist Scripture
念佛　niànfó　chant the name of Buddha

✏ 7 画

🁢 合体字

🏠 亻部

👥 5-6年级

佛 佛 亻 仁 佛 佛 佛

孵(孵)　fū

孵　fū　hatch; brood
孵化　fūhuà　hatching; incubation

✏ 14 画

🁢 合体字

🏠 丿部

👥 1-4年级

孵 孵 孵 孵 卵 卵 卵 卵 卵 卵 孵 孵 孵 孵

夫(夫)　fū

夫妻　fūqī　husband and wife
姐夫　jiěfu　brother-in-law
渔夫　yúfū　fisherman; fisherfolk

✏ 4 画

🁢 独体字

🏠 一(大)部

👥 1-4年级

夫 夫 夫 夫

肤(肤) fū

皮肤	pífū	skin
肤浅	fūqiǎn	superficial; shallow

✏️ 8 画

🔲 合体字

🔳 月部

👤 1-4年级

肤 | 1 | 2

肤 肤 肤 肤 肤 肤 肤 肤

伏(伏) fú

伏兵	fúbīng	soldiers lying in ambush; ambush
埋伏	máifú	lay in ambush

✏️ 6 画

🔲 合体字

🔳 亻部

👤 高级华文

伏 | 1 | 2

伏 伏 伏 伏 伏 伏

服(服) fú

服装	fúzhuāng	clothing; costume
服药	fúyào	take medicine
心服口服	xīnfú-kǒufú	fully convinced

✏️ 8 画

🔲 合体字

🔳 月部

👤 1-4年级

服 | 1 | 2

服 服 服 服 服 服 服 服

扶(扶) fú

扶	fú	support with hand
扶养	fúyǎng	foster; bring up
救死扶伤	jiùsǐ-fúshāng	heal the wounded and rescue the dying

✏️ 7 画

🔲 合体字

🔳 扌部

👤 1-4年级

扶 | 1 | 2

扶 扶 扶 扶 扶 扶 扶

福(福) fú

福气	fúqì	happy lot; good fortune
幸福	xìngfú	happiness; well-being
祝福	zhùfú	blessing; benediction

✏ 13 画

▨ 合体字

"礻" 不是 "衤"。

🔼 礻 (示)部

🔽 1-4年级

福 福 福 福 福 福 福

福 福 福 福 福 福

浮(浮) fú

浮	fú	float; superficial
浮动	fúdòng	drift; fluctuate
飘浮	piāofú	float; showy

✏ 10 画

▨ 合体字

🔼 氵 部

🔽 1-4年级

浮 浮 浮 浮 浮 浮 浮

浮 浮 浮

符(符) fú

符合	fúhé	accord with; conform t
符号	fúhào	symbol; mark
护身符	hùshēnfú	amulet; protective talisman

✏ 11画

▨ 合体字

🔼 竹(⺮)部

🔽 5-6年级

符 符 符 符 符 符 符

符 符 符 符

幅(幅) fú

幅	fú	size
幅度	fúdù	range; scope
篇幅	piānfú	length; space

✏ 12 画

▨ 合体字

🔼 巾部

🔽 5-6年级

幅 幅 幅 幅 幅 幅 幅

幅 幅 幅 幅 幅

府(府) fǔ 政府 zhèngfǔ government
首府 shǒufǔ the capital of a prefecture
8 画 学府 xuéfǔ seat of learning
合体字
广部
1-4年级

斧(斧) fǔ 斧子 fǔzi axe; hatchet
大刀阔斧 dàdāo-kuòfǔ bold and resolute
8 画
合体字
父(斤)部
1-4年级

腐(腐) fǔ 腐烂 fǔlàn rotten; decomposed
陈腐 chénfǔ stale; outworn
14 画
合体字
广部
5-6年级

父(父) fù 父亲 fùqīn father (paternal)
祖父 zǔfù grandfather
4 画
合体字
父部
1-4年级

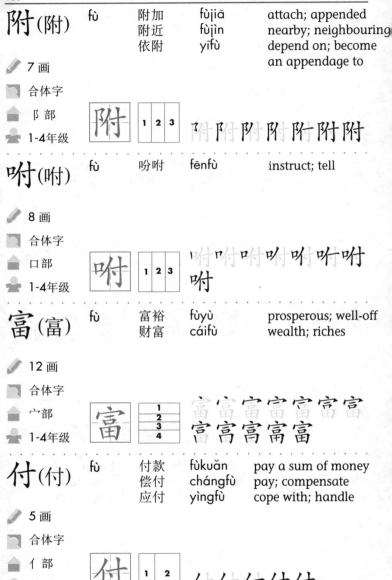

附(附) fù 附加 fùjiā attach; appended
附近 fùjìn nearby; neighbouring
依附 yīfù depend on; become an appendage to

7 画

合体字

阝部

1-4年级

㇇ 阝 阝 阝 阽 附 附

咐(咐) fù 吩咐 fēnfù instruct; tell

8 画

合体字

口部

1-4年级

㇒ 口 口 口 叶 听 咐 咐

富(富) fù 富裕 fùyù prosperous; well-off
财富 cáifù wealth; riches

12 画

合体字

宀部

1-4年级

富 富 富 富 富 富 富 富 富 富 富 富

付(付) fù 付款 fùkuǎn pay a sum of money
偿付 chángfù pay; compensate
应付 yìngfù cope with; handle

5 画

合体字

亻部

1-4年级

㇒ 亻 什 付 付

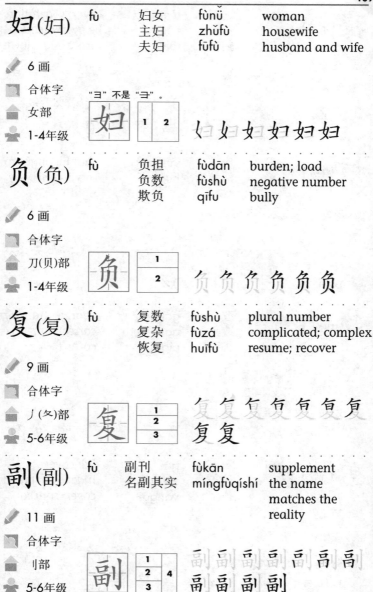

妇(婦) fù

妇女	fùnǚ	woman
主妇	zhǔfù	housewife
夫妇	fūfù	husband and wife

✏️ 6 画

📄 合体字

🏠 女部

🎓 1-4年级

"ᴣ" 不是 "ᴣ"。

〈 刄 女 女 妇 妇

负(負) fù

负担	fùdān	burden; load
负数	fùshù	negative number
欺负	qīfu	bully

✏️ 6 画

📄 合体字

🏠 刀(贝)部

🎓 1-4年级

负 负 负 负 负 负

复(復) fù

复数	fùshù	plural number
复杂	fùzá	complicated; complex
恢复	huīfù	resume; recover

✏️ 9 画

📄 合体字

🏠 丿(夂)部

🎓 5-6年级

复 复 复 复 复 复 复
复 复

副(副) fù

| 副刊 | fùkān | supplement |
| 名副其实 | míngfùqíshí | the name matches the reality |

✏️ 11 画

📄 合体字

🏠 刂部

🎓 5-6年级

副 副 副 副 副 畐 畐
畐 畐 副 副

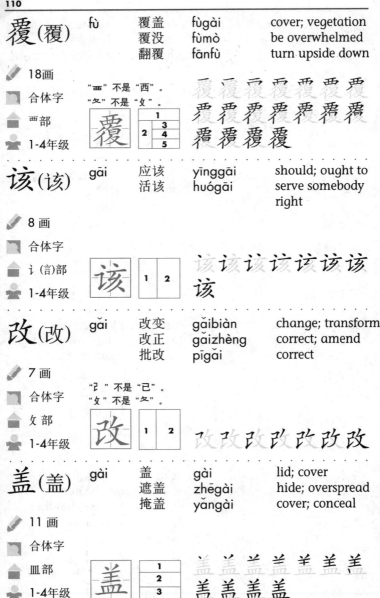

覆(覆)

fù

覆盖	fùgài	cover; vegetation
覆没	fùmò	be overwhelmed
翻覆	fānfù	turn upside down

- 18画
- 合体字
- 覀部
- 1-4年级

"覀"不是"西"。
"夂"不是"夊"。

该(该)

gāi

| 应该 | yīnggāi | should; ought to |
| 活该 | huógāi | serve somebody right |

- 8画
- 合体字
- 讠(言)部
- 1-4年级

改(改)

gǎi

改变	gǎibiàn	change; transform
改正	gǎizhèng	correct; amend
批改	pīgǎi	correct

- 7画
- 合体字
- 攵部
- 1-4年级

"己"不是"已"。
"攵"不是"夂"。

盖(盖)

gài

盖	gài	lid; cover
遮盖	zhēgài	hide; overspread
掩盖	yǎngài	cover; conceal

- 11画
- 合体字
- 皿部
- 1-4年级

丐(丐)   gài   乞丐   qǐgài   beggar

✏ 4 画

独体字

一部

1-4年级

| 丐 | 丶 |

丂 丂 丐 丐

概(概)   gài   概况   gàikuàng   general situation
概念   gàiniàn   concept; notion
大概   dàgài   general idea

✏ 13 画

合体字   "旡" 不是 "无"。

木部

| 概 | 1 2 3 |

5-6年级

椎 椎 椎 概 枛 枛 枛
枛 枛 概 概 概 概

柑(柑)   gān   柑   gān   orange

✏ 9 画

合体字

木部

| 柑 | 1 2 |

高级华文

柑 柑 柑 柑 柑 柑 柑
柑 柑

竿(竿)   gān   竹竿   zhúgān   bamboo pole
百尺竿头   bǎichǐgāntóu   make further
progress from the
satisfactory base

✏ 9 画

合体字

竹(⺮)

| 竿 | 1 2 / 3 |

高级华文

竿 竿 竿 竿 竿 竿 竿
竿 竿

干(干) | gān | 干燥 | gānzào | dry, uninteresting
干杯 | gānbēi | drink a toast
gàn | 能干 | nénggàn | able; capable

✏️ 3 画
独体字
一部
1-4年级

干 | 1 | 干 干 干

肝(肝) | gān | 肝 | gān | liver
肝胆相照 | gāndǎnxiàngzhào | show utter devotion to; loyal-hearted

✏️ 7 画
合体字
月部
5-6年级

肝 | 1 2 | 肝 月 肝 肝 肝 肝 肝

甘(甘) | gān | 甘心 | gānxīn | willingly; readily
苦尽甘来 | kǔjìn-gānlái | luck turns after hardship; after suffering comes happiness

✏️ 5 画
独体字
一部
1-4年级

甘 | 1 | 一 甘 甘 甘 甘

赶(赶) | gǎn | 赶快 | gǎnkuài | quickly; hurry u
追赶 | zhuīgǎn | run after; pursu
迎头赶上 | yíngtóu-gǎnshàng | try hard to catch up

✏️ 10 画
合体字
走部
5-6年级

赶 | 1 3 / 2 | 赶 赶 赶 赶 赶 赶 赶 赶 赶 赶

| 敢 (敢) | gǎn | 勇敢
胆敢 | yǒnggǎn
dǎngǎn | brave; courageous
dare; have the
audacity to do |

✏ 11 画

▢ 合体字

"攵" 不是 "夊"。

🏠 攵 部

🏅 1-4年级

| 感 (感) | gǎn | 感动
感冒
情感 | gǎndòng
gǎnmào
qínggǎn | move; touch
cold; have a cold
emotion; feeling |

✏ 13 画

▢ 合体字

🏠 心部

🏅 1-4年级

| 岗 (崗) | gāng
gǎng | 山岗
岗位
站岗 | shāngāng
gǎngwèi
zhàngǎng | low hill; hillock
post; position
stand guard;
stand sentry |

✏ 7 画

▢ 合体字

🏠 山部

🏅 高级华文

| 刚 (剛) | gāng | 刚巧
刚强
金刚 | gāngqiǎo
gāngqiáng
Jīngāng | exactly; happen to
firm; unyielding
Buddha's warrior
attendant |

✏ 6 画

▢ 合体字

🏠 刂部

🏅 1-4年级

缸(缸)

gāng　缸子　gāngzi　mug
　　　　水缸　shuǐgāng　water vat

✏️ 9 画

▢ 合体字

▲ 缶部　　"缶"不是"缶"。

👤 1-4年级

钢(钢)

gāng　钢铁　gāngtiě　iron and steel
　　　　钢笔　gāngbǐ　pen; fountain pen
　　　　不锈钢　búxiùgāng　stainless steel

✏️ 9 画

▢ 合体字

▲ 钅部

👤 1-4年级

港(港)

gǎng　港湾　gǎngwān　harbour
　　　　海港　hǎigǎng　seaport; harbour
　　　　自由港　zìyóugǎng　free port

✏️ 12 画

▢ 合体字

▲ 氵部

👤 5-6年级

高(高)

gāo　高　gāo　high; of a high level or degree
　　　高兴　gāoxìng　glad; cheerful

✏️ 10 画

▢ 合体字

▲ 亠部

👤 1-4年级

糕 (糕)

gāo

糕点	gāodiǎn	cake; pastry
蛋糕	dàngāo	cake
年糕	niángāo	New Year cake

✏️ 16 画

🔲 合体字

🏠 米部

🎓 1-4年级

膏 (膏)

gāo

膏药	gāoyào	plaster
牙膏	yágāo	toothpaste
石膏	shígāo	gypsum; plaster stone

✏️ 14 画

🔲 合体字

🏠 亠(月)部

🎓 5-6年级

稿 (稿)

gǎo

稿纸	gǎozhǐ	manuscript paper
讲稿	jiǎnggǎo	lecture notes
草稿	cǎogǎo	rough draft

✏️ 15 画

🔲 合体字

🏠 禾部

🎓 1-4年级

告 (告)

gào

告诉	gàosu	tell; let know
广告	guǎnggào	advertisement
布告	bùgào	notice; bulletin

✏️ 7 画

🔲 合体字

🏠 口部

🎓 1-4年级

哥 (哥)   gē   哥哥   gēge   elder brother
                   表哥   biǎogē   cousin

- 10 画
- 合体字
- 一(口)部
- 1-4年级

歌 (歌)   gē   歌唱   gēchàng   sing
                   歌曲   gēqǔ   song
                   情歌   qínggē   love song

- 14 画
- 合体字
- 欠部
- 1-4年级

割 (割)   gē   割   gē   cut
                   割裂   gēliè   cut apart; separate
                   收割   shōugē   reap; gather in

- 12画
- 合体字

"丰" 不是 "丯"。

- 刂部
- 1-4年级

鸽 (鴿)   gē   鸽子   gēzi   pigeon; dove
                   信鸽   xìngē   carrier pigeon

- 11画
- 合体字
- 鸟部
- 1-4年级

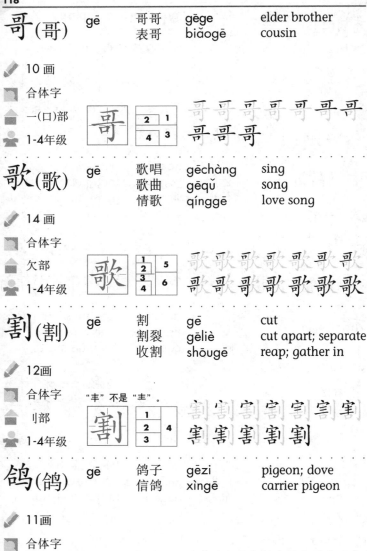

革(革) gé

革命	géming	revolution
皮革	pígé	leather; hide
变革	biàngé	transform; change

9 画

独体字

革部

高级华文

草革

隔(隔) gé

隔	gé	separate; partition
隔夜	géyè	of the previous night
间隔	jiàngé	interval; intermission

12 画

合体字

"丳" 不是 "丳"。

阝部

1-4年级

隔隔隔隔隔

格(格) gé

格子	gézi	check; checker
格外	géwài	especially; all the more
及格	jígé	pass

10 画

合体字

木部

1-4年级

格格格

个(个) gè

自个儿	zìgěr	oneself; by oneself
个子	gèzi	hight; build
整个	zhěnggè	complete; entire

3 画

合体字

人部

1-4年级

个个个

各(各)

gè

各	gè	each; various
各自	gèzì	each; respective
各得其所	gèdéqísuǒ	each is in his proper place

✏ 6 画

▢ 合体字

"夂" 不是 "攵"。

🏠 夂(口)部

👤 1-4年级

各 夂 各 各 各 各

给(给)

gěi
jǐ

给	gěi	give; grant
给予	jǐyǔ	give; render
供给	gōngjǐ	supply; furnish

✏ 9 画

▢ 合体字

🏠 纟(糸)部

👤 1-4年级

给 给 给 给 给 给 给 给 给

跟(跟)

gēn

跟	gēn	follow; and
跟随	gēnsuí	follow; come after
脚跟	jiǎogēn	heel

✏ 13 画

▢ 合体字

🏠 足(⻊)部

👤 1-4年级

跟 跟 跟 跟 跟 跟 跟 跟 跟 跟 跟 跟 跟

根(根)

gēn

根本	gēnběn	basic; fundamental
根源	gēnyuán	source; origin
命根子	mìnggēnzi	one's very life; lifehood

✏ 10 画

▢ 合体字

🏠 木部

👤 1-4年级

根 根 根 根 根 根 根 根 根 根

更(更)	gēng	更换	gēnghuàn	change; replace
		变更	biàngēng	change; alter
	gèng	更加	gèngjiā	still more; even more

7 画
独体字
一部
1-4年级

更 更 更 更 更 更 更

| 耕(耕) | gēng | 耕种 | gēngzhòng | till; cultivate |
| | | 笔耕 | bǐgēng | live on one's writing |

10 画
合体字
耒 部
1-4年级

耕 耕 耕 耕 耕 耕 耕 耕 耕 耕

工(工)	gōng	工人	gōngrén	worker; workman
		工业	gōngyè	industry
		分工	fēngōng	divide the work; division of labour

3 画
独体字
工部
1-4年级

工 工 工

| 公(公) | gōng | 办公 | bàngōng | handle official business |
| | | 公德 | gōngdé | social ethics; social morality |

4 画
合体字
"八" 不是 "人" 或 "入"。
八部
1-4年级

公 八 公 公

功(功)

gōng

功课	gōngkè	schoolwork; homework
成功	chénggōng	succeed
事半功倍	shìbàn-gōngbèi	get twice the result with half the effort

- 5画
- 合体字
- 工部
- 1-4年级

功功功功功

弓(弓)

gōng

弓	gōng	bow; arch
弹弓	dàngōng	catapult
左右开弓	zuǒyòukāigōng	hit with both hands; kick with both feet

- 3画
- 独体字
- 弓部
- 1-4年级

弓弓弓

攻(攻)

gōng

攻击	gōngjī	attack; assault
攻读	gōngdú	diligently study
进攻	jìngōng	invade; offensive

- 7画
- 合体字
- 工(攵)部
- 1-4年级

"攵"不是"夂"。

攻攻攻攻攻攻攻

宫(宫)

gōng

宫灯	gōngdēng	palace latern
皇宫	huánggōng	royal palace

- 9画
- 合体字
- 宀部
- 1-4年级

宫宫宫宫宫宫宫宫宫

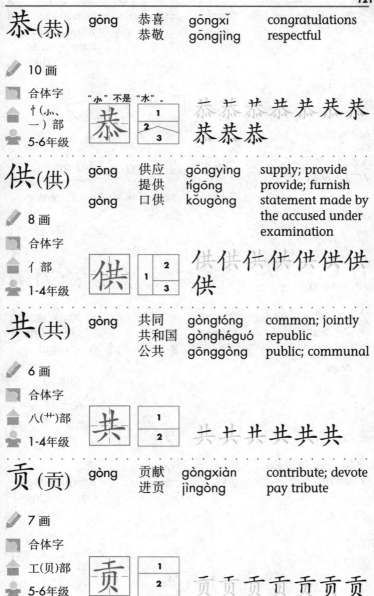

恭(恭) gōng 恭喜 gōngxǐ congratulations
恭敬 gōngjìng respectful

10 画

合体字

忄(丷、一)部

5-6年级

"小"不是"水"。

供(供) gōng 供应 gōngyìng supply; provide
提供 tígōng provide; furnish
gòng 口供 kǒugòng statement made by the accused under examination

8 画

合体字

亻部

1-4年级

共(共) gòng 共同 gòngtóng common; jointly
共和国 gònghéguó republic
公共 gōnggòng public; communal

6 画

合体字

八(丷)部

1-4年级

贡(贡) gòng 贡献 gòngxiàn contribute; devote
进贡 jìngòng pay tribute

7 画

合体字

工(贝)部

5-6年级

勾 (勾) gōu

勾画　gōuhuà　delineate; sketch
勾结　gōujié　collude with; gang up with
勾引　gōuyǐn　entice; seduce

✏️ 4 画

▢ 合体字

🏠 勹部

🎓 高级华文

勾　勹勹勾勾

沟 (沟) gōu

沟通　gōutōng　link up; communicate
水沟　shuǐgōu　ditch; gutter

✏️ 7 画

▢ 合体字

🏠 氵部

🎓 1-4年级

沟　沟沟沟沟沟沟沟

钩 (钩) gōu

钩子　gōuzi　hook
衣钩　yīgōu　clothes-hook
钩心斗角　gōuxīn-dòujiǎo　intrigue against each other

✏️ 9 画

▢ 合体字

🏠 钅部

🎓 1-4年级

钩　钩钩钩钩钩钩钩钩钩

狗 (狗) gǒu

狗　gǒu　dog
走狗　zǒugǒu　running dog; servile follower

✏️ 8 画

▢ 合体字

🏠 犭部

🎓 1-4年级

狗　狗狗狗狗狗狗狗狗

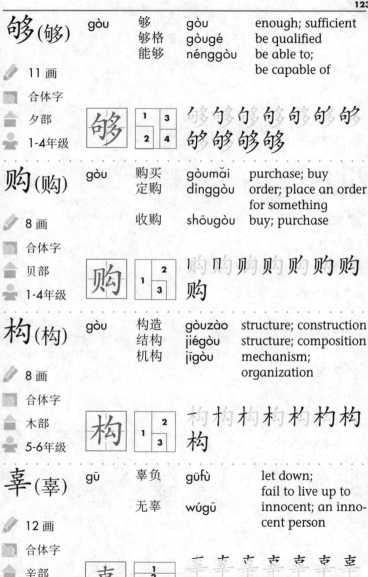

够(夠) gòu

够	gòu	enough; sufficient
够格	gòugé	be qualified
能够	nénggòu	be able to; be capable of

- 11 画
- 合体字
- 夕部
- 1-4年级

购(購) gòu

购买	gòumǎi	purchase; buy
定购	dìnggòu	order; place an order for something
收购	shōugòu	buy; purchase

- 8 画
- 合体字
- 贝部
- 1-4年级

构(構) gòu

构造	gòuzào	structure; construction
结构	jiégòu	structure; composition
机构	jīgòu	mechanism; organization

- 8 画
- 合体字
- 木部
- 5-6年级

辜(辜) gū

| 辜负 | gūfù | let down; fail to live up to |
| 无辜 | wúgū | innocent; an innocent person |

- 12 画
- 合体字
- 辛部
- 1-4年级

124

姑(姑)	gū	姑夫 姑息 尼姑	gūfu gūxī nígū	uncle appease; tolerate Buddhist nun

✏️ 8 画

🔖 合体字

🏠 女部

🎓 1-4年级

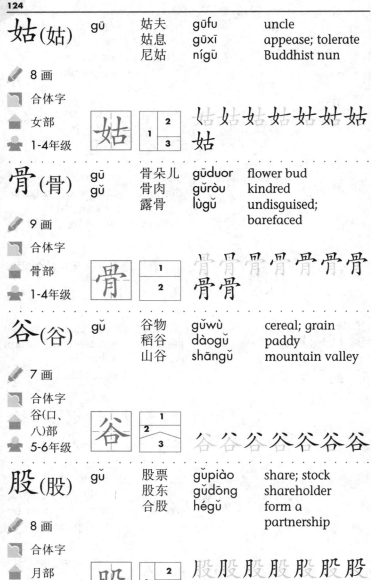

姑 姑 女 女 姑 姑 姑 姑

骨(骨)	gū gǔ	骨朵儿 骨肉 露骨	gūduor gǔròu lùgǔ	flower bud kindred undisguised; barefaced

✏️ 9 画

🔖 合体字

🏠 骨部

🎓 1-4年级

骨 骨 骨 骨 骨 骨 骨 骨 骨

谷(谷)	gǔ	谷物 稻谷 山谷	gǔwù dàogǔ shāngǔ	cereal; grain paddy mountain valley

✏️ 7 画

🔖 合体字

🏠 谷(口、八)部

🎓 5-6年级

谷 谷 谷 谷 谷 谷 谷

股(股)	gǔ	股票 股东 合股	gǔpiào gǔdōng hégǔ	share; stock shareholder form a partnership

✏️ 8 画

🔖 合体字

🏠 月部

🎓 高级华文

股 股 股 股 股 股 股 股

古 (古)

gǔ

古代	gǔdài	ancient times; antiquity
古老	gǔlǎo	ancient; age-old
考古	kǎogǔ	archaeology

5 画

合体字

十(口)部

1-4年级

一 十 古 古 古

鼓 (鼓)

gǔ

鼓	gǔ	drum
鼓掌	gǔzhǎng	clap one's hands
打退堂鼓	dǎtuìtánggǔ	beat a retreat; draw in one's horns

13 画

合体字

士部

5-6年级

鼓 鼓 鼓 鼓 鼓 鼓 鼓 鼓 鼓 鼓 鼓 鼓 鼓

故 (故)

gù

故乡	gùxiāng	hometown; birthplace
故意	gùyì	intentionally; wilfully
事故	shìgù	accident

9 画

合体字

攵 部

1-4年级

故 故 故 故 故 故 故 故 故

顾 (顾)

gù

顾客	gùkè	customer; client
回顾	huígù	look after; review
照顾	zhàogù	give consideration; look after

10 画

合体字

"厄" 不是 "厄"。

页部

1-4年级

顾 顾 顾 顾 顾 顾 顾 顾 顾 顾

固(固)　gù

固定	gùdìng	fixed; regular
牢固	láogù	firm; secure
顽固	wángù	obstinate; stubborn

- 8 画
- 合体字
- 口部
- 5-6年级

固 固 冋 固 固 固 固 固

瓜(瓜)　guā

西瓜	xīguā	watermelon
瓜分	guāfēn	carve up; divide up
瓜子脸	guāzǐliǎn	an oval face

- 5 画
- 独体字
- 瓜部
- 1-4年级

瓜 厂 瓜 瓜 瓜

刮(刮)　guā

刮	guā	scrape; blow
刮风	guāfēng	blow (of the wind)
搜刮	sōuguā	extort; plunder

- 8 画
- 合体字
- 刂部
- 1-4年级

刮 刮 刮 舌 舌 舌 刮 刮

挂(挂)　guà

挂	guà	hang; hitch
挂念	guàniàn	have something weighing on one's mind
牵挂	qiānguà	worry; care

- 9 画
- 合体字
- 扌部
- 1-4年级

挂 挂 挂 扫 扫 挂 挂 挂 挂

乖(乖) guāi

| 乖 | guāi | well-behaved; shrewd |
| 乖巧 | guāiqiǎo | clever; cute |

8画
合体字
丿部
高级华文

怪(怪) guài

奇怪	qíguài	strange; odd
鬼怪	guǐguài	ghosts and monsters
怪罪	guàizuì	blame

8画
合体字
"圣"不是"圣"。
忄部
1-4年级

关(关) guān

关	guān	shut; close down
关系	guānxì	relation; relationship
公关	gōngguān	public relation

6画
合体字
八(丷)部
1-4年级

观(观) guān / guàn

观看	guānkàn	watch; view
观众	guānzhòng	audience; spectator
道观	daòguàn	Taoist temple

6画
合体字
又部
1-4年级

| 官 (官) | guān | 官方
外交官
器官 | guānfāng
wàijiāoguān
qìguān | official
diplomat
organ;
apparatus |

8 画

合体字

"㠯" 不是 "吕"。

宀部

1-4年级

官官官官官官官官
官

| 冠 (冠) | guān
guàn | 鸡冠
衣冠
冠军 | jīguān
yìguān
guànjūn | cockscomb
hat and clothes
champion |

9 画

合体字

"冖" 不是 "宀"。

冖部

1-4年级

冠冠冠冠冠冠冠
冠冠

| 管 (管) | guǎn | 管乐
管理

保管 | guǎnyuè
guǎnlǐ

bǎoguǎn | orchestral music
administer;
supervise
take care of;
certainly |

14 画

合体字

"㠯" 不是 "吕"。

竹(⺮)部

1-4年级

管管管管管管管
管管管管管管管

| 馆 (館) | guǎn | 旅馆

展览馆 | lǚguǎn

zhǎnlǎnguǎn | hotel; guest
house
exhibition
centre |

11 画

合体字

"㠯" 不是 "吕"。

饣(食)部

1-4年级

馆馆馆馆馆馆馆
馆馆馆馆

| 惯(惯) | guàn | 习惯
惯例 | xíguàn
guànlì | habit; be used to
convention;
usual practice |

✏️ 12 画
📖 合体字
🔺 忄部
👤 1-4年级

惯惯惯惯惯惯惯
惯惯惯惯惯

| 罐(罐) | guàn | 罐头
水罐 | guàntou
shuǐguàn | tin; can
water pitcher |

✏️ 23 画
📖 合体字
🔺 缶部
👤 5-6年级

"缶"不是"隹"。

罐罐罐罐罐罐罐
罐罐罐罐罐罐罐
罐罐罐罐罐罐罐
罐罐

| 光(光) | guāng | 光
观光
光临 | guāng
guānguāng
guānglín | light; ray
go sightseeing
presence; the
honour of your
presence |

✏️ 6 画
📖 合体字
🔺 小(儿)部
👤 1-4年级

光光光光光光

| 广(广) | guǎng | 广大
广场
推广 | guǎngdà
guǎngchǎng
tuīguǎng | vast; extensive
public square
popularize;
spread |

✏️ 3 画
📖 独体字
🔺 广部
👤 1-4年级

广广广

龟 (龜) gui

乌龟　wūguī — tortoise; turtle
龟缩　guīsuō — huddle up like a turtle in its head and legs; withdraw into passive defence

7 画

独体字

刀(⺈)部

1-4年级

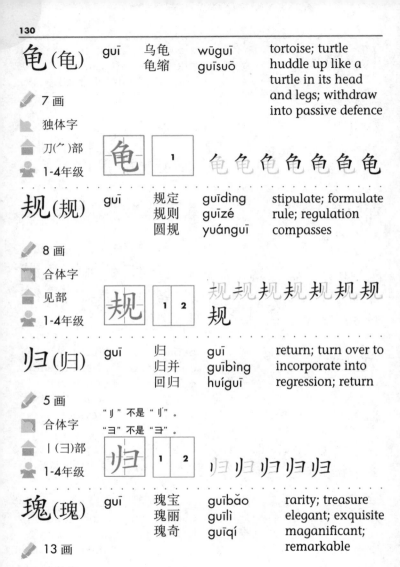

龟 龟 龟 龟 龟 龟 龟

规 (規) guī

规定　guīdìng — stipulate; formulate
规则　guīzé — rule; regulation
圆规　yuánguī — compasses

8 画

合体字

见部

1-4年级

规 规 规 规 规 规 规 规

归 (歸) guī

归　guī — return; turn over to
归并　guībìng — incorporate into
回归　huíguī — regression; return

5 画

合体字

"丿" 不是 "亅"。
"彐" 不是 "彐"。

丨(彐)部

1-4年级

彐 彐 彐 彐 彐彐 彐

瑰 (瑰) guī

瑰宝　guībǎo — rarity; treasure
瑰丽　guīlì — elegant; exquisite
瑰奇　guīqí — maganificant; remarkable

13 画

合体字

王部

5-6年级

瑰 瑰 瑰 瑰 瑰 瑰 瑰 瑰 瑰 瑰 瑰 瑰 瑰

轨(軌)

guǐ

轨道	guǐdào	track; orbit
常轨	chángguǐ	normal practice
越轨	yuèguǐ	exceed the bounds; transgress

✏ 6 画

🔲 合体字

🏠 车部

🎓 高级华文

"九" 不是 "丸"。

| 轨 | 1 | 2 |

轨 轨 轨 轨 轨 轨

鬼(鬼)

guǐ

鬼	guǐ	ghost; apparition
酒鬼	jiǔguǐ	drunkard
活见鬼	huójiànguǐ	sheer fantasy; utter nonsense

✏ 9 画

🔲 独体字

🏠 鬼部

🎓 1-4年级

| 鬼 | 1 |

鬼 鬼 鬼 鬼 鬼 鬼 鬼
鬼 鬼

柜(櫃)

guì

柜子	guìzi	cupboard; cabinet
柜台	guìtái	counter; bar
按柜金	ànguìjīn	cash pledge; security deposit

✏ 8 画

🔲 合体字

🏠 木部

🎓 高级华文

| 柜 | 1 | 2 |

柜 柜 柜 柜 柜 柜 柜
柜

贵(貴)

guì

贵	guì	costly; noble
贵重	guìzhòng	valuable; expensive
珍贵	zhēnguì	valuable; precious

✏ 9 画

🔲 合体字

🏠 贝部

🎓 1-4年级

| 贵 | 1 | |
| | 2 | |

贵 贵 贵 贵 贵 贵 贵
贵 贵

跪(跪)

guì

跪	guì	kneel; stand on one's knees
跪拜	guìbài	worship on bended knees; koutow
下跪	xiàguì	kneel down

13 画

合体字

足(𧾷)部

5-6年级

"巳" 不是 "已"。

滚(滚)

gǔn

滚	gǔn	roll; get away
翻滚	fāngǔn	toss; tumble
滚烫	gǔntàng	boiling hot; burning hot

13 画

合体字

氵部

1-4年级

棍(棍)

gùn

棍子	gùnzi	rod; stick
棍棒	gùnbàng	club; cudgel
恶棍	ègùn	ruffian; bully

12 画

合体字

木部

1-4年级

锅(锅)

guō

火锅	huǒguō	chafing dish
铁锅	tiěguō	pot; cauldron
锅贴儿	guōtiēr	lightly fried dumpling

12 画

合体字

钅(金)部

5-6年级

"内" 不是 "内"。

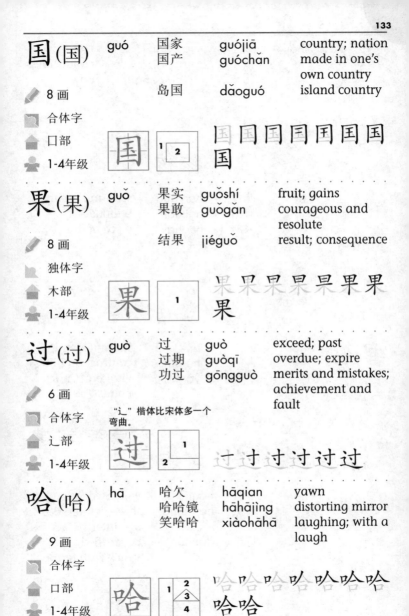

国 (国) guó

国家 guójiā country; nation
国产 guóchǎn made in one's own country
岛国 dǎoguó island country

8 画
合体字
口部
1-4年级

果 (果) guǒ

果实 guǒshí fruit; gains
果敢 guǒgǎn courageous and resolute
结果 jiéguǒ result; consequence

8 画
独体字
木部
1-4年级

过 (过) guò

过 guò exceed; past
过期 guòqī overdue; expire
功过 gōngguò merits and mistakes; achievement and fault

6 画
合体字
"辶" 楷体比宋体多一个弯曲。
辶部
1-4年级

哈 (哈) hā

哈欠 hāqian yawn
哈哈镜 hāhājìng distorting mirror
笑哈哈 xiàohāhā laughing; with a laugh

9 画
合体字
口部
1-4年级

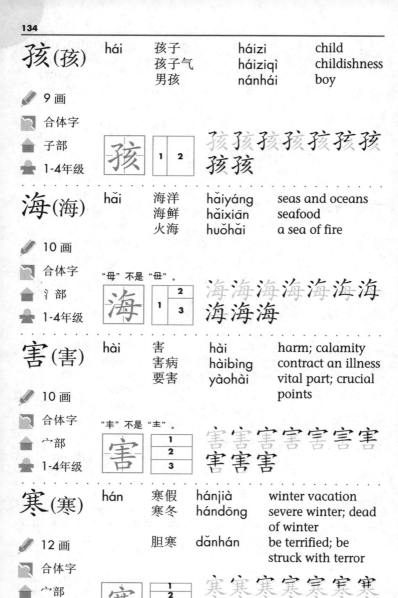

孩(孩) hái

孩子 háizi child
孩子气 háiziqì childishness
男孩 nánhái boy

9 画
合体字
子部
1-4年级

海(海) hǎi

海洋 hǎiyáng seas and oceans
海鲜 hǎixiān seafood
火海 huǒhǎi a sea of fire

10 画
合体字
"母" 不是 "毋"。
氵部
1-4年级

害(害) hài

害 hài harm; calamity
害病 hàibìng contract an illness
要害 yàohài vital part; crucial points

10 画
合体字
"丰" 不是 "主"。
宀部
1-4年级

寒(寒) hán

寒假 hánjià winter vacation
寒冬 hándōng severe winter; dead of winter
胆寒 dǎnhán be terrified; be struck with terror

12 画
合体字
宀部
1-4年级

含 (含)

hán	含	hán	keep in the mouth; contain
	含意	hányì	meaning; implication
	包含	bāohán	embody; include

✏️ 7 画

📄 合体字

"今" 不是 "令"。

🏛️ 人(口)部

🎓 1-4年级

含 含 含 含 含 含 含

喊 (喊)

hǎn	喊	hǎn	shout; yell
	喊叫	hǎnjiào	shout; cry out
	呼喊	hūhǎn	exclaim; call out

✏️ 12 画

📄 合体字

🏛️ 口部

🎓 1-4年级

喊 喊 喊 喊 喊 喊 喊 喊 喊 喊 喊

汗 (汗)

hàn	汗	hàn	sweat; perspiration
	汗衫	hànshān	undershirt; T-shirt
hán	可汗	kèhán	khan (ruler of the northern Chinese tribes in the ancient times)

✏️ 6 画

📄 合体字

🏛️ 氵部

🎓 1-4年级

汗 汗 汗 汗 汗 汗

旱 (旱)

hàn	旱灾	hànzāi	drought
	抗旱	kànghàn	fight against the drought; drought-resistant

✏️ 7 画

📄 合体字

🏛️ 日部

🎓 高级华文

旱 旱 旱 旱 旱 旱 旱

汉 (漢) hàn

汉语	Hànyǔ	the Chinese language
汉子	hànzi	fellow; man
男子汉	nánzihàn	man; manly

- 5 画
- 合体字
- 氵部
- 5-6年级

汉汉汉汉汉

航 (航) háng

航海	hánghǎi	navigation
航空	hángkōng	aviation
护航	hùháng	escort; convoy

- 10 画
- 合体字
- 舟部
- 5-6年级

航航航航航航航航航航

毫 (毫) háo

毫毛	háomáo	soft hair on the body
羊毫笔	yángháobǐ	writing brush made of goat's hair
丝毫	sīháo	a shred; the slightest amount or degree

- 11 画
- 合体字
- 亠(毛)部
- 高级华文

毫毫毫毫毫毫毫毫毫毫毫

号 (號) háo / hào

号哭	háokū	wail; howl
号令	hàolìng	verbal command; order
信号	xìnhào	signal

- 5 画
- 合体字
- 口部
- 1-4年级

号号号号号

好(好)

	hǎo	好	hǎo	good; friendly
		好像	hǎoxiàng	seem; be like
	hào	好奇	hàoqí	be curious; be full of curiosity

6 画

合体字

女部

1-4年级

好 | 1 | 2

亻 好 好 好 好 好

喝(喝)

	hē	喝	hē	drink
		喝茶	hēchá	drink tea
		喝彩	hēcǎi	acclaim; cheer

12 画

合体字

口部

1-4年级

喝

喝 喝 喝 喝 喝 喝
喝 喝 喝 喝 喝

河(河)

	hé	河	hé	river
		河流	héliú	rivers and streams
		山河	shānhé	mountains and rivers; the land of one's country

8 画

合体字

氵部

1-4年级

河 | 1 | 2 | 3

河 河 河 河 河 河 河
河

和(和)

	hé	和	hé	and
	hè	和诗	hèshī	compose poems in reply
	hú	和	hú	complete a set in mahjong
	huó	和面	huómiàn	knead dough
	huò	和弄	huònong	stir; mix

8 画

合体字

禾(口)部

1-4年级

和 | 1 | 2

和 和 和 和 和 和 和
和

合(合) hé

合并	hébìng	merge; amalgamate
合格	hégé	qualified; up to standard
配合	pèihé	co-operate; concert

6 画

合体字

人(口)部

1-4年级

合 合 合 合 合 合 合

盒(盒) hé

盒子	hézi	box; casket
饭盒	fànhé	lunch box; dinner pail
铅笔盒	qiānbǐhé	pencil-case

11 画

合体字

皿部

1-4年级

盒 盒 盒 盒 盒 盒 盒 盒 盒 盒 盒

何(何) hé

| 何人 | hé rén | who; whom |
| 何必 | hébì | there is no need; why |

7 画

合体字

亻部

1-4年级

何 何 何 何 何 何 何

荷(荷) hé

荷花	héhuā	lotus
荷包	hébāo	pouch; small bag
hè	负荷	fùhè	load

10 画

合体字

艹部

5-6年级

荷 荷 荷 荷 荷 荷 荷 荷 荷 荷

贺 (賀) hè

贺年 hènián extend New Year greetings; pay a New Year call
贺电 hèdiàn congratulatory telegram
庆贺 qìnghè congratulate; celebrate

9 画

合体字

贝部

5-6年级

黑 (黑) hēi

黑 hēi black; secret
黑板 hēibǎn blackboard
漆黑 qīhēi pitch-dark; pitch-black

12 画

合体字

"里"不是"里"。

黑部

1-4年级

痕 (痕) hén

痕迹 hénjì trace; vestige
泪痕 lèihén tear stain
伤痕 shānghén scar; bruise

11 画

合体字

疒部

高级华文

很 (很) hěn

很 hěn very; quite

9 画

合体字

彳部

1-4年级

狠(狠)

狠心	hěnxīn	cruel-hearted; heartless
狠毒	hěndú	vicious; venomous
发狠	fāhěn	make a high resolve; turn angry

hěn

🖊 9 画

▧ 合体字

🏠 犭部

🎓 5-6年级

狠狠狠狠狠狠狠狠狠

恨(恨)

仇恨	chóuhèn	hatred; enmity
解恨	jiěhèn	vent one's hatred
痛恨	tònghèn	hate bitterly; utterly detest

hèn

🖊 9 画

▧ 合体字

🏠 忄部

🎓 5-6年级

恨恨恨恨恨恨恨恨恨

恒(恒)

恒心	héngxīn	perseverance
恒温	héngwēn	constant temperature
永恒	yǒnghéng	eternal; perpetual

héng

🖊 9 画

▧ 合体字

🏠 忄部

🎓 5-6年级

恒恒恒恒恒恒恒恒恒

横(横)

| 横排 | héngpái | horizental rank |
| 骄横 | jiāohèng | arrogant and imperious; overbearing |

héng
hèng

🖊 15 画

▧ 合体字

🏠 木部

🎓 5-6年级

"由" 不是 "田"。

横横横横横横横横横横横横横横横

| 轰(轟) | hōng | 轰动 | hōngdòng | cause a sensation |
| | | 轰轰烈烈 | hōnghōnglièliè | vigorous; dynamic |

✏️ 8 画

🔲 合体字

🏠 车部

🎓 5-6年级

轰 轰 轰 轰 轰 轰 轰 轰

烘(烘)	hōng	烘托	hōngtuō	set off by contrast
		烘箱	hōngxiāng	oven
		热烘烘	rèhōnghōng	very warm

✏️ 10 画

🔲 合体字

🏠 火部

🎓 5-6年级

烘 烘 烘 烘 烘 烘 烘 烘 烘 烘

洪(洪)	hóng	洪水	hóngshuǐ	flood; floodwater
		洪亮	hóngliàng	loud and clear; sonorous
		防洪	fánghóng	prevent flood; flood-control

✏️ 9 画

🔲 合体字

🏠 氵部

🎓 高级华文

洪 洪 洪 洪 洪 洪 洪 洪 洪

红(紅)	hóng	红	hóng	red; revolutionary
		红利	hónglì	bonus; extra dividend
		眼红	yǎnhóng	covet; furious

✏️ 6 画

🔲 合体字

🏠 纟(糸)部

🎓 1-4年级

红 红 红 红 红 红

虹(虹) hóng 彩虹 cǎihóng rainbow
气贯长虹 qìguànchánghóng full of noble aspiration and daring

9 画

合体字

虫部

5-6年级

虹 | 1 | 2

虹 虹 口 虫 虫 虫 虹
虹 虹

猴(猴) hóu 猴子 hóuzi monkey
猴王 hóuwáng monkey king
金丝猴 jīnsīhóu golden monkey; snub-nosed monkey

12 画

合体字

犭部 "亻"不是"彳"。

1-4年级

猴 | 1 2 | 3 4

猴 猴 猴 猴 猴 猴 猴
猴 猴 猴 猴 猴

喉(喉) hóu 喉舌 hóushé mouthpiece
歌喉 gēhóu singing voice

12 画

合体字

口部 "亻"不是"彳"。

5-6年级

喉 | 1 2 | 3 4

喉 喉 喉 喉 喉 喉 喉
喉 喉 喉 喉 喉

后(后) hòu 后面 hòumian at the back; in the rear
后来 hòulái afterwards; later
王后 wánghòu queen

6 画

合体字

丿(口)部

1-4年级

后 | 1 2 3

后 后 后 后 后 后

候(候)

hòu

候补	hòubǔ	be an alternate
时候	shíhou	time
气候	qìhòu	weather; climate

✏️ 10 画

📄 合体字

🏠 亻部

👤 1-4年级

"亻"不是"丨"。

候候候候候候候
候候候

厚(厚)

hòu

厚	hòu	thick; profound
忠厚	zhōnghòu	honest and tolerant
得天独厚	détiāndúhòu	be richly endowed by nature

✏️ 9 画

📄 合体字

🏠 厂部

👤 1-4年级

"日"不是"白"。

厚厚厚厚厚厚厚
厚厚

呼(呼)

hū

呼吸	hūxī	breathe; respire
呼唤	hūhuàn	call; shout
气呼呼	qìhūhū	in a huff; panting with rage

✏️ 8 画

📄 合体字

🏠 口部

👤 1-4年级

呼呼呼呼呼呼呼
呼

忽(忽)

hū

忽然	hūrán	suddenly; all of a sudden
忽视	hūshì	ignore; overlook
疏忽	shūhu	carelessness; negligence

✏️ 8 画

📄 合体字

🏠 心部

👤 1-4年级

"心"的第二笔楷体是卧钩，宋体是竖弯钩。

忽忽忽忽忽忽忽
忽

糊 (糊)

hū	糊 hū	plaster
hú	糊涂 hútu	muddled; confused
hù	糊弄 hùnong	fool; be slipshod in work

✏ 15 画

▨ 合体字

🏠 米部

👤 5-6年级

糊 粡 粡 粐 粐 粐 粐
粐 粐 粘 粘 糊 糊 糊
糊

蝴 (蝴)

hú	蝴蝶 húdié	butterfly

✏ 15 画

▨ 合体字

🏠 虫部

👤 1-4年级

蝴 蝴 蝴 虫 虫 虫 虫
虫 虫 蚐 蚐 蝴 蝴 蝴
蝴

狐 (狐)

hú	狐狸 húli	fox
	兔死狐悲 tùsǐhúbēi	like mourns over the death of like

✏ 8 画

▨ 合体字

🏠 犭部

👤 1-4年级

"瓜"不是"爪"。

狐 狐 狐 狐 狐 狐 狐
狐

胡 (胡)

hú	胡须 húxū	beard; mustache
	胡说 húshuō	nonsense; drivel
	二胡 èrhú	erhu

✏ 9 画

▨ 合体字

🏠 月部

👤 1-4年级

胡 胡 胡 胡 胡 胡 胡
胡 胡

壶（壺） hú 茶壶 cháhú teapot
喷壶 pēnhú watering can
酒壶 jiǔhú wine pot; flagon

✏️ 10 画

🔲 合体字

"士" 不是 "土"。
"业" 不是 "亚"。

🏠 士部

壶	1
	2
	3

壶 壶 壶 壶 壶 壶 壶
壶 壶 壶

👤 1-4年级

湖（湖） hú 湖 hú lake
江湖 jiānghú all corners of the
courtry; quacks

✏️ 12 画

🔲 合体字

🏠 氵部

| 湖 | 1 | 2 | 4 |
| | | 3 | |

湖 湖 湖 湖 湖 湖 湖
湖 湖 湖 湖 湖

👤 1-4年级

虎（虎） hǔ 老虎 lǎohǔ tiger; tigress
马虎 mǎhu careless; casual
拦路虎 lánlùhǔ formidable obstacle;
stumbling block

✏️ 8 画

🔲 合体字

"几" 不是 "儿"。

🏠 虍部

| 虎 | 1 | 2 |
| | | 3 |

虎 虎 虎 虎 虎 虎 虎
虎

👤 1-4年级

互（互） hù 互相 hùxiāng mutual; each other
互助 hùzhù help each other
互利 hùlì mutually beneficial;
of mutual benefit

✏️ 4 画

🔲 独体字

🏠 一部

| 互 | 1 |

互 互 互 互

👤 1-4年级

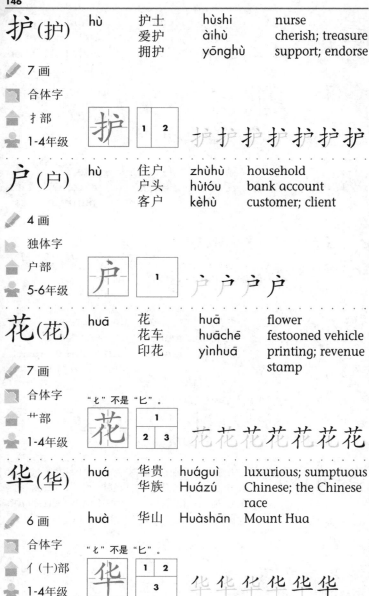

护 (护)

hù

护士	hùshi	nurse
爱护	àihù	cherish; treasure
拥护	yōnghù	support; endorse

7 画

合体字

扌部

1-4年级

护 护 护 护 护 护 护

户 (户)

hù

住户	zhùhù	household
户头	hùtóu	bank account
客户	kèhù	customer; client

4 画

独体字

户部

5-6年级

户 户 户 户

花 (花)

huā

花	huā	flower
花车	huāchē	festooned vehicle
印花	yìnhuā	printing; revenue stamp

7 画

合体字

"𰀁" 不是 "匕"。

艹部

1-4年级

花 花 花 花 花 花 花

华 (华)

huá

| 华贵 | huáguì | luxurious; sumptuous |
| 华族 | Huázú | Chinese; the Chinese race |

huà

| 华山 | Huàshān | Mount Hua |

6 画

合体字

"𰀁" 不是 "匕"。

亻 (十) 部

1-4年级

华 华 华 华 华 华

滑(滑)	huá	滑	huá	slippery; smooth
		滑轮	huálún	pulley; block
		光滑	guānghuá	glossy; sleek

✏️ 12画

▢ 合体字

🏠 氵部

⭐ 1-4年级

划(划) | huá | 划船 | huá chuán | paddle a boat |
| | | 划算 | huásuàn | caculate; be to one's profit |
| | huà | 计划 | jìhuà | plan; project |

✏️ 6画

▢ 合体字

🏠 刂(戈)部

⭐ 1-4年级

话(话) | huà | 说话 | shuōhuà | talk; chat |
| | | 笑话 | xiàohuà | joke; jest |
| | | 话剧 | huàjù | modern drama; stage play |

✏️ 8画

▢ 合体字

🏠 讠(言)部

⭐ 1-4年级

画(画) | huà | 画图 | huàtú | draw designs |
| | | 画册 | huàcè | album of paintings |
| | | 动画片 | dònghuàpiān | animated cartoon |

✏️ 8画

▢ 合体字

🏠 凵(一)部

⭐ 1-4年级

化(化)

huà

变化	biànhuà	change; vary
美化	měihuà	beautify; embellish
化合	huàhé	chemical combination

✏ 4 画

▢ 合体字

"ㄥ" 不是 "匕"。

🏠 亻 部

🧍 1-4年级

化 | 1 | 2

化化化化

怀(懷)

huái

胸怀	xiōnghuái	mind; heart
关怀	guānhuái	show loving care for; show solicitude for
怀念	huáiniàn	cherish the memory of; think of

✏ 7 画

▢ 合体字

🏠 忄 部

🧍 1-4年级

怀 | 1 | 2

怀怀怀怀怀怀怀

坏(壞)

huài

坏	huài	bad; spoil
坏人	huàirén	evildoer; scoundrel
破坏	pòhuài	destroy; do great damage to

✏ 7 画

▢ 合体字

🏠 土 部

🧍 1-4年级

坏 | 1 | 2

坏坏坏坏坏坏坏

欢(歡)

huān

欢呼	huānhū	hail; cheer
欢送	huānsòng	see off; send off
喜欢	xǐhuan	like; be fond of

✏ 6 画

▢ 合体字

🏠 又(欠)部

🧍 1-4年级

欢 | 1 | 2 / 3

欢欢欢欢欢欢

还(还)	huán	还	huán	go back; repay
		发还	fāhuán	return; give back
	hái	还	hái	still; yet

✏️ 7 画

▢ 合体字

🏠 辶部

👤 1-4年级

"辶" 楷体比宋体多一个弯曲。

还 还 还 还 还 还 还

环(环)	huán	花环	huāhuán	garland; floral hoop
		循环	xúnhuán	circulate; cycle
		环境	huánjìng	environment; circumstances

✏️ 8 画

▢ 合体字

🏠 王部

👤 5-6年级

环 环 环 环 环 环 环 环

患(患)	huàn	患病	huànbìng	suffer from an illness; fall ill
		患难	huànnàn	trials and tribulations
		后患	hòuhuàn	future trouble

✏️ 11 画

▢ 合体字

🏠 心部

👤 高级华文

"心" 的第二笔楷体是卧钩，宋体是竖弯钩。

患 患 患 患 患 患 患 患 患 患 患

换(换)	huàn	换	huàn	exchange; change
		换钱	huànqián	change money; sell
		交换	jiāohuàn	exchange; swap

✏️ 10 画

▢ 合体字

🏠 扌部

👤 1-4年级

换 换 换 换 换 换 换 换 换 换

慌(慌)

huāng

慌张	huāngzhāng	flurried; flustered
恐慌	kǒnghuāng	panic; panic-stricken
慌忙	huāngmáng	hurriedly; in a great rush

✏️ 12 画

🔲 合体字

"亡" 不是 "云"。

🏠 忄部

👤 1-4年级

慌 慌 慌 慌 慌 慌 慌
慌 慌 慌 慌 慌

荒(荒)

huāng

荒凉	huāngliáng	bleak and desolate
开荒	kāihuāng	open up wasteland; reclaim wasteland
饥荒	jīhuāng	famine; be short of money

✏️ 9 画

🔲 合体字

"亡" 不是 "云"。

🏠 艹部

👤 5-6年级

荒 荒 荒 荒 荒 荒 荒
荒 荒

煌(煌)

huáng

| 辉煌 | huīhuáng | brilliant; splendid |

✏️ 13 画

🔲 合体字

🏠 火部

👤 高级华文

煌 煌 煌 煌 煌 煌 煌
煌 煌 煌 煌 煌 煌

黄(黄)

huáng

黄	huáng	yellow; fizzle out
黄金	huángjīn	gold
炎黄	Yán-Huáng	glorious Chinese emperors in the ancient times

✏️ 11 画

🔲 合体字

"由" 不是 "田"。

🏠 艹部

👤 1-4年级

黄 黄 黄 黄 黄 黄 黄
黄 黄 黄 黄

皇 (皇)

huáng

皇帝　huángdì　emperor
堂皇　tánghuáng　grand; stately

✏ 9 画

▢ 合体字

🏠 白部

⭐ 1-4年级

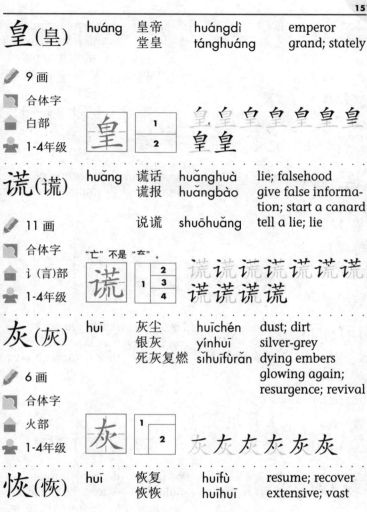

皇皇皇皇皇皇皇
皇皇

谎 (谎)

huǎng

谎话　huǎnghuà　lie; falsehood
谎报　huǎngbào　give false information; start a canard

说谎　shuōhuǎng　tell a lie; lie

✏ 11 画

▢ 合体字

"亡"不是"云"。

🏠 讠(言)部

⭐ 1-4年级

谎谎谎谎谎谎谎
谎谎谎谎

灰 (灰)

huī

灰尘　huīchén　dust; dirt
银灰　yínhuī　silver-grey
死灰复燃　sǐhuīfùrán　dying embers glowing again; resurgence; revival

✏ 6 画

▢ 合体字

🏠 火部

⭐ 1-4年级

灰灰灰灰灰灰

恢 (恢)

huī

恢复　huīfù　resume; recover
恢恢　huīhuī　extensive; vast

✏ 9 画

▢ 合体字

🏠 忄部

⭐ 5-6年级

恢恢恢恢恢恢恢
恢恢

挥(揮) huī

挥舞	huīwǔ	wave; brandish
发挥	fāhuī	give free rein to; bring into play
指挥	zhǐhuī	command; direct

9 画

合体字

扌部

5-6年级

挥挥挥挥挥挥挥挥挥

辉(輝) huī

光辉	guānghuī	radiance; glory
辉映	huīyìng	shine; reflect

12 画

合体字

小(⺌)部

5-6年级

辉辉辉辉辉辉辉辉辉辉辉

回(回) huí

回去	huíqù	return; go back
回电	huídiàn	wire back
收回	shōuhuí	take back; withdraw

6 画

合体字

口部

1-4年级

回回回回回回

毁(毁) huǐ

毁坏	huǐhuài	destroy; damage
毁灭	huǐmiè	exterminate; destroy
烧毁	shāohuǐ	burn down; destroy by fire

13 画

合体字

"臼" 不是 "白"。

殳部

高级华文

毁毁毁毁毁毁毁毁毁毁毁毁

悔(悔) huǐ

悔恨	huǐhèn	regret deeply; be bitterly remorseful
悔过	huǐguò	repent one's error; be repentant
后悔	hòuhuǐ	regret; repent

✏️ 10画

▢ 合体字

🔺 忄部

🔺 5-6年级

"母"不是"毋"。

悔悔悔悔悔悔悔
悔悔悔

惠(惠) huì

恩惠	ēnhuì	favour; bounty
受惠	shòuhuì	receive kindness; be benefited
惠顾	huìgù	your patronage

✏️ 12画

▢ 合体字

🔺 心部

🔺 高级华文

"心"的第二笔楷体是卧钩，宋体是竖弯钩。

惠惠惠惠惠惠惠
惠惠惠惠惠

会(会) huì

| 会议 | huìyì | meeting; conference |
| 会见 | huìjiàn | meet with; interview |

kuài

| 会计 | kuàijì | accounting; accountant |

✏️ 6画

▢ 合体字

🔺 人部

🔺 1-4年级

会会会会会会

昏(昏) hūn

昏迷	hūnmí	stupor; coma
头昏	tóuhūn	dizzy; giddy
黄昏	huánghūn	dusk

✏️ 8画

▢ 合体字

🔺 日部

🔺 1-4年级

昏昏昏昏昏昏昏
昏

婚(婚) hūn

婚事	hūnshì	marriage; wedding
结婚	jiéhūn	marry; get married
离婚	líhūn	divorce

✏️ 11 画

▦ 合体字

🏠 女部

👤 1-4年级

㇛婚婚婚婚婚婚婚婚婚婚

混(混) hùn

混合	hùnhé	mix; blend
混乱	hùnluàn	confusion; chaos
含混	hánhùn	indistinct; ambiguous

✏️ 11 画

▦ 合体字

🏠 氵部

👤 5-6年级

混混混混混混混混混混混

活(活) huó

活	huó	live; work
活跃	huóyuè	enliven; dynamic
干活	gànhuó	work; work on a job

✏️ 9 画

▦ 合体字

🏠 氵部

👤 1-4年级

活活活活活活活活活

伙(伙) huǒ

伙食	huǒshí	food; meals
伙伴	huǒbàn	partner; companion
合伙	héhuǒ	form a partnership

✏️ 6 画

▦ 合体字

🏠 亻部

👤 高级华文

伙伙伙伙伙伙

火(火)	huǒ	火	huǒ	fire; anger
		火患	huǒhuàn	fire; disaster
		恼火	nǎohuǒ	annoyed; vexed

🖊 4 画

独体字

火部

1-4年级

火 火 火 火

货(货)	huò	货物	huòwù	goods; commodity
		货币	huòbì	money; currency
		百货	bǎihuò	general merchandize

🖊 8 画

合体字 "匕"不是"匕"。

贝部

1-4年级

货 货 货 货 货 货 货 货

祸(祸)	huò	祸害	huòhài	disaster; scourge
		闯祸	chuǎnghuò	get into trouble; bring disaster
		车祸	chēhuò	traffic accident

🖊 11 画

合体字 "礻"不是"衤"。
"内"不是"禸"。

礻(示)部

1-4年级

祸 祸 祸 祸 祸 祸 祸 祸 祸

或(或)	huò	或	huò	perhaps; maybe
		或者	huòzhě	or; perhaps
		或许	huòxǔ	probably; maybe

🖊 8 画

合体字

戈部

1-4年级

或 或 或 或 或 或 或 或

获 (獲) huò

获得	huòdé	gain; obtain
获胜	huòshèng	win victory; triumph
收获	shōuhuò	harvest; gather in the crops

✏️ 10 画

📄 合体字

"犬"不是"大"。

🏠 艹部

👤 5-6年级

获获获获获获获 获获获

讥 (譏) jī

讥笑	jīxiào	mock; jeer
讥刺	jīcì	deride; ridicule
反唇相讥	fǎnchúnxiāngjī	ridicule; satirize

✏️ 4 画

📄 合体字

🏠 讠(言)部

👤 高级华文

讥讥讥讥

肌 (肌) jī

肌肉	jīròu	muscle
肌体	jītǐ	human body; organism
面黄肌瘦	miànhuáng-jīshòu	sallow and emaciated

✏️ 6 画

📄 合体字

🏠 月部

👤 高级华文

肌肌肌肌肌肌

迹 (迹) jì

足迹	zújì	footprint; track
奇迹	qíjì	miracle; wonder
迹象	jìxiàng	sign; indication

✏️ 9 画

"亦"第五笔楷体是点，宋体是撇。
"辶"楷体比宋体多一个弯曲。

📄 合体字

🏠 辶部

👤 高级华文

迹迹迹迹迹迹迹 迹迹

机(機) jī

机器	jīqì	machinery; apparatus
机会	jīhuì	chance; opportunity
飞机	fēijī	aeroplane; aircraft

6 画

合体字

木部

1-4年级

机 | 1 | 2

机 机 机 机 机 机

鸡(鷄) jī

鸡饭	jīfàn	chicken rice
母鸡	mǔjī	hen
烧鸡	shāojī	roast chicken

7 画

合体字

"鸟" 不是 "乌"。

鸟部

鸡 | 1 | 2

1-4年级

鸡 鸡 鸡 鸡 鸡 鸡 鸡

圾(圾) jī

垃圾	lājī	rubbish; garbage

6 画

合体字

土部

圾 | 1 | 2

1-4年级

圾 圾 圾 圾 圾 圾

积(積) jī

积雪	jīxuě	accumulated snow; snowdrift
积极	jījí	active; positive
日积月累	rìjī-yuèlěi	accumulate over a long period

10 画

合体字

禾部

积 | 1 | 2 / 3

1-4年级

积 积 积 积 积 积 积 积 积 积

几(几)

jī | 几乎 | jīhū | nearly; almost
| 茶几 | chájī | teapoy; side table
jǐ | 几时 | jǐshí | when

2 画

独体字

几部

1-4年级

| 几 | 丿 | 几 几 |

饥(饥)

jī | 饥饿 | jī'è | hunger; starvation
| 饥荒 | jīhuāng | famine; be short of money
| 充饥 | chōngjī | appease one's hunger

5 画

合体字

饣(食)部

5-6年级

| 饥 | 1 2 | 饥 饥 饥 饥 饥 |

击(击)

jī | 击中 | jīzhòng | hit
| 打击 | dǎjī | strike; attack
| 射击 | shèjī | shoot; fire

5 画

独体字

凵(一)部

5-6年级

| 击 | 丨 | 击 击 击 击 击 |

激(激)

jī | 激动 | jīdòng | excite; agitate
| 感激 | gǎnjī | feel grateful; be thankful
| 刺激 | cìjī | stimulate; provoke

16 画

合体字

氵部

5-6年级

"攵" 不是 "夂"。

| 激 | 1 2 3 4 | 激 激 激 激 激 激 激 激 激 激 激 激 激 激 激 激 |

姬(姬) jī 　姬　jī　a complimentary term for female entertainer of ancient China; a Chinese surname

10 画

合体字

女部

5-6年级

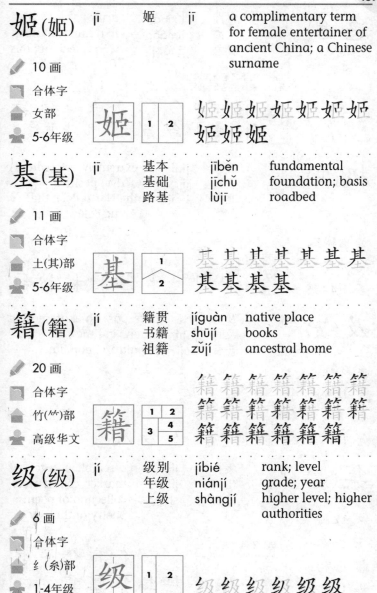

姬 姬 姬

基(基) jī

基本　jīběn　fundamental
基础　jīchǔ　foundation; basis
路基　lùjī　roadbed

11 画

合体字

土(其)部

5-6年级

其 其 基 基

籍(籍) jí

籍贯　jíguàn　native place
书籍　shūjí　books
祖籍　zǔjí　ancestral home

20 画

合体字

竹(⺮)部

高级华文

籍 籍 籍 籍 籍 籍 籍 籍 籍 籍 籍 籍

级(级) jí

级别　jíbié　rank; level
年级　niánjí　grade; year
上级　shàngjí　higher level; higher authorities

6 画

合体字

纟(糸)部

1-4年级

级 级 级 纫 级 级

急(急)

jí

急性	jíxìng	acute
急忙	jímáng	in a hurry; in haste
着急	zháojí	worry; feel anxious

✏️ 9画

📑 合体字

🔺 刀(勹、心)部

🎓 1-4年级

"心"的第二笔楷体是卧钩，宋体是竖弯钩。"彐"不是"彐"。

急	1
	2
	3

急 急 急 急 急 急 急 急 急

极(极)

jí

极其	jíqí	extremely; exceedingly
积极	jījí	active; positive
北极	běijí	the North Pole; the Arctic Pole

✏️ 7画

📑 合体字

🔺 木部

🎓 1-4年级

| 极 | 1 | 2 |

极 极 极 极 极 极 极

及(及)

jí

及格	jígé	pass; pass an examination
及时	jíshí	timely; in time
普及	pǔjí	popularize; popular

✏️ 3画

🔻 独体字

🔺 丿部

🎓 1-4年级

| 及 | 1 |

及 及 及

集(集)

jí

集合	jíhé	assemble; muster
集市	jíshì	market; country fair
诗集	shījí	collection of poems; poetry anthology

✏️ 12画

📑 合体字

🔺 佳(木)部

🎓 1-4年级

"隹"不是"住"。

| 集 | 1 |
| | 2 |

集 集 集 集 集 集 集 集 集 集 集

吉(吉) jí
吉祥 jíxiáng lucky
吉人天相 jíréntiānxiàng lucky people are always blessed

✏️ 6画
📖 合体字
🏠 士(口)部
📚 5-6年级

吉 吉 吉 吉 吉 吉

即(即) jí
即使 jíshǐ even if; even though
即刻 jíkè at once; immediately
立即 lìjí instantly; immediately

✏️ 7画
📖 合体字 "卩"不是"阝"。
🏠 卩(阝 郎)部
📚 1-4年级

即 即 即 即 即 即 即

疾(疾) jí
疾病 jíbìng disease; illness
疾苦 jíkǔ sufferings; hardships
残疾 cánjí deformity

✏️ 10画
📖 合体字 "矢"不是"失"。
🏠 疒部
📚 5-6年级

疾 疾 疾 疾 疾 疾 疾 疾 疾 疾

己(己) jǐ
自己 zìjǐ oneself
知己 zhījǐ intimate friend
舍己为人 shějǐwèirén sacrifice one's own interests for the sake of others

✏️ 3画
📖 独体字
🏠 己部
📚 1-4年级

己 己 己

挤(挤)

jǐ

挤	jǐ	squeeze; crowded
拥挤	yōngjǐ	crowded; cramped
排挤	páijǐ	push aside; elbow out

- 9 画
- 合体字
- "文" 不是 "夂"。
- 扌部
- 1-4年级

挤挤挤挤挤挤挤挤挤

纪(纪)

jì

纪律	jìlǜ	discipline
纪念	jìniàn	commemorate; souvenir
世纪	shìjì	century

- 6 画
- 合体字
- "己" 不是 "已" 或 "巳"。
- 纟(糸)部
- 1-4年级

纪纪纪纪纪纪

绩(绩)

jì

成绩	chéngjì	result
功绩	gōngjì	merits and achievement
丰功伟绩	fēnggōng-wěijì	great achievement

- 11 画
- 合体字
- 纟(糸)部
- 1-4年级

绩绩绩绩绩绩绩绩绩绩绩

记(记)

jì

记	jì	write down; record
记忆	jìyì	remember; memory
忘记	wàngjì	forget; overlook

- 5 画
- 合体字
- "己" 不是 "已" 或 "巳"。
- 讠(言)部
- 1-4年级

记记记记记

寄(寄) jì

寄	jì	send; post
寄托	jìtuō	entrust to the care of somebody
寄宿	jìsù	lodge; board

11 画

合体字

宀部

1-4年级

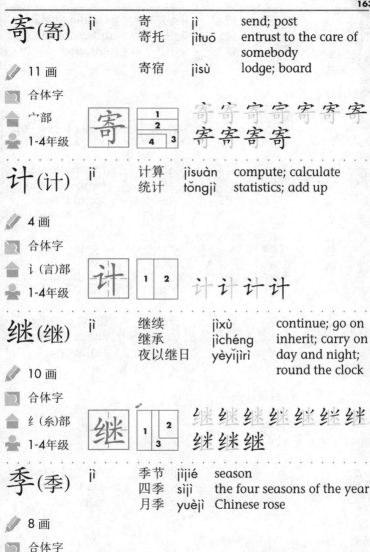

寄 寄 寄 宁 宇 宇 寄 寄 寄 寄 寄

计(計) jì

| 计算 | jìsuàn | compute; calculate |
| 统计 | tǒngjì | statistics; add up |

4 画

合体字

讠(言)部

1-4年级

计 计 计 计

继(繼) jì

继续	jìxù	continue; go on
继承	jìchéng	inherit; carry on
夜以继日	yèyǐjìrì	day and night; round the clock

10 画

合体字

纟(糸)部

1-4年级

继 继 继 继 继 继 继 继 继 继

季(季) jì

季节	jìjié	season
四季	sìjì	the four seasons of the year
月季	yuèjì	Chinese rose

8 画

合体字

禾部

5-6年级

季 季 季 季 禾 季 季 季

技(技) jì

技术	jìshù	technology; skill
技巧	jìqiǎo	craftsmanship; skill
特技	tèjì	stunt; trick

- 7 画
- 合体字
- 扌部
- 5-6年级

技 技 技 技 技 技 技

际(際) jì

国际	guójì	international; between nations
交际	jiāojì	social intercourse
边际	biānjì	limit; boundary

- 7 画
- 合体字
- 阝部
- 5-6年级

"示"第四笔楷体是点，宋体是撇。

际 际 际 际 阝 际 际

既(既) jì

| 既然 | jìrán | since; now that |
| 一如既往 | yīrújìwǎng | just as in the past; as always |

- 9 画
- 合体字
- 旡 部
- 5-6年级

"旡"不是"无"。

既 既 既 既 既 既 既
既 既

寂(寂) jì

寂寞	jìmò	lonely; lonesome
寂静	jìjìng	quiet; silent
沉寂	chénjì	quiet; still

- 11画
- 合体字
- 宀部
- 1-4年级

"求"第五笔楷体是点，宋体是撇。

寂 寂 寂 寂 寂 寂 寂
寂 寂 寂 寂

佳(佳) jiā

佳节 jiājié happy festival time; festival
佳句 jiājù beautiful line; well-toned phrase
佳人 jiārén beautiful woman

8 画

合体字

亻部

1-4年级

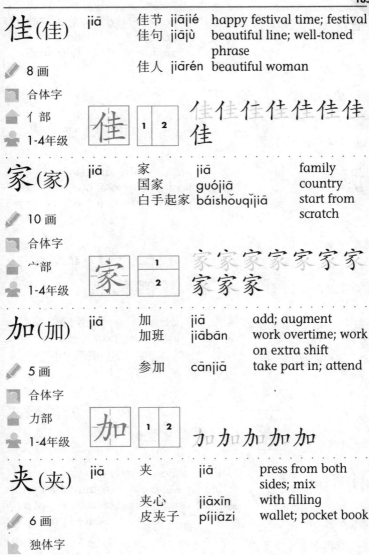

佳佳佳佳佳佳佳佳

家(家) jiā

家 jiā family
国家 guójiā country
白手起家 báishǒuqǐjiā start from scratch

10 画

合体字

宀部

1-4年级

家家家家家家家家家家

加(加) jiā

加 jiā add; augment
加班 jiābān work overtime; work on extra shift
参加 cānjiā take part in; attend

5 画

合体字

力部

1-4年级

加加加加加

夹(夹) jiā

夹 jiā press from both sides; mix
夹心 jiāxīn with filling
皮夹子 píjiāzi wallet; pocket book

6 画

独体字

一(大)部

1-4年级

夹夹夹夹夹夹

甲 (甲)

jiǎ

甲乙丙丁	jiǎ yǐ bǐng dīng	A, B, C and D
甲板	jiǎbǎn	deck
指甲	zhǐjia	fingernail

✏️ 5 画

📖 独体字

🏠 丨(田)部

🎓 1-4年级

甲 甲 甲 日 甲

假 (假)

jiǎ

| 假 | jiǎ | false; artificial |
| 假设 | jiǎshè | suppose; presume |

jià

| 假期 | jiàqī | vacation; period of leave |

✏️ 11 画

📖 合体字

🏠 亻部

🎓 1-4年级

"殳" 不是 "段"。

假 假 假 假 假 假 假 假 假 假 假

架 (架)

jià

架设	jiàshè	erect; build
架子	jiàzi	frame; shelf
吵架	chǎojià	quarrel; have a row

✏️ 9 画

📖 合体字

🏠 木部

🎓 1-4年级

架 架 架 架 架 架 架 架 架

价 (价)

jià

价钱	jiàqián	price
物价	wùjià	(commodity) prices
大减价	dàjiǎnjià	on sale; sell at a reduced price

✏️ 6 画

📖 合体字

🏠 亻部

🎓 1-4年级

价 价 价 价 价 价

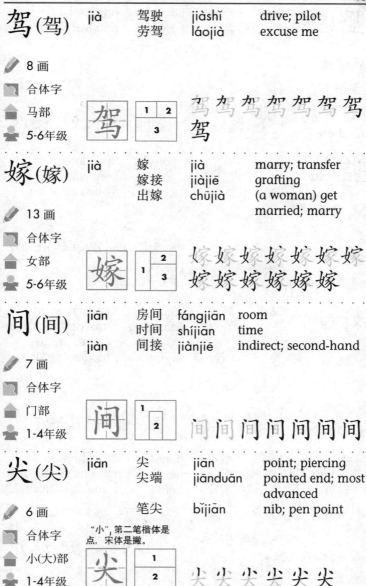

驾(驾) jià

| 驾驶 | jiàshǐ | drive; pilot |
| 劳驾 | láojià | excuse me |

- 8 画
- 合体字
- 马部
- 5-6年级

驾 驾 驾 驾 驾 驾 驾 驾

嫁(嫁) jià

嫁	jià	marry; transfer
嫁接	jiàjiē	grafting
出嫁	chūjià	(a woman) get married; marry

- 13 画
- 合体字
- 女部
- 5-6年级

嫁 嫁 嫁 嫁 嫁 嫁 嫁 嫁 嫁 嫁 嫁 嫁 嫁

间(间) jiān

| 房间 | fángjiān | room |
| 时间 | shíjiān | time |

jiàn

| 间接 | jiànjiē | indirect; second-hand |

- 7 画
- 合体字
- 门部
- 1-4年级

间 间 间 间 间 间 间

尖(尖) jiān

尖	jiān	point; piercing
尖端	jiānduān	pointed end; most advanced
笔尖	bǐjiān	nib; pen point

- 6 画
- 合体字

"小", 第二笔楷体是点, 宋体是撇。

- 小(大)部
- 1-4年级

尖 尖 尖 尖 尖 尖

坚(坚)

jiān   坚硬   jiānyìng   hard; solid
          坚决   jiānjué   resolute; determined

✏ 7 画

▢ 合体字

🏠 土部   "刂" 不是 "刂"。

👤 5-6年级

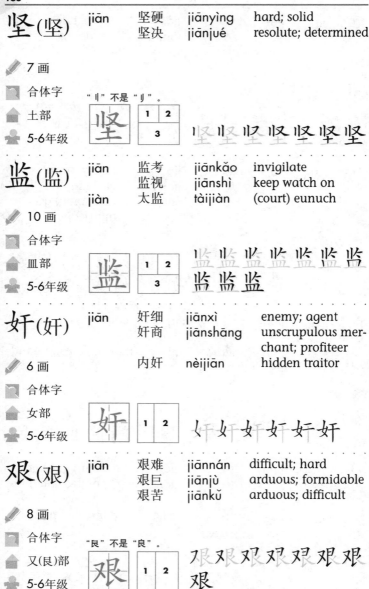

监(监)

jiān   监考   jiānkǎo   invigilate
          监视   jiānshì   keep watch on
jiàn   太监   tàijiàn   (court) eunuch

✏ 10 画

▢ 合体字

🏠 皿部

👤 5-6年级

奸(奸)

jiān   奸细   jiānxì   enemy; agent
          奸商   jiānshāng   unscrupulous merchant; profiteer
          内奸   nèijiān   hidden traitor

✏ 6 画

▢ 合体字

🏠 女部

👤 5-6年级

艰(艰)

jiān   艰难   jiānnán   difficult; hard
          艰巨   jiānjù   arduous; formidable
          艰苦   jiānkǔ   arduous; difficult

✏ 8 画

▢ 合体字

🏠 又(艮)部   "艮" 不是 "良"。

👤 5-6年级

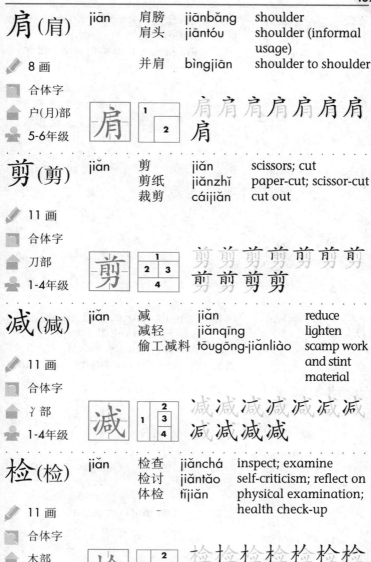

肩 (肩) jiān

肩膀	jiānbǎng	shoulder
肩头	jiāntóu	shoulder (informal usage)
并肩	bìngjiān	shoulder to shoulder

- 8 画
- 合体字
- 户(月)部
- 5-6年级

剪 (剪) jiǎn

剪	jiǎn	scissors; cut
剪纸	jiǎnzhǐ	paper-cut; scissor-cut
裁剪	cáijiǎn	cut out

- 11 画
- 合体字
- 刀部
- 1-4年级

减 (减) jiǎn

减	jiǎn	reduce
减轻	jiǎnqīng	lighten
偷工减料	tōugōng-jiǎnliào	scamp work and stint material

- 11 画
- 合体字
- 冫部
- 1-4年级

检 (检) jiǎn

检查	jiǎnchá	inspect; examine
检讨	jiǎntǎo	self-criticism; reflect on
体检	tǐjiǎn	physical examination; health check-up

- 11 画
- 合体字
- 木部
- 1-4年级

简 (简) jiǎn

简单	jiǎndān	simple; uncomplicated
简短	jiǎnduǎn	brief; concise
精简	jīngjiǎn	retrench; streamline

13 画

合体字

竹(⺮)部

1-4年级

捡 (捡) jiǎn

捡	jiǎn	pick up; collect

10 画

合体字

扌部

5-6年级

俭 (俭) jiǎn

俭朴	jiǎnpǔ	thrifty and simple; economical
节俭	jiéjiǎn	thrifty; frugal
勤俭	qínjiǎn	hardworking and thrifty

9 画

合体字

亻部

5-6年级

见 (见) jiàn

看见	kànjiàn	see; catch sight of
主见	zhǔjiàn	definite view; one's own judgement
见面	jiànmiàn	meet; see

4 画

独体字

见部

1-4年级

件(件)

jiàn

件	jiàn	one; piece
部件	bùjiàn	part; component
条件	tiáojiàn	condition; term

✏ 6画

▦ 合体字

🏠 亻部

🎓 1-4年级

件 件 件 件 作 件

剑(剑)

jiàn

宝剑	bǎojiàn	double-edged sword
舞剑	wǔjiàn	perform a sword-dance

✏ 9画

▦ 合体字

🏠 刂部

🎓 1-4年级

刂 刍 刍 刍 剑 剑 剑
剑 剑

健(健)

jiàn

健康	jiànkāng	health; healthy
健忘	jiànwàng	forgetful; having a bad memory
稳健	wěnjiàn	firm; steady

✏ 10画

▦ 合体字

🏠 亻部

🎓 1-4年级

健 健 住 住 健 健 伊
倠 健 健

建(建)

jiàn

建立	jiànlì	establish; set up
建设	jiànshè	construct; build
修建	xiūjiàn	build; erect

✏ 8画

▦ 合体字

🏠 廴部

🎓 1-4年级

建 建 建 建 彐 聿 建
建

渐 (渐) jiàn

渐渐	jiànjiàn	little by little
逐渐	zhújiàn	gradually; by degrees
渐变	jiànbiàn	gradual change

✏ 11 画
◳ 合体字
🏠 氵部
👤 1-4年级

箭 (箭) jiàn

| 箭 | jiàn | arrow |
| 挡箭牌 | dǎngjiànpái | shield; pretext |

✏ 15 画
◳ 合体字
🏠 竹(⺮)部
👤 1-4年级

将 (将) jiāng

| 将来 | jiānglái | future |
| 即将 | jíjiāng | be about to; be on the point of |

jiàng

| 将领 | jiànglǐng | general; high-ranking military officer |

✏ 9 画
◳ 合体字
"爫"不是"夕"。
🏠 丬(寸)部
👤 1-4年级

江 (江) jiāng

| 江 | jiāng | river |
| 江山 | jiāngshān | rivers and mountains; landscape |

✏ 6 画
◳ 合体字
🏠 氵部
👤 5-6年级

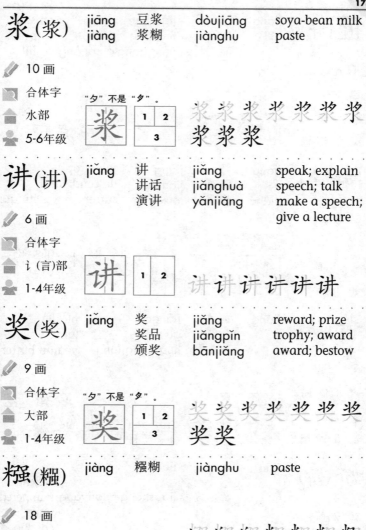

浆(浆)　jiāng　豆浆　dòujiāng　soya-bean milk
　　　　　jiàng　浆糊　jiànghu　paste

✏ 10 画

▣ 合体字

🏠 水部　　"夕"不是"夕"。

👤 5-6年级

讲(讲)　jiǎng　讲　jiǎng　speak; explain
　　　　　　　　讲话　jiǎnghuà　speech; talk
　　　　　　　　演讲　yǎnjiǎng　make a speech;
　　　　　　　　　　　　　　　give a lecture

✏ 6 画

▣ 合体字

🏠 讠(言)部

👤 1-4年级

奖(奖)　jiǎng　奖　jiǎng　reward; prize
　　　　　　　　奖品　jiǎngpǐn　trophy; award
　　　　　　　　颁奖　bānjiǎng　award; bestow

✏ 9 画

▣ 合体字

🏠 大部　　"夕"不是"夕"。

👤 1-4年级

糨(糨)　jiàng　糨糊　jiànghu　paste

✏ 18 画

▣ 合体字

🏠 米部

👤 高级华文

匠 (匠)

jiàng

匠人	jiàngrén	artisan
木匠	mùjiàng	carpenter
能工巧匠	nénggōng-qiǎojiàng	skilful craftsman

- 6 画
- 合体字
- 匚部
- 1-4年级

匠 匠 匚 匚 匚 匠

降 (降)

jiàng

| 降 | jiàng | fall; drop |
| 降落 | jiàngluò | descend; land |

xiáng

| 投降 | tóuxiáng | surrender; capitulate |

- 8 画
- 合体字 "夂"不是"攵"。"牛"不是"牛"。
- 阝部
- 1-4年级

降 降 降 降 降 降 降 降

酱 (酱)

jiàng

酱菜	jiàngcài	pickles
果酱	guǒjiàng	jam
花生酱	huāshēngjiàng	peanut butter

- 13 画
- 合体字 "夕"不是"夕"。"酉"不是"西"。
- 酉部
- 5-6年级

酱 酱 酱 酱 酱 酱 酱 酱 酱 酱 酱 酱 酱

娇 (娇)

jiāo

| 娇 | jiāo | charming; delicate |
| 娇生惯养 | jiāoshēng-guànyǎng | pampered since childhood |

- 9 画
- 合体字 "夭"不是"天"。
- 女部
- 高级华文

娇 娇 娇 娇 娇 娇 娇 娇 娇

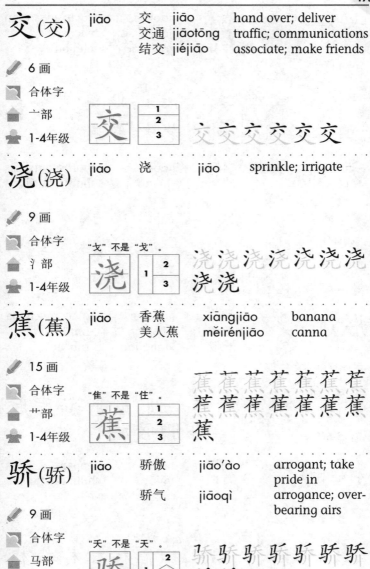

交 (交) jiāo

交　　jiāo　　hand over; deliver
交通　jiāotōng　traffic; communications
结交　jiéjiāo　associate; make friends

✏ 6 画
📖 合体字
🔺 亠部
🎓 1-4年级

交 交 交 交 亥 交

浇 (浇) jiāo

浇　　jiāo　　sprinkle; irrigate

✏ 9 画
📖 合体字
🔺 氵部
🎓 1-4年级

"戋" 不是 "戈"。

浇 浇 浇 浇 浇 浇 浇
浇 浇

蕉 (蕉) jiāo

香蕉　　xiāngjiāo　　banana
美人蕉　měirénjiāo　canna

✏ 15 画
📖 合体字
🔺 艹部
🎓 1-4年级

"隹" 不是 "住"。

蕉 蕉 蕉 蕉 蕉 蕉 蕉
蕉 蕉 蕉 蕉 蕉 蕉 蕉
蕉

骄 (骄) jiāo

骄傲　jiāo'ào　arrogant; take pride in
骄气　jiāoqì　arrogance; over-bearing airs

✏ 9 画
📖 合体字
🔺 马部
🎓 1-4年级

"乔" 不是 "天"。

骄 马 马 骄 骄 骄 骄
骄 骄

教(教) jiāo 教学 jiāoxué teach; education
jiào 教师 jiàoshī teacher
宗教 zōngjiào religion

✏ 11 画

▢ 合体字

🏠 攵 部 "攵" 不是 "夂"。

🧍 1-4年级

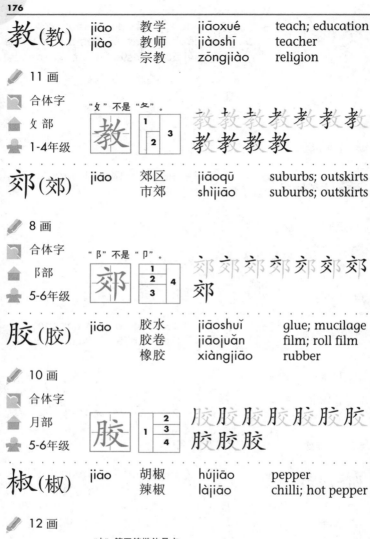

郊(郊) jiāo 郊区 jiāoqū suburbs; outskirts
市郊 shìjiāo suburbs; outskirts

✏ 8 画

▢ 合体字

🏠 阝部 "阝" 不是 "卩"。

🧍 5-6年级

胶(胶) jiāo 胶水 jiāoshuǐ glue; mucilage
胶卷 jiāojuǎn film; roll film
橡胶 xiàngjiāo rubber

✏ 10 画

▢ 合体字

🏠 月部

🧍 5-6年级

椒(椒) jiāo 胡椒 hújiāo pepper
辣椒 làjiāo chilli; hot pepper

✏ 12 画

▢ 合体字

🏠 木部 "朩" 第五笔楷体是点,宋体是撇。

🧍 5-6年级

脚(腳) jiǎo

脚	jiǎo	foot
脚步	jiǎobù	step; pace
脚踏车	jiǎotàchē	bicycle

- 11 画
- 合体字
- 月部
- 1-4年级

"卩"不是"阝"。

脚 月 脚 月 脚 肝 胪
胪 肤 脚 脚

角(角) jiǎo jué

角	jiǎo	angle; corner
角落	jiǎoluò	corner; nook
角色	juésè	role; part

- 7 画
- 合体字
- 角部
- 1-4年级

角 角 角 角 角 角 角

狡(狡) jiǎo

狡猾	jiǎohuá	cunning; tricky

- 9 画
- 合体字
- 犭部
- 1-4年级

狡 狡 狡 狡 狡 狡 狡
狡 狡

缴(繳) jiǎo

缴付	jiǎofù	pay; hand over
上缴	shàngjiǎo	turn over (revenues, etc.) to the higher authorities

- 16 画
- 合体字
- 纟(糸)部
- 5-6年级

"攵"不是"夂"。

缴 缴 缴 缴 缴 缴 缴
缴 缴 缴 缴 缴 缴 缴
缴 缴

叫 (叫) jiào

叫	jiào	shout; name
叫好	jiào hǎo	applaud; shout "Bravo"
喊叫	hǎnjiào	shout; cry out

🖊 5 画

🔲 合体字

🏠 口部

🎖 1-4年级

叫 叫 叫 叫 叫

较 (较) jiào

较量	jiàoliàng	have a contest; haggle
比较	bǐjiào	compare; contrast
计较	jìjiào	fuss about; think over

🖊 10 画

🔲 合体字

🏠 车部

🎖 1-4年级

较 较 较 较 较 较 较 较 较 较

阶 (阶) jiē

阶梯	jiētī	ladder; a flight of stairs
阶段	jiēduàn	stage; phase
台阶	táijiē	a flight of steps; chance to extricate oneself from an awkward position

🖊 6 画

🔲 合体字

🏠 阝部

🎖 高级华文

阶 阶 阶 阶 阶 阶

接 (接) jiē

接	jiē	receive; meet
接近	jiējìn	approach; near
迎接	yíngjiē	greet; welcome

🖊 11 画

🔲 合体字

🏠 扌部

🎖 1-4年级

接 接 接 接 接 接 接 接 接 接

街(街) jiē

街	jiē	street
街头巷尾	jiētóu-xiàngwěi	streets and lanes
华尔街	Huá'ěr Jiē	the Wall Street

12 画

合体字

彳部

1-4年级

结(结) jiē / jié

结实	jiēshi	fructify; bear fruit
结合	jiéhé	combine; integrate
团结	tuánjié	unite; rally

9 画

合体字

"士"不是"土"。

纟(糸)部

1-4年级

杰(杰) jié

杰出	jiéchū	outstanding; remarkable
杰作	jiézuò	masterpiece
俊杰	jùnjié	a person of outstanding talent; hero

8 画

合体字

木(灬)部

高级华文

捷(捷) jié

捷报	jiébào	news of victory
敏捷	mǐnjié	agile
报捷	bàojié	report a success

11 画

合体字

"彐"不是"彐"。

扌部

高级华文

节 (節) jié

节日	jiérì	festival; holiday
节约	jiéyuē	practise thrift; save
细节	xìjié	details

5 画

合体字

艹部

1-4年级

节 节 节 节 节

洁 (潔) jié

洁白	jiébái	spotlessly white; pure white
清洁	qīngjié	clean
整洁	zhěngjié	clean and tidy; clean and neat

9 画

合体字

氵部

1-4年级

"士"不是"土"。

洁 洁 洁 洁 洁 洁 洁 洁 洁

劫 (劫) jié

抢劫	qiǎngjié	rob; loot
拦劫	lánjié	plunder; loot
劫持	jiéchí	kidnap; hijack

7 画

合体字

力部

5-6年级

劫 劫 劫 劫 劫 劫 劫

姐 (姐) jiě

姐姐	jiějie	sister; elder sister
姐妹	jiěmèi	sisters
小姐	xiǎojiě	Miss; young lady

8 画

合体字

女部

1-4年级

姐 姐 姐 姐 姐 姐 姐 姐

解(解)	jiě	解除	jiěchú	remove; relieve
	jiè	解送	jièsòng	send under guard
	xiè	解	Xiè	a Chinese surname

✏️ 13 画
🔲 合体字
🔺 角部
👤 1-4年级

解解角角角角角
解解解解解解

界(界)	jiè	界限	jièxiàn	demarcation line; limit
		交界	jiāojiè	have a common border with; border on
		世界	shìjiè	world

✏️ 9 画
🔲 合体字
🔺 田部
👤 1-4年级

界界界界界界界
界界

借(借)	jiè	借	jiè	borrow; lend
		借口	jièkǒu	excuse; pretext
		出借	chūjiè	lend; loan

✏️ 10 画
🔲 合体字
🔺 亻部
👤 1-4年级

借借借佳借借借
借借借

介(介)	jiè	介绍	jièshào	introduce; present
		介于	jièyú	be situated between
		评介	píngjiè	review

✏️ 4 画
🔲 合体字
🔺 人部
👤 1-4年级

介介介介

戒(戒) jiè

戒烟	jièyān	give up smoking
戒指	jièzhi	ring
劝戒	quànjiè	admonish; expostulate

7 画

合体字

戈部

5-6年级

今(今) jīn

今天	jīntiān	today
如今	rújīn	nowadays
古往今来	gǔwǎng-jīnlái	through the ages

4 画

合体字

人部

1-4年级

巾(巾) jīn

毛巾	máojīn	towel
头巾	tóujīn	scarf; kerchief
餐巾	cānjīn	table napkin

3 画

独体字

巾部

1-4年级

金(金) jīn

金钱	jīnqián	money
金鱼	jīnyú	goldfish
奖金	jiǎngjīn	bonus; premium

8 画

合体字

钅(金)部

1-4年级

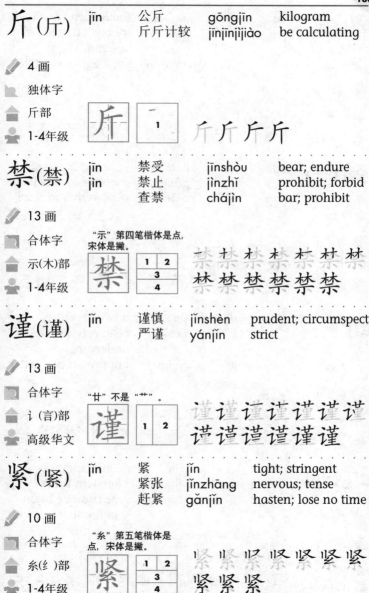

斤(斤)　jīn　公斤　gōngjīn　kilogram
　　　　　　　斤斤计较　jīnjīnjìjiào　be calculating

✏️ 4 画

独体字

斤部

1-4年级

斤 | `1` | 厂 厂 斤 斤

禁(禁)　jīn　禁受　jīnshòu　bear; endure
　　　　　　 jìn　禁止　jìnzhǐ　prohibit; forbid
　　　　　　　　 查禁　chájìn　bar; prohibit

✏️ 13 画

合体字

"示"第四笔楷体是点，宋体是撇。

示(木)部

1-4年级

禁 | 1 2 / 3 / 4 | 禁 禁 禁 禁 禁 禁 禁 禁 禁 禁 禁 禁 禁

谨(谨)　jīn　谨慎　jǐnshèn　prudent; circumspect
　　　　　　　　 严谨　yánjǐn　strict

✏️ 13 画

合体字

"廿"不是"卝"。

讠(言)部

高级华文

谨 | 1 2 | 谨 谨 谨 谨 谨 谨 谨 谨 谨 谨 谨 谨 谨

紧(紧)　jǐn　紧　jǐn　tight; stringent
　　　　　　　　 紧张　jǐnzhāng　nervous; tense
　　　　　　　　 赶紧　gǎnjǐn　hasten; lose no time

✏️ 10 画

合体字

"糸"第五笔楷体是点，宋体是撇。

糸(纟)部

1-4年级

紧 | 1 2 / 3 / 4 | 紧 紧 紧 紧 紧 紧 紧 紧 紧 紧

尽（盡） jǐn　尽管　jǐnguǎn　though; feel free to do
jìn　尽力　jìnlì　try one's best; do all one can

6 画

合体字

尸部

1-4年级

详尽　xiángjìn　detailed; exhaustive

尽 尽 尽 尺 尺 尽

劲（勁） jìn　劲头　jìntóu　strength; vigour
干劲　gànjìn　enthusiasm; vigour
jìng　强劲　qiángjìng　powerful; forceful

7 画

合体字　"圣" 不是 "圣"。

力部

高级华文

劲 劲 劲 劲 劲 劲

进（進） jìn　进　jìn　advance; enter
进行　jìnxíng　be in progress; be underway
改进　gǎijìn　improve; make better

7 画

合体字　"辶" 楷体比宋体多一个弯曲。

辶部

1-4年级

　进 辶 岃 井 讲 讲 进

近（近） jìn　近　jìn　close; intimate
近代　jìndài　modern times
亲近　qīnjìn　be close to; be on intimate terms with

7 画

合体字　"辶" 楷体比宋体多一个弯曲。

辶部

1-4年级

　近 近 近 斤 斤 近 近

浸(浸) jìn

浸	jìn	soak; immerse
浸濡	jìnrú	immersion
沉浸	chénjìn	immerse; steep

✏️ 10 画

▢ 合体字

"ヨ" 不是 "彐"。

🔲 氵部

🏆 1-4年级

浸浸浸浸浸浸浸
浸浸浸

晶(晶) jīng

水晶	shuǐjīng	crystal; rock crystal
结晶	jiéjīng	crystallise
晶莹	jīngyíng	sparkling and crystal-clear; glittering and translucent

✏️ 12 画

▢ 合体字

🔲 日部

🏆 高级华文

晶晶晶晶晶晶晶
晶晶晶晶晶

睛(睛) jīng

眼睛	yǎnjīng	eye
定睛	dìngjīng	fix one's eyes upon
画龙点睛	huàlóngdiǎnjīng	add the finishing touch

✏️ 13 画

▢ 合体字

🔲 目部

🏆 1-4年级

睛睛睛睛睛睛睛
睛睛睛睛睛睛

经(经) jīng

经过	jīngguò	pass; undergo
经济	jīngjì	economy; thrifty
已经	yǐjīng	already

✏️ 8 画

▢ 合体字

"纟" 不是 "圣"。

🔲 纟(糸)部

🏆 1-4年级

经经经经经经经
经

精(精)

jīng

精细	jīngxì	meticulous; careful
精神	jīngshen	vigour; vitality
鸡精	jījīng	chicken extract

🖉 14 画

🔲 合体字

🏠 米部

👤 1-4年级

精 精 精 精 精 精 精
精 精 精 精 精 精 精

惊(惊)

jīng

| 惊奇 | jīngqí | wonder; be suprised |
| 吃惊 | chījīng | be taken aback; be startled |

🖉 11 画

🔲 合体字

"京"第七笔楷体是点，宋体是撇。

🏠 忄部

👤 1-4年级

惊 惊 惊 惊 惊 惊 惊
惊 惊 惊 惊

京(京)

jīng

京城	jīngchéng	the capital of a country
京剧	jīngjù	Beijing opera
北京	Běijīng	Beijing, the capital city of China

🖉 8 画

🔲 合体字

第七笔楷体是点，宋体是撇。

🏠 亠部

👤 5-6年级

京 京 京 京 京 京 京
京

井(井)

jǐng

井	jǐng	well
水井	shuǐjǐng	water well
坐井观天	zuòjǐngguāntiān	view things from one's limited experience

🖉 4 画

🔲 独体字

🏠 一(二)部

👤 1-4年级

井 井 井 井

景(景) jǐng

风景 fēngjǐng scenery; landscape
盆景 pénjǐng potted landscape; miniature trees and rockery
景色 jǐngsè scenery; view

12 画

合体字

"京"第七笔楷体是点，宋体是撇。

日部

1-4年级

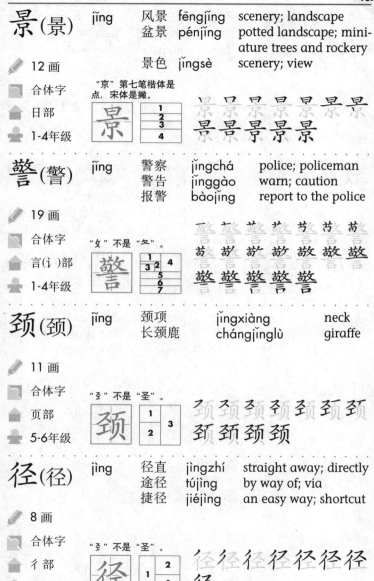

警(警) jǐng

警察 jǐngchá police; policeman
警告 jǐnggào warn; caution
报警 bàojǐng report to the police

19 画

合体字

"夂"不是"夂"。

言(讠)部

1-4年级

颈(颈) jǐng

颈项 jǐngxiàng neck
长颈鹿 chángjǐnglù giraffe

11 画

合体字

"圣"不是"圣"。

页部

5-6年级

径(径) jìng

径直 jìngzhí straight away; directly
途径 tújìng by way of; via
捷径 jiéjìng an easy way; shortcut

8 画

合体字

"圣"不是"圣"。

彳部

高级华文

净 (淨)　jìng

干净	gānjìng	clean; neat and tidy
清净	qīngjìng	peace and quiet
净水	jìngshuǐ	clear water

✏ 8 画

▢ 合体字

⌂ 冫部

♟ 1-4年级

"⺕" 不是 "⺕"。

敬 (敬)　jìng

尊敬	zūnjìng	respect; esteem
可敬	kějìng	worthy of respect; respected
敬礼	jìnglǐ	salute; extend one's greetings

✏ 12 画

▢ 合体字

⌂ 攵部

♟ 1-4年级

"攵" 不是 "夊"。

静 (靜)　jìng

静	jìng	calm; quiet
静止	jìngzhǐ	at a standstill; static
冷静	lěngjìng	sober; calm

✏ 14 画

▢ 合体字

⌂ 青部

♟ 1-4年级

"⺕" 不是 "⺕"。

镜 (鏡)　jìng

| 镜子 | jìngzi | mirror; looking glass |
| 望远镜 | wàngyuǎnjìng | telescope |

✏ 16 画

▢ 合体字

⌂ 钅(金)部

♟ 1-4年级

竞(競)   jìng   竞赛   jìngsài   contest; competition
             竞争   jìngzhēng   compete; rival
             竞走   jìngzǒu   heel-and-toe walking race

- 10 画
- 合体字
- 立部   "口" 不是 "日"。
- 5-6年级

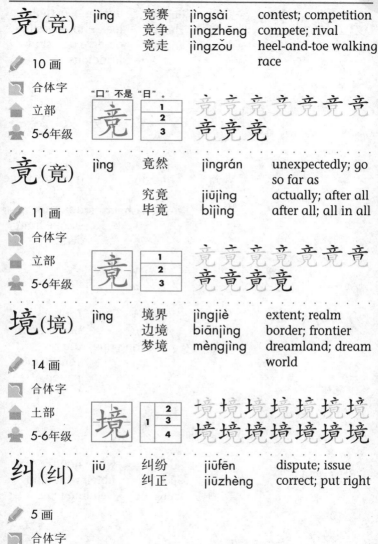

竟(竟)   jìng   竟然   jìngrán   unexpectedly; go so far as
             究竟   jiūjìng   actually; after all
             毕竟   bìjìng   after all; all in all

- 11 画
- 合体字
- 立部
- 5-6年级

境(境)   jìng   境界   jìngjiè   extent; realm
             边境   biānjìng   border; frontier
             梦境   mèngjìng   dreamland; dream world

- 14 画
- 合体字
- 土部
- 5-6年级

纠(糾)   jiū   纠纷   jiūfēn   dispute; issue
             纠正   jiūzhèng   correct; put right

- 5 画
- 合体字
- 纟 (糸)部
- 高级华文

究(究) jiū

究竟	jiūjìng	outcome; actually
追究	zhuījiū	look into; investigate
考究	kǎojiū	observe and study; fastidious

✏ 7 画

📖 合体字

🏠 穴部

🎓 5-6年级

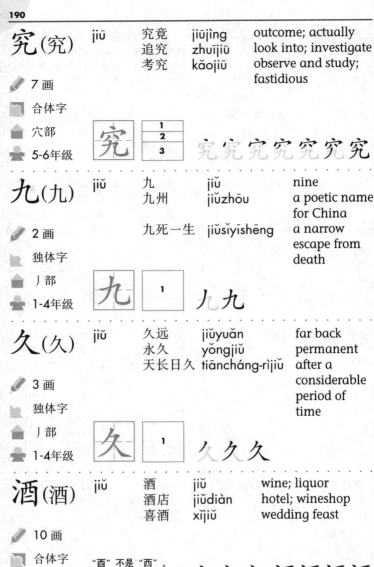

究究究究究究究

九(九) jiǔ

九	jiǔ	nine
九州	jiǔzhōu	a poetic name for China
九死一生	jiǔsǐyīshēng	a narrow escape from death

✏ 2 画

📖 独体字

🏠 丿部

🎓 1-4年级

丿九

久(久) jiǔ

久远	jiǔyuǎn	far back
永久	yǒngjiǔ	permanent
天长日久	tiāncháng-rìjiǔ	after a considerable period of time

✏ 3 画

📖 独体字

🏠 丿部

🎓 1-4年级

ク久久

酒(酒) jiǔ

酒	jiǔ	wine; liquor
酒店	jiǔdiàn	hotel; wineshop
喜酒	xǐjiǔ	wedding feast

✏ 10 画

📖 合体字

🏠 氵部

🎓 1-4年级

"酉"不是"西"。

酒酒酒酒酒酒酒
酒酒酒

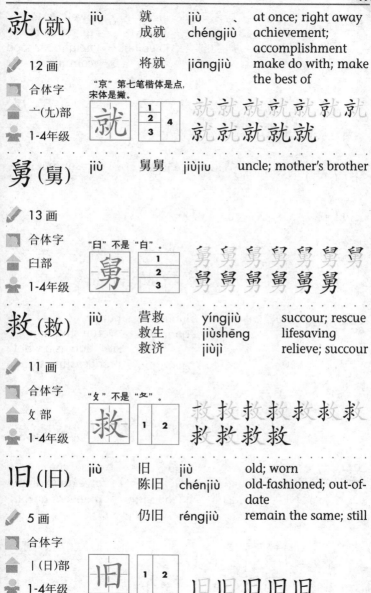

就(就)	jiù	就	jiù	at once; right away
		成就	chéngjiù	achievement; accomplishment
12 画		将就	jiāngjiù	make do with; make the best of

合体字

"京"第七笔楷体是点，宋体是撇。

亠(亠)部

1-4年级

| 舅(舅) | jiù | 舅舅 | jiùjiu | uncle; mother's brother |

13 画

合体字

"臼"不是"白"。

臼部

1-4年级

救(救)	jiù	营救	yíngjiù	succour; rescue
		救生	jiùshēng	lifesaving
		救济	jiùjì	relieve; succour

11 画

合体字

"攵"不是"夂"。

攵 部

1-4年级

旧(旧)	jiù	旧	jiù	old; worn
		陈旧	chénjiù	old-fashioned; out-of-date
5 画		仍旧	réngjiù	remain the same; still

合体字

丨(日)部

1-4年级

居(居)

jū

居住	jūzhù	dwell; reside
邻居	línjū	neighbour
居委会	jūwěihuì	neighbourhood committee

✏ 8 画

▢ 合体字

🏠 尸部

⭐ 1-4年级

居 居 居 居 居 居 居 居 居

菊(菊)

jú

| 菊花 | júhuā | chrysanthemum |

✏ 11 画

▢ 合体字

🏠 艹部

⭐ 高级华文

菊 菊 菊 菊 菊 菊 菊 菊 菊 菊 菊 菊

局(局)

jú

局部	júbù	part
全局	quánjú	overall situation; situation as a whole
广播局	guǎngbōjú	broadcasting station

✏ 7 画

▢ 合体字

🏠 尸部

⭐ 1-4年级

局 局 局 局 局 局 局 局

举(举)

jǔ

举	jǔ	raise; cite
举例	jǔlì	give an example
创举	chuàngjǔ	pioneering work

✏ 9 画

▢ 合体字

"龷" 不是 "丰"。

🏠 丶部

⭐ 1-4年级

举 举 举 举 举 兴 兴 举 举

聚(聚) jù

聚集	jùjí	gather; assemble
聚会	jùhuì	get-together; meet
团聚	tuánjù	reunite

14 画

合体字

耳部

高级华文

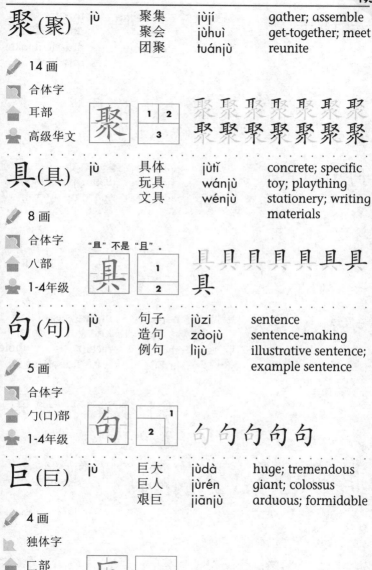

聚 聚 聚 聚 聚 聚 聚
聚 聚 聚 聚 聚 聚 聚

具(具) jù

具体	jùtǐ	concrete; specific
玩具	wánjù	toy; plaything
文具	wénjù	stationery; writing materials

8 画

合体字

"且"不是"且"。

八部

1-4年级

具 具 具 具 具 具 具
具

句(句) jù

句子	jùzi	sentence
造句	zàojù	sentence-making
例句	lìjù	illustrative sentence; example sentence

5 画

合体字

勹(口)部

1-4年级

句 句 句 句 句

巨(巨) jù

巨大	jùdà	huge; tremendous
巨人	jùrén	giant; colossus
艰巨	jiānjù	arduous; formidable

4 画

独体字

匚部

1-4年级

巨 巨 巨 巨

剧 (剧) jù

剧场	jùchǎng	theatre
戏剧	xìjù	drama; play
恶作剧	èzuòjù	practical joke; mischief

10 画
合体字
刂部
5-6年级

剧 剧 剧 尸 尸 居 居 居 剧 剧

距 (距) jù

距离	jùlí	distance
差距	chājù	disparity; difference
相距	xiāngjù	apart; away from

11 画
合体字
足(⻊)部
5-6年级

距 距 距 卫 卫 距 距 距 距 距 距

据 (据) jù

根据	gēnjù	on the basis of; in line with
收据	shōujù	receipt
据说	jùshuō	it is said; allegedly

11 画
合体字
扌部
5-6年级

据 据 据 据 据 护 护 据 据 据 据

拒 (拒) jù

| 拒绝 | jùjué | refuse; reject |
| 抗拒 | kàngjù | resist; defy |

7 画
合体字
扌部
5-6年级

拒 拒 拒 拒 拒 拒 拒

捐(捐)

juān	捐	juān	contribute; donate
	捐献	juānxiàn	contribute; donate

- ✏️ 10 画
- 🔲 合体字
- 🏠 扌部
- 🎓 5-6年级

捐捐捐捐捐捐捐
捐捐捐

卷(卷)

juǎn	卷	juǎn	roll up; roll
	蛋卷	dànjuǎn	egg-roll
juàn	考卷	kǎojuàn	examination paper

- ✏️ 8 画
- 🔲 合体字
- 🏠 㔾(巳、丶部
- 🎓 1-4年级

"㔾"不是"巳"。

卷卷卷卷卷卷卷
卷

倦(倦)

juàn	倦意	juànyì	tiredness; weariness
	疲倦	píjuàn	tired; weary
	厌倦	yànjuàn	be weary of; be tired of

- ✏️ 10 画
- 🔲 合体字
- 🏠 亻部
- 🎓 5-6年级

"㔾"不是"巳"。

倦倦倦倦倦倦倦
倦倦倦

掘(掘)

jué	掘	jué	dig
	挖掘	wājué	excavate; unearth

- ✏️ 11 画
- 🔲 合体字
- 🏠 扌部
- 🎓 高级华文

掘掘掘掘掘掘掘
掘掘掘掘

觉(覺)	jué	觉得 觉悟	juéde juéwù	feel; think consciousness; awareness
	jiào	睡觉	shuìjiào	sleep

9 画
合体字
见部
1-4年级

觉觉觉觉觉觉觉
觉觉

决(決)	jué	决心	juéxīn	determination; resolution
		决定	juédìng	decide; make up one's mind
		裁决	cáijué	ruling; adjudication

6 画
合体字
"决" 不是 "央"。
冫部
1-4年级

决决冫冫决决

绝(絕)	jué	绝对 绝望	juéduì juéwàng	absolute; definitely despair; give up all hope
		隔绝	géjué	isolate; cut off

9 画
合体字
纟(糸)部
5-6年级

绝绝绝绝绝绝绝
绝绝

菌(菌)	jūn	细菌 病菌	xìjūn bìngjūn	germ; bacterium pathogenic bacteria
		抗菌素	kàngjūnsù	antibiotic

11 画
合体字
艹部
高级华文

菌菌菌菌菌菌菌
菌菌菌菌

军 (军)　jūn

军人	jūnrén	soldier
海军	hǎijūn	navy
千军万马	qiānjūn-wànmǎ	thousands and thousands of soldiers and horses

6 画

合体字

冖(车)部

1-4年级

军军军军军军

君 (君)　jūn

君子	jūnzi	gentleman; a man of noble character
君王	jūnwáng	monarch; sovereign
暴君	bàojūn	tyrant; despot

7 画

合体字

口部

5-6年级

君君君尹君君君

均 (均)　jūn

均匀	jūnyún	even; well-distributed
均分	jūnfēn	divide equally; share out equally
平均	píngjūn	average; mean

7 画

合体字

土部

5-6年级

均均均均均均均

俊 (俊)　jùn

英俊	yīngjùn	brilliant; handsome and spirited
俊美	jùnměi	pretty; handsome

9 画

合体字

"夋" 不是 "夋"。

亻部

高级华文

俊俊俊俊俊俊俊俊俊

| 咖(咖) | kā | 咖啡 | kāfēi | coffee |
| | gā | 咖喱 | gālí | curry |

- 8 画
- 合体字
- 口部
- 1-4年级

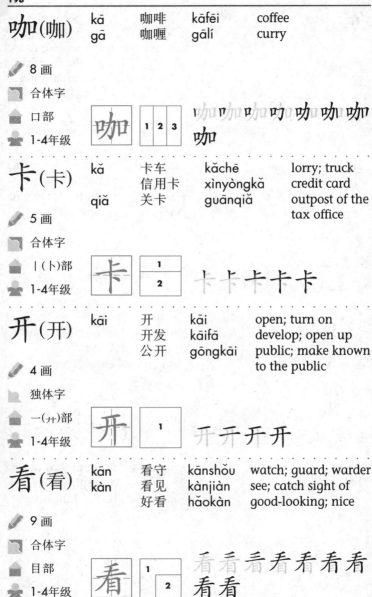

咖 叨 叻 叻 叻 咖 咖 咖

卡(卡)	kǎ	卡车	kǎchē	lorry; truck
		信用卡	xìnyòngkǎ	credit card
	qiǎ	关卡	guānqiǎ	outpost of the tax office

- 5 画
- 合体字
- 丨(卜)部
- 1-4年级

卡 卡 卡 卡 卡

开(開)	kāi	开	kāi	open; turn on
		开发	kāifā	develop; open up
		公开	gōngkāi	public; make known to the public

- 4 画
- 独体字
- 一(艹)部
- 1-4年级

开 开 开 开

看(看)	kān	看守	kānshǒu	watch; guard; warder
	kàn	看见	kànjiàn	see; catch sight of
		好看	hǎokàn	good-looking; nice

- 9 画
- 合体字
- 目部
- 1-4年级

看 看 看 看 看 看 看 看 看

砍(砍) kǎn 砍 kǎn cut; chop

- ✏️ 9 画
- 🔲 合体字
- 🏠 石部
- 🎓 5-6年级

康(康) kāng

健康	jiànkāng	healthy; sound
康复	kāngfù	restored to health
康乐	kānglè	peace and happiness

- ✏️ 11 画
- 🔲 合体字
- 🏠 广部
- 🎓 1-4年级

"ヨ" 不是 "ヨ"。

扛(扛)

| káng | 扛 | káng | shoulder; carry on the shoulder |
| gāng | 扛 | gāng | lift with both hands |

- ✏️ 6 画
- 🔲 合体字
- 🏠 扌部
- 🎓 高级华文

抗(抗) kàng

抗辩	kàngbiàn	contradict; demurrer
抗拒	kàngjù	resist; defy
抵抗	dǐkàng	resist; stand up to

- ✏️ 7 画
- 🔲 合体字
- 🏠 扌部
- 🎓 1-4年级

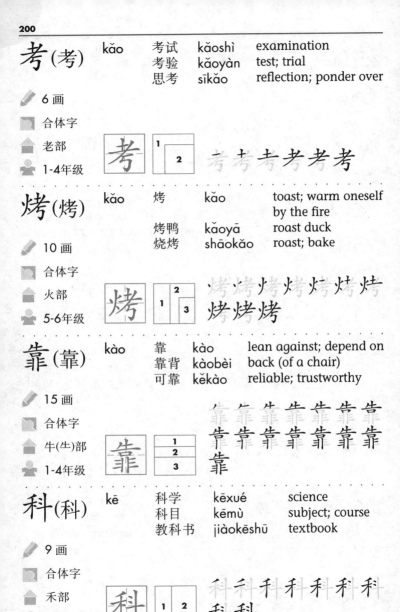

考(考) kǎo

考试	kǎoshì	examination
考验	kǎoyàn	test; trial
思考	sīkǎo	reflection; ponder over

6 画

合体字

老部

1-4年级

烤(烤) kǎo

烤	kǎo	toast; warm oneself by the fire
烤鸭	kǎoyā	roast duck
烧烤	shāokǎo	roast; bake

10 画

合体字

火部

5-6年级

靠(靠) kào

靠	kào	lean against; depend on
靠背	kàobèi	back (of a chair)
可靠	kěkào	reliable; trustworthy

15 画

合体字

牛(牛)部

1-4年级

科(科) kē

科学	kēxué	science
科目	kēmù	subject; course
教科书	jiàokēshū	textbook

9 画

合体字

禾部

1-4年级

| 棵(棵) | kē | 棵 | kē | classifier for plants |

- ✏️ 12 画
- ▨ 合体字
- 🏠 木部
- 👤 1-4年级

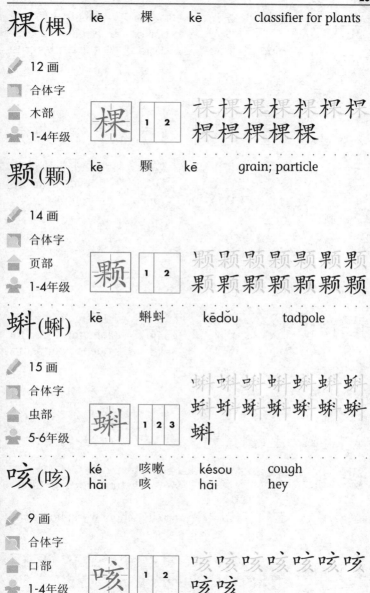

一棵 †棵 †棵 棵 棵 棵 棵
棵 棵 棵 棵 棵

| 颗(顆) | kē | 颗 | kē | grain; particle |

- ✏️ 14 画
- ▨ 合体字
- 🏠 页部
- 👤 1-4年级

一颗 颗 颗 颗 旱 果 果
果 果 果 颗 颗 颗 颗

| 蝌(蝌) | kē | 蝌蚪 | kēdǒu | tadpole |

- ✏️ 15 画
- ▨ 合体字
- 🏠 虫部
- 👤 5-6年级

一蝌 口蝌 口蝌 中 虫 虫 虫
虫 虾 蚪 蚪 蚪 蚪 蝌
蝌

| 咳(咳) | ké / hāi | 咳嗽 / 咳 | késou / hāi | cough / hey |

- ✏️ 9 画
- ▨ 合体字
- 🏠 口部
- 👤 1-4年级

一咳 咳 咳 咳 咳 咳 咳
咳 咳

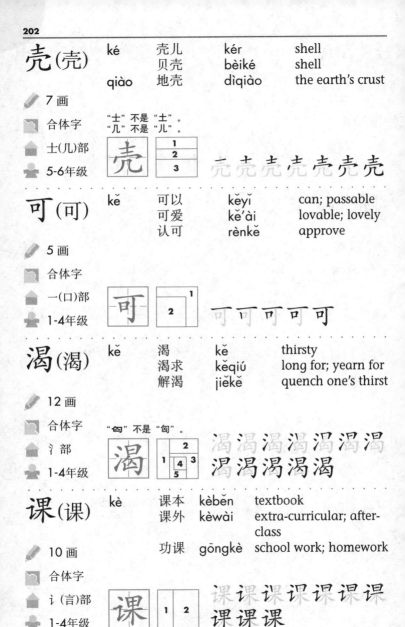

壳(壳)

ké	壳儿	kér	shell
	贝壳	bèiké	shell
qiào	地壳	dìqiào	the earth's crust

✏ 7画

▢ 合体字

"士"不是"土"。
"几"不是"儿"。

🏠 士(几)部

🎓 5-6年级

壳 壳 壳 壳 壳 壳 壳

可(可)

kě	可以	kěyǐ	can; passable
	可爱	kě'ài	lovable; lovely
	认可	rènkě	approve

✏ 5画

▢ 合体字

🏠 一(口)部

🎓 1-4年级

可 可 可 可 可

渴(渴)

kě	渴	kě	thirsty
	渴求	kěqiú	long for; yearn for
	解渴	jiěkě	quench one's thirst

✏ 12画

▢ 合体字

"匃"不是"匈"。

🏠 氵部

🎓 1-4年级

渴 渴 渴 渴 渴 渴 渴
渴 渴 渴 渴 渴

课(课)

kè	课本	kèběn	textbook
	课外	kèwài	extra-curricular; after-class
	功课	gōngkè	school work; homework

✏ 10画

▢ 合体字

🏠 讠(言)部

🎓 1-4年级

课 课 课 课 课 课 课
课 课 课

客(客) kè

客人 kèrén guest; visitor
客气 kèqi polite; courteous
顾客 gùkè customer; client

9 画

合体字

宀部

1-4年级

"夂" 不是 "攵"。

刻(刻) kè

刻 kè carve; a quarter of an hour
刻苦 kèkǔ hardworking; painstaking
石刻 shíkè carved stone; stone inscription

8 画

合体字

刂部

1-4年级

克(克) kè

克服 kèfú overcome; conquer
克制 kèzhì restrain; exercise restraint
攻克 gōngkè capture; take

7 画

合体字

十(儿)部

5-6年级

肯(肯) kěn

肯 kěn consent; be willing to
肯定 kěndìng confirm; certainly
中肯 zhòngkěn pertinent; to the point

8 画

合体字

止(月)部

1-4年级

恳 (恳)

kěn 勤恳 qínkěn diligent and conscientious

✏️ 10 画

🔲 合体字

🏠 心(艮)部

🎓 5-6年级

"心"的第二笔楷体是卧钩，宋体是竖弯钩。

恳 恳 恳 恳 恳 恳 恳 恳 恳 恳

空 (空)

kōng 空气 kōngqì air; atmosphere
天空 tiānkōng the sky; the heavens
kòng 空白 kòngbái blank space

✏️ 8 画

🔲 合体字

🏠 穴部

🎓 1-4年级

空 空 空 空 空 空 空 空

孔 (孔)

kǒng 毛孔 máokǒng pore
孔洞 kǒngdòng opening or hole
无孔不入 wúkǒngbùrù be all-pervasive

✏️ 4 画

🔲 合体字

🏠 乙(乚、子)部

🎓 1-4年级

孔 了 孔 孔

恐 (恐)

kǒng 恐慌 kǒnghuāng panic
恐龙 kǒnglóng dinosaur

✏️ 10 画

🔲 合体字

🏠 心部

🎓 5-6年级

"心"第二笔楷体是卧钩，宋体是竖弯钩。

恐 恐 工 巩 巩 巩 巩 恐 恐 恐

控(控) kòng

控诉　kòngsù　accuse; denounce
控制　kòngzhì　control; domination
指控　zhǐkòng　accuse; charge

✏️ 11 画

🔲 合体字

🏠 扌部

⭐ 5-6年级

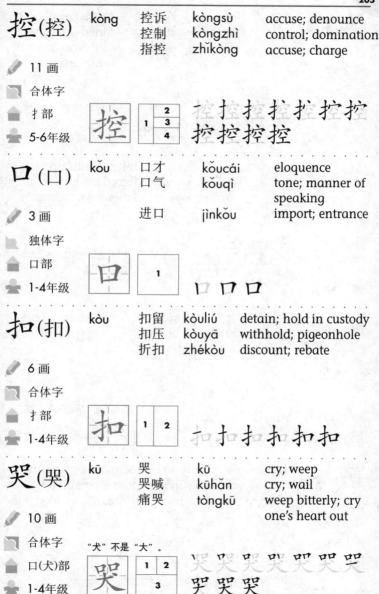

口(口) kǒu

口才　kǒucái　eloquence
口气　kǒuqì　tone; manner of speaking
进口　jìnkǒu　import; entrance

✏️ 3 画

独体字

🏠 口部

⭐ 1-4年级

扣(扣) kòu

扣留　kòuliú　detain; hold in custody
扣压　kòuyā　withhold; pigeonhole
折扣　zhékòu　discount; rebate

✏️ 6 画

🔲 合体字

🏠 扌部

⭐ 1-4年级

哭(哭) kū

哭　　kū　　cry; weep
哭喊　kūhǎn　cry; wail
痛哭　tòngkū　weep bitterly; cry one's heart out

✏️ 10 画

🔲 合体字

🏠 口(犬)部

"犬"不是"大"。

⭐ 1-4年级

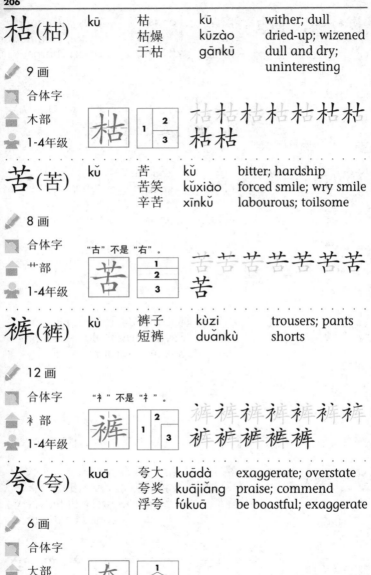

枯(枯) kū

枯	kū	wither; dull
枯燥	kūzào	dried-up; wizened
干枯	gānkū	dull and dry; uninteresting

9 画

合体字

木部

1-4年级

苦(苦) kǔ

苦	kǔ	bitter; hardship
苦笑	kǔxiào	forced smile; wry smile
辛苦	xīnkǔ	labourous; toilsome

8 画

合体字

"古"不是"右"。

艹部

1-4年级

裤(裤) kù

| 裤子 | kùzi | trousers; pants |
| 短裤 | duǎnkù | shorts |

12 画

合体字

"衤"不是"礻"。

衤部

1-4年级

夸(夸) kuā

夸大	kuādà	exaggerate; overstate
夸奖	kuājiǎng	praise; commend
浮夸	fúkuā	be boastful; exaggerate

6 画

合体字

大部

5-6年级

快(快)	kuài	快 快熟面 凉快	kuài kuàishúmiàn liángkuài	fast; before long instant noodles pleasantly cool; cool off

✏️ 7 画

🔲 合体字

🏠 忄部

🎓 1-4年级

"夬" 不是 "央"。

快快快忄忄快快

块(块)	kuài	块 石块 方块字	kuài shíkuài fāngkuàizì	lump; chunk stone Chinese characters

✏️ 7 画

🔲 合体字

🏠 土部

🎓 1-4年级

"夬" 不是 "央"。

块块块圡圦块块

筷(筷)	kuài	筷子 竹筷	kuàizi zhúkuài	chopsticks chopsticks made of bamboo

✏️ 13 画

🔲 合体字

🏠 竹(⺮)部

🎓 1-4年级

"夬" 不是 "央"。

筷筷筷筷筷筷筷
筷筷筷筷筷筷

宽 (宽)	kuān	宽 宽容 从宽	kuān kuānróng cóngkuān	wide; extend tolerant; lenient treat with leniency

✏️ 10 画

🔲 合体字

🏠 宀部

🎓 1-4年级

宽宽宽宽宽宽宽
宽宽宽

款(款)

kuǎn

存款	cúnkuǎn	deposit; bank savings
款项	kuǎnxiàng	a sum of money; fund
款待	kuǎndài	entertain; treat cordially

✏️ 12 画

📄 合体字

🏠 欠部

🎓 高级华文

"士"不是"土"。
"示"第四笔楷体是点，宋体是撇。

	1	4
款	2	5
	3	

款款款款款款
款款款款款

狂(狂)

kuáng

狂风	kuángfēng	violent gale; fierce wind
狂欢	kuánghuān	revelry; carnival
疯狂	fēngkuáng	insane; frenzied

✏️ 7 画

📄 合体字

🏠 犭部

🎓 5-6年级

| 狂 | 1 | 2 |

狂狂狂狂狂狂

矿(矿)

kuàng

矿藏	kuàngcáng	mineral resources
矿湖	kuànghú	quarry
锡矿	xīkuàng	tin ore

✏️ 8 画

📄 合体字

🏠 石部

🎓 高级华文

| 矿 | 1 | 2 |

矿矿矿矿矿矿矿
矿

况(况)

kuàng

境况	jìngkuàng	condition; circumstances
状况	zhuàngkuàng	condition; state of affairs
况且	kuàngqiě	moreover; besides

✏️ 7 画

📄 合体字

🏠 氵部

🎓 5-6年级

| 况 | 1 | 2 |
| | | 3 |

况况况况况况况

亏(亏) kuī

亏本	kuīběn	lose money in business; lose one's capital
吃亏	chīkuī	suffer losses; come to grief
幸亏	xìngkuī	fortunately; luckily

✏️ 3 画

🔲 合体字

🏠 二部

🎓 5-6年级

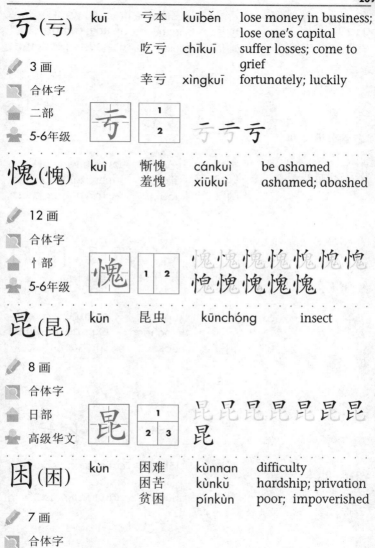

亏 亏 亏

愧(愧) kuì

| 惭愧 | cánkuì | be ashamed |
| 羞愧 | xiūkuì | ashamed; abashed |

✏️ 12 画

🔲 合体字

🏠 忄部

🎓 5-6年级

愧 愧 愧 愧 愧 愧 愧
愧 愧 愧 愧 愧

昆(昆) kūn

| 昆虫 | kūnchóng | insect |

✏️ 8 画

🔲 合体字

🏠 日部

🎓 高级华文

昆 昆 昆 昆 昆 昆 昆
昆

困(困) kùn

困难	kùnnan	difficulty
困苦	kùnkǔ	hardship; privation
贫困	pínkùn	poor; impoverished

✏️ 7 画

🔲 合体字

🏠 口部

🎓 1-4年级

困 困 困 困 困 困 困

括(括) kuò

括号	kuòhào	brackets
包括	bāokuò	include; comprise
概括	gàikuò	summarise; epitomise

✎ 9 画

▢ 合体字

🏠 扌部

🏆 高级华文

括括括括括括括
括括

阔(阔) kuò

宽阔	kuānkuò	broad; wide
开阔	kāikuò	open; tolerant
阔气	kuòqi	extravagant; lavish

✎ 12 画

▢ 合体字

🏠 门部

🏆 1-4年级

阔阔阔阔阔阔阔
阔阔阔阔阔

扩(扩) kuò

扩大	kuòdà	enlarge; expand
扩充	kuòchōng	expand; augment
扩散	kuòsàn	spread; diffuse

✎ 6 画

▢ 合体字

🏠 扌部

🏆 5-6年级

扩扩扩扩扩扩

啦(啦) lā

啦啦队	lālāduì	cheer team; cheering squad
哗啦	huālā	clattering noise

✎ 11 画

▢ 合体字

🏠 口部

🏆 1-4年级

啦啦啦啦啦啦
啦啦啦啦

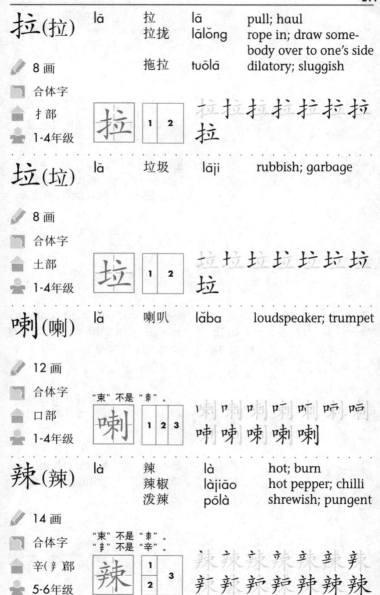

拉(拉)

lā

拉	lā	pull; haul
拉拢	lālǒng	rope in; draw some-body over to one's side
拖拉	tuōlā	dilatory; sluggish

✏ 8 画

▢ 合体字

▤ 扌部

★ 1-4年级

垃(垃)

lā

| 垃圾 | lājī | rubbish; garbage |

✏ 8 画

▢ 合体字

▤ 土部

★ 1-4年级

喇(喇)

lǎ

| 喇叭 | lǎba | loudspeaker; trumpet |

✏ 12 画

▢ 合体字

▤ 口部

★ 1-4年级

"束"不是"束"。

辣(辣)

là

辣	là	hot; burn
辣椒	làjiāo	hot pepper; chilli
泼辣	pōlà	shrewish; pungent

✏ 14 画

▢ 合体字

▤ 辛(辛)部

★ 5-6年级

"束"不是"束"。
"辛"不是"辛"。

蜡(蠟) là

| 蜡烛 | làzhú | candle |
| 蜡染 | làrǎn | waxprinting |

14 画
合体字
虫部
5-6年级

蜡

| | 2 |
| 1 | 3 |

丶 ㅁ 咁 ㅂ 蛒 虫 蚱
蚱 蜡 蜡 蜡 蜡 蜡 蜡

来(來) lái

来	lái	come; arrive
来往	láiwǎng	dealings; contacts
原来	yuánlái	original; former

7 画
独体字
一部
1-4年级

来

| 1 |

来 来 来 来 来 来 来

拦(攔) lán

拦	lán	block; hold back
阻拦	zǔlán	bar the way; obstruct
拦击	lánjī	volley

8 画
合体字
扌部
高级华文

拦

| | 2 |
| 1 | 3 |

扌 扌 扌 扌 扌 扌 扌
拦

栏(欄) lán

| 栏杆 | lángān | railing; banisters |
| 栏目 | lánmù | column; section |

9 画
合体字
木部
高级华文

栏

| | 2 |
| 1 | 3 |

栏 栏 栏 栏 栏 栏 栏
栏 栏

蓝(蓝) lán 蓝 lán blue
蓝天 lántiān the blue sky
蓝图 lántú blue print

13 画

合体字

"刂"不是"刂"。

艹部

1-4年级

蓝 蓝 蓝 蓝 蓝 蓝 蓝
蓝 蓝 蓝 蓝 蓝 蓝

篮(篮) lán 篮子 lánzi basket
篮球 lánqiú basketball
摇篮 yáolán cradle

16 画

合体字

"刂"不是"刂"。

竹(⺮)部

1-4年级

篮 篮 篮 篮 篮 篮 篮
篮 篮 篮 篮 篮 篮 篮
篮 篮

兰(兰) lán 兰花 lánhuā orchid
兰草 láncǎo fragrant
thoroughwort

5 画

合体字

八(丷)部

5-6年级

兰 兰 兰 兰 兰

懒(懒) lǎn 懒 lǎn lazy; slothful
懒惰 lǎnduò lazy
偷懒 tōulǎn loaf on the job

16 画

合体字

"束"不是"束"。

忄部

1-4年级

懒 懒 懒 懒 懒 懒 懒
懒 懒 懒 懒 懒 懒 懒
懒 懒

览 (覽) lǎn

游览	yóulǎn	go-sightseeing; tour
展览	zhǎnlǎn	exhibit; put on display
博览会	bólǎnhuì	fair

9 画

合体字

"刂" 不是 "丿"。

见部

5-6年级

览 览 览 览 览 览 览
览 览

缆 (纜) lǎn

缆车	lǎnchē	cable car
缆绳	lǎnshéng	cable; hawser
电缆	diànlǎn	cable; electric cable

12 画

合体字

"刂" 不是 "丿"。

纟 (糸)部

5-6年级

缆 缆 缆 缆 缆 缆 缆
缆 缆 缆 缆 缆

烂 (爛) làn

烂	làn	sodden; worn-out
破烂	pòlàn	tattered; ragged
腐烂	fǔlàn	decomposed; rotten

9 画

合体字

火部

1-4年级

烂 烂 烂 烂 烂 烂 烂
烂 烂

狼 (狼) láng

狼	láng	wolf
色狼	sèláng	sex lupine; sex offender

10 画

合体字

犭部

1-4年级

狼 狼 狼 狼 狼 狼 狼
狼 狼 狼

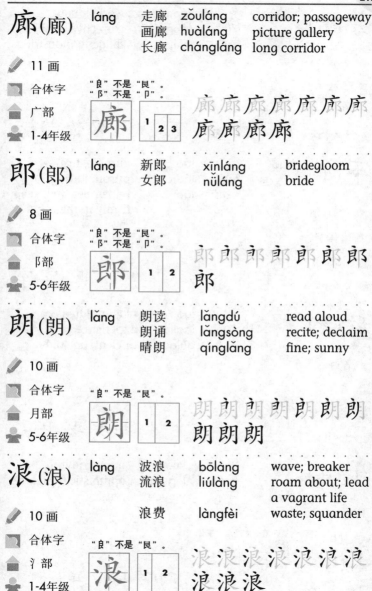

廊(廊) láng 走廊 zǒuláng corridor; passageway
画廊 huàláng picture gallery
长廊 chángláng long corridor

11 画
合体字 "良"不是"艮"。"阝"不是"卩"。
广部
1-4年级

郎(郎) láng 新郎 xīnláng bridegroom
女郎 nǚláng bride

8 画
合体字 "良"不是"艮"。"阝"不是"卩"。
阝部
5-6年级

朗(朗) lǎng 朗读 lǎngdú read aloud
朗诵 lǎngsòng recite; declaim
晴朗 qínglǎng fine; sunny

10 画
合体字 "良"不是"艮"。
月部
5-6年级

浪(浪) làng 波浪 bōlàng wave; breaker
流浪 liúlàng roam about; lead a vagrant life
浪费 làngfèi waste; squander

10 画
合体字 "良"不是"艮"。
氵部
1-4年级

劳(勞) láo

劳动	láodòng	work; labour
劳改	láogǎi	corrective work
勤劳	qínláo	diligent; industrious

✏️ 7 画

🔲 合体字

🏠 艹(力)部

👤 1-4年级

劳 劳 劳 劳 劳 劳 劳

牢(牢) láo

牢	láo	durable; firm
牢房	láofáng	prison; jail
牢记	láojì	remember well; keep firmly in the mind

✏️ 7 画

🔲 合体字

🏠 宀部

👤 5-6年级

牢 牢 牢 牢 牢 牢 牢

老(老) lǎo

老	lǎo	old; outdated
老练	lǎoliàn	experienced
古老	gǔlǎo	ancient; age-old

✏️ 6 画

🔲 合体字

🏠 老部

👤 1-4年级

老 老 老 老 老 老

乐(樂) lè / yuè

快乐	kuàilè	happy; joyful
乐观	lèguān	optimistic; sanguine
音乐	yīnyuè	music

✏️ 5 画

🔲 独体字

第四笔楷体是点，宋体是撇。

🏠 丿(木)部

👤 1-4年级

乐 乐 乐 乐 乐

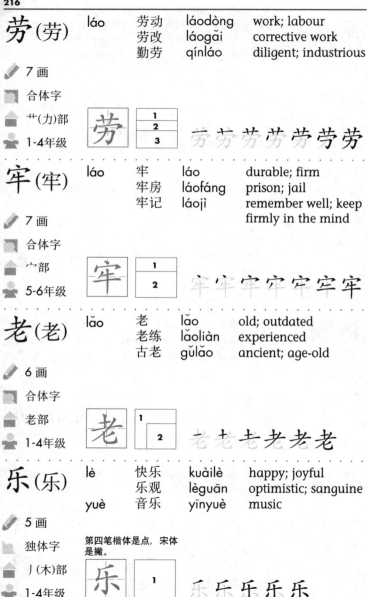

雷(雷) léi

雷	léi	thunder; mine
雷电	léidiàn	thunder and lightning
地雷	dìléi	land mine

✏ 13 画

▣ 合体字

▤ 雨(⻗)部

▥ 1-4年级

累(累)
léi
lěi
lèi

累累	léiléi	clusters of; heaps of
累计	lěijì	add up; grand total
劳累	láolèi	over-worked; tired

✏ 11 画

▣ 合体字

"纟"第五笔楷体是点，宋体是撇。

▤ 纟(纟)部

▥ 1-4年级

泪(泪) lèi

眼泪	yǎnlèi	tears
含泪	hánlèi	with tears in one's eyes
泪珠	lèizhū	teardrop

✏ 8 画

▣ 合体字

▤ 氵部

▥ 1-4年级

类(类) lèi

类别	lèibié	classification; category
类推	lèituī	analogise; reason by analogy
鱼类	yúlèi	fishes

✏ 9 画

▣ 合体字

▤ 米部

▥ 1-4年级

冷 (冷)

lěng

冷	lěng	cold; frosty
冷却	lěngquè	cooling
冰冷	bīnglěng	ice-cold

✏️ 7 画

🔲 合体字

"令"不是"今"。

⬆️ 冫部

👤 1-4年级

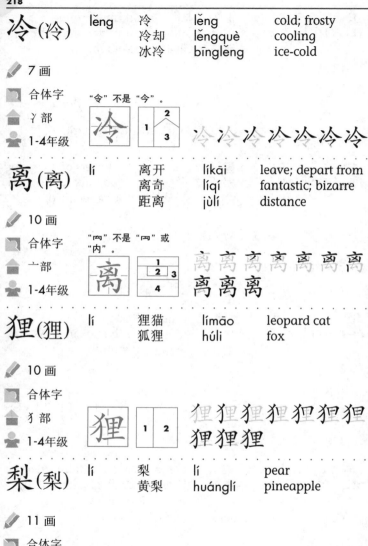

冷 冷 冷 冷 冷 冷 冷

离 (離)

lí

离开	líkāi	leave; depart from
离奇	líqí	fantastic; bizarre
距离	jùlí	distance

✏️ 10 画

🔲 合体字

"禸"不是"冈"或"内"。

⬆️ 亠部

👤 1-4年级

离 离 离 离 离 离 离
离 离 离

狸 (狸)

lí

| 狸猫 | límāo | leopard cat |
| 狐狸 | húli | fox |

✏️ 10 画

🔲 合体字

⬆️ 犭部

👤 1-4年级

狸 狸 狸 狸 狸 狸 狸
狸 狸 狸

梨 (梨)

lí

| 梨 | lí | pear |
| 黄梨 | huánglí | pineapple |

✏️ 11 画

🔲 合体字

⬆️ 木部

👤 1-4年级

梨 梨 梨 梨 梨 梨 梨
梨 梨 梨 梨

喱(喱) lí　　咖喱　gālí　　curry

✏️ 12 画

🔲 合体字

🏠 口部

👤 1-4年级

喱喱喱喱喱喱喱
喱喱喱喱喱

璃(璃) lí　　玻璃　bōlí　　glass

✏️ 14 画

🔲 合体字　"丙"不是"丙"或"内"。

🏠 王部

👤 1-4年级

璃璃璃璃璃璃璃
璃璃璃璃璃璃璃

篱(篱) lí　　篱笆　líbā　　bamboo fence; twig fence
　　　　　　　绿篱　lǜlí　　hedgerow; hedge

✏️ 16 画

🔲 合体字　"丙"不是"丙"或"内"。

🏠 竹(⺮)部

👤 5-6年级

篱篱篱篱篱篱篱
篱笉笓篱篱篱篱
篱篱

里(里) lí　　里面　lǐmiàn　　inside; interior
　　　　　　里程　lǐchéng　　mileage; course of
　　　　　　　　　　　　　　development

✏️ 7 画

🔲 独体字

🏠 里部

👤 1-4年级

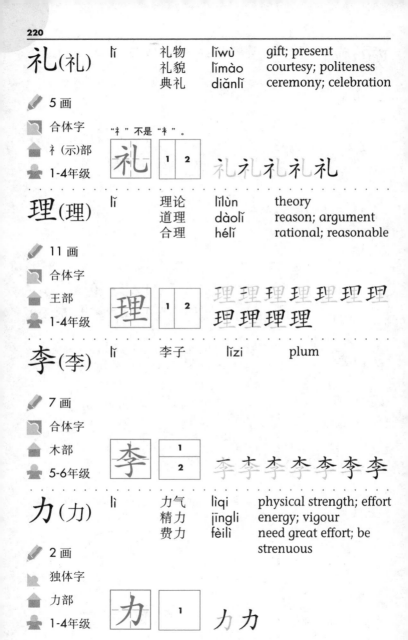

礼(礼)

lǐ

礼物	lǐwù	gift; present
礼貌	lǐmào	courtesy; politeness
典礼	diǎnlǐ	ceremony; celebration

5 画

合体字

"礻"不是"衤"。

礻(示)部

1-4年级

礼礼礼礼礼

理(理)

lǐ

理论	lǐlùn	theory
道理	dàolǐ	reason; argument
合理	hélǐ	rational; reasonable

11 画

合体字

王部

1-4年级

理理理理理理理理理理理

李(李)

lǐ

| 李子 | lǐzi | plum |

7 画

合体字

木部

5-6年级

李李李李李李李

力(力)

lì

力气	lìqi	physical strength; effort
精力	jīnglì	energy; vigour
费力	fèilì	need great effort; be strenuous

2 画

独体字

力部

1-4年级

力力

丽(麗)	lì	美丽	měilì	beautiful; pretty
		秀丽	xiùlì	graceful; pretty
		壮丽	zhuànglì	magnificent; glorious

7 画
合体字
一部
1-4年级

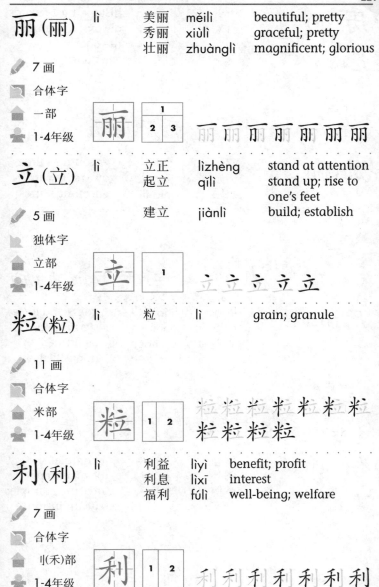

丽 丽 丽 丽 丽 丽 丽

立(立)	lì	立正	lìzhèng	stand at attention
		起立	qǐlì	stand up; rise to one's feet
		建立	jiànlì	build; establish

5 画
独体字
立部
1-4年级

立 立 立 立 立

粒(粒)	lì	粒	lì	grain; granule

11 画
合体字
米部
1-4年级

粒 粒 粒 粒 粒 粒 粒
粒 粒 粒 粒

利(利)	lì	利益	lìyì	benefit; profit
		利息	lìxī	interest
		福利	fúlì	well-being; welfare

7 画
合体字
刂(禾)部
1-4年级

利 利 利 利 利 利 利

222

历(歷) lì

历史	lìshǐ	history; past records
历来	lìlái	always; all through the ages
日历	rìlì	calendar

4 画
合体字
厂部
1-4年级

历 历 历 历

励(勵) lì

鼓励	gǔlì	encourage; urge
奖励	jiǎnglì	award; reward
勉励	miǎnlì	encourage; urge

7 画
合体字
力部
5-6年级

励 励 励 历 历 励 励

厉(厲) lì

厉害	lìhai	gains and losses
严厉	yánlì	stern; severe
变本加厉	biànběnjiālì	be further intensified

5 画
合体字
厂部
5-6年级

厉 厉 厉 厉 厉

例(例) lì

例题	lìtí	example
例外	lìwài	be an exception
举例	jǔlì	give an example; cite an instance

8 画
合体字
亻部
5-6年级

例 例 亻 伂 伄 伢 例 例

梿(梿)

lián　　榴梿　　liúlián　　durian

✏️ 11 画

▢ 合体字

🏠 木部

👥 1-4年级

"辶" 楷体比宋体多一个弯曲。

梿梿梿梿梿梿梿
梿梿梿梿

连(连)

lián　　连同　　liántóng　　together with; along with

接连　　jiēlián　　join; link

✏️ 7 画

▢ 合体字

🏠 辶部

👥 1-4年级

"辶" 楷体比宋体多一个弯曲。

连连连连连连连

怜(怜)

lián　　可怜　　kělián　　have pity on

怜贫惜老　liánpín-xīlǎo　cherish the old and care for the poor

✏️ 8 画

▢ 合体字

🏠 忄部

👥 1-4年级

"令" 不是 "今"。

怜怜怜怜怜怜怜怜
怜

联(联)

lián　　联合　　liánhé　　unite; ally

联系　　liánxì　　contact; touch

春联　　chūnlián　　New Year scrolls

✏️ 12 画

▢ 合体字

🏠 耳部

👥 5-6年级

联联联联联联联
联联联联联

脸 (脸)

liǎn	脸	liǎn	face; countenance
	脸色	liǎnsè	complexion; look
	嘴脸	zuǐliǎn	look; features

✏️ 11 画

▨ 合体字

🏠 月部

🎓 1-4年级

丿 脸 脃 脸 脸 脸 脸 脸 脸 脸 脸 脸

链 (链)

liàn	链条	liàntiáo	chain
	拉链	lāliàn	zipper
	项链	xiàngliàn	necklace

✏️ 12 画

▨ 合体字

"辶" 楷体比宋体多一个弯曲。

🏠 钅(金)部

🎓 高级华文

链 链 链 链 链 链 钅 钅 钅 钅 铧 链 链

练 (练)

liàn	练习	liànxí	practise; exercise
	练兵	liànbīng	troop training; training
	磨练	móliàn	temper

✏️ 8 画

▨ 合体字

"东" 第四笔楷体是点，宋体是撇。

🏠 纟(糸)部

🎓 1-4年级

练 练 练 练 练 练 练 练

炼 (炼)

liàn	炼钢	liàngāng	steelmaking; steel-smelting
	锻炼	duànliàn	have physical training
	精炼	jīngliàn	refine; purify

✏️ 9 画

▨ 合体字

"东" 第四笔楷体是点，宋体是撇。

🏠 火部

🎓 5-6年级

炼 炼 炼 炼 炼 炼 炼 炼 炼

凉(涼) liáng

凉	liáng — cool; cold
凉爽	liángshuǎng — nice and cool; pleasantly cool
冰凉	bīngliáng — ice-cold

10 画

合体字

"京"第七笔楷体是点，宋体是撇。

冫部

1-4年级

凉凉凉凉凉凉凉凉凉凉

良(良) liáng

良好	liánghǎo — good; well
良师益友	liángshī-yìyǒu — good teacher and helpful friend
善良	shànliáng — kind-hearted

7 画

独体字

、(艮)部

1-4年级

良良良良良良良

量(量) liáng / liàng

量	liáng — measure
数量	shùliàng — quantity; amount
分量	fènliàng — weight; significance

12 画

合体字

日(日、里)部

1-4年级

量量量量量量量量量量量量

两(兩) liǎng

两	liǎng — two; fifty grams
两边	liǎngbiān — both sides; both parties
斤两	jīnliǎng — weight

7 画

独体字

一部

1-4年级

两两两两两两两

亮 (亮)

liàng

亮	liàng	bright; light
亮相	liàngxiàng	strike a pose on the stage; state one's views
漂亮	piàoliang	handsome; beautiful

- 9 画
- 合体字
- 亠部
- 1-4年级

"几" 不是 "儿"。

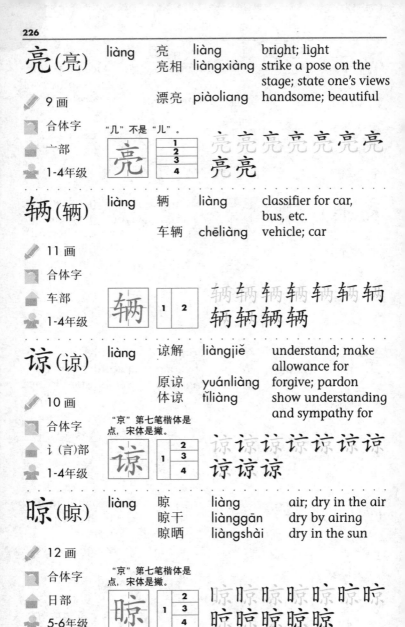

亮亮亮亮亮亮亮亮亮

辆 (輛)

liàng

辆	liàng	classifier for car, bus, etc.
车辆	chēliàng	vehicle; car

- 11 画
- 合体字
- 车部
- 1-4年级

辆辆辆辆辆辆辆辆辆辆辆

谅 (諒)

liàng

谅解	liàngjiě	understand; make allowance for
原谅	yuánliàng	forgive; pardon
体谅	tǐliàng	show understanding and sympathy for

- 10 画
- 合体字
- 讠(言)部
- 1-4年级

"京" 第七笔楷体是点，宋体是撇。

谅谅谅谅谅谅谅谅谅谅

晾 (晾)

liàng

晾	liàng	air; dry in the air
晾干	liànggān	dry by airing
晾晒	liàngshài	dry in the sun

- 12 画
- 合体字
- 日部
- 5-6年级

"京" 第七笔楷体是点，宋体是撇。

晾晾晾晾晾晾晾晾晾晾晾晾

疗 (疗)

liáo	疗养	liáoyǎng	recuperate; convalesce
	医疗	yīliáo	medical treatment
	治疗	zhìliáo	treat; cure

✏ 7 画

▧ 合体字

🏠 疒部

🎓 5-6年级

疗 疗 疗 疗 疗 疗 疗

了 (了)

liǎo	了结	liǎojié	settle; bring to an end
	明了	míngliǎo	understand; be clear about
le	来了	lái le	be here already

✏ 2 画

▧ 独体字

🏠 乙(乛)部

🎓 1-4年级

了 了

料 (料)

liào	料想	liàoxiǎng	expect; presume
	材料	cáiliào	material; data
	饮料	yǐnliào	drink; beverage

✏ 10 画

▧ 合体字

🏠 米(斗)部

🎓 1-4年级

料 料 料 半 半 米 米
米 料 料

劣 (劣)

liè	劣等	lièděng	of inferior quality; low-grade
	恶劣	èliè	odious; abominable
	低劣	dīliè	inferior; low-grade

✏ 6 画

▧ 合体字

"少"第二笔楷体是点，宋体是撇。

🏠 小(力)部

🎓 高级华文

劣 劣 劣 劣 劣 劣

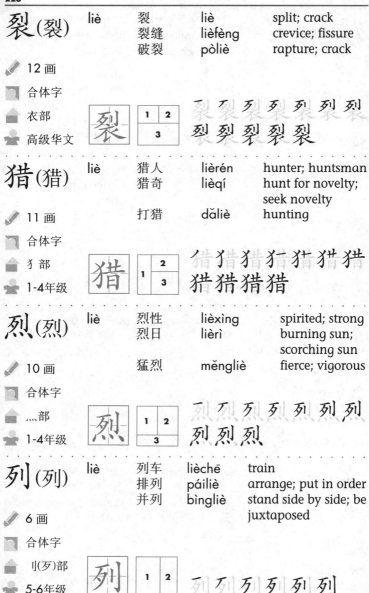

裂(裂) liè

裂	liè	split; crack
裂缝	lièfèng	crevice; fissure
破裂	pòliè	rapture; crack

12画
合体字
衣部
高级华文

猎(猎) liè

猎人	lièrén	hunter; huntsman
猎奇	lièqí	hunt for novelty; seek novelty
打猎	dǎliè	hunting

11画
合体字
犭部
1-4年级

烈(烈) liè

烈性	lièxìng	spirited; strong
烈日	lièrì	burning sun; scorching sun
猛烈	měngliè	fierce; vigorous

10画
合体字
灬部
1-4年级

列(列) liè

列车	lièchē	train
排列	páiliè	arrange; put in order
并列	bìngliè	stand side by side; be juxtaposed

6画
合体字
刂(歹)部
5-6年级

林(林)	lín	林业	línyè	forestry
		园林	yuánlín	gardens; park
		竹林	zhúlín	bamboo forest; bamboo grove

8 画
合体字
木部
1-4年级

林 | 1 | 2

林 林 木 木 杧 杧 材 林

邻(邻)	lín	邻居	línjū	neighbour
		邻近	línjìn	adjacent to; close to
		近邻	jìnlín	near neighbour

7 画
合体字
阝部
1-4年级

"令" 不是 "今"。

邻

丿 亽 亽 令 令 邻 邻

| 淋(淋) | lín | 淋湿 | línshī | be drenched |
| | | 淋浴 | línyù | shower bath; shower |

11 画
合体字
氵部
5-6年级

淋

淋 淋 淋 汁 汁 汁 汁 汁 淋 淋 淋

临(临)	lín	临近	línjìn	close to; close on
		临时	línshí	temporary; for a short time
		光临	guānglín	the honour of your presence

9 画
合体字
丨部
5-6年级

"川" 不是 "刂"。

临

临 临 临 临 临 临 临 临 临

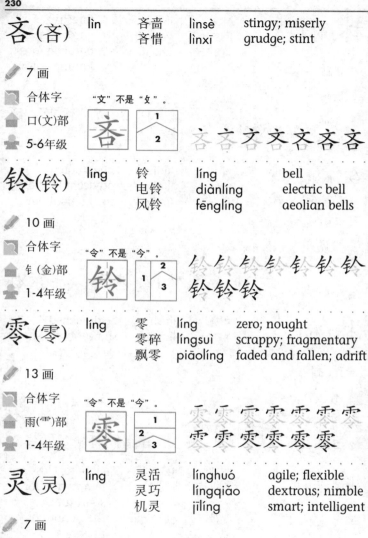

吝(吝) lìn

吝啬 lìnsè stingy; miserly
吝惜 lìnxī grudge; stint

7 画

合体字

口(文)部

5-6年级

"文" 不是 "夂"。

铃(铃) líng

铃 líng bell
电铃 diànlíng electric bell
风铃 fēnglíng aeolian bells

10 画

合体字

钅(金)部

1-4年级

"令" 不是 "今"。

零(零) líng

零 líng zero; nought
零碎 língsuì scrappy; fragmentary
飘零 piāolíng faded and fallen; adrift

13 画

合体字

雨(雫)部

1-4年级

"令" 不是 "今"。

灵(灵) líng

灵活 línghuó agile; flexible
灵巧 língqiǎo dextrous; nimble
机灵 jīlíng smart; intelligent

7 画

合体字

彐(火)部

5-6年级

"彐" 不是 "彐"。

龄(龄) líng

年龄	niánlíng	age
学龄	xuélíng	school age
乐龄	lèlíng	senior citizen

✏ 13 画

◻ 合体字

"凶"不是"凶"。
"令"不是"令"。

🏠 齿部

👤 5-6年级

领(领) lǐng

领袖	lǐngxiù	leader
领先	lǐngxiān	lead; be in the lead
本领	běnlǐng	ability; capability

✏ 11 画

◻ 合体字

"令"不是"令"。

🏠 页部

👤 1-4年级

令(令) lìng

命令	mìnglìng	order; command
口令	kǒulìng	password; watchword
法令	fǎlìng	decree; laws and decrees

✏ 5 画

◻ 合体字

🏠 人部

👤 1-4年级

另(另) lìng

| 另外 | lìngwài | in addition; besides |
| 另眼相看 | lìngyǎnxiāngkàn | see somebody in a new lignt |

✏ 5 画

◻ 合体字

🏠 口部

👤 1-4年级

溜(溜) liū

| 溜冰 | liūbīng | skating |
| 顺口溜 | shùnkǒuliū | doggerel; jingle |

liù

| 一溜烟 | yīliùyān | swiftly; in a flash |

13 画

合体字

亻部

1-4年级

"罒" 不是 "卯"。

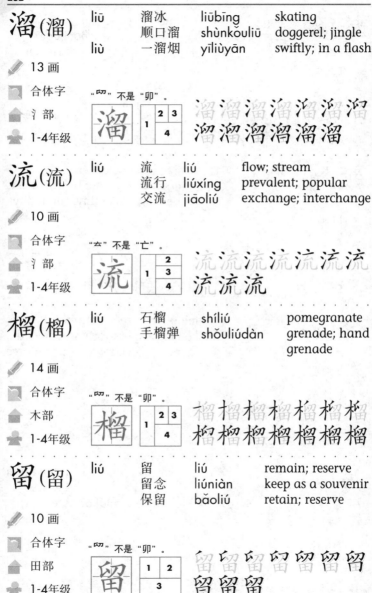

流(流) liú

流	liú	flow; stream
流行	liúxíng	prevalent; popular
交流	jiāoliú	exchange; interchange

10 画

合体字

亻部

1-4年级

"云" 不是 "亡"。

榴(榴) liú

| 石榴 | shíliú | pomegranate |
| 手榴弹 | shǒuliúdàn | grenade; hand grenade |

14 画

合体字

木部

1-4年级

"罒" 不是 "卯"。

留(留) liú

留	liú	remain; reserve
留念	liúniàn	keep as a souvenir
保留	bǎoliú	retain; reserve

10 画

合体字

田部

1-4年级

"罒" 不是 "卯"。

六(六)　liù　六　liù　six

- 4 画
- 合体字
- 亠(八)部
- 1-4年级

六 六 六 六

隆(隆)　lóng

隆重	lóngzhòng	grand; ceremonious
兴隆	xīnglóng	prosperous; thriving
路隆	lùlóng	road hump

- 11 画
- 合体字
- 阝部
- 高级华文

"夂"不是"夊"。

隆 隆 隆 隆 隆 隆 隆
隆 隆 隆 隆

笼(笼)

lóng	灯笼	dēnglong	lantern
	鸟笼	niǎolóng	birdcage
lǒng	笼统	lǒngtǒng	general; sweeping

- 11 画
- 合体字
- 竹(⺮)部
- 1-4年级

"龙"不是"尤"。

笼 笼 笼 笼 笼 笼 笼
笼 笼 笼 笼

龙(龙)　lóng

龙灯	lóngdēng	dragon lantern
龙卷风	lóngjuǎnfēng	tornado
来龙去脉	láilóng-qùmài	cause and effect

- 5 画
- 独体字
- 龙(尢)部
- 1-4年级

龙 龙 龙 龙 龙

聋 (聾) — lóng

聋子	lóngzi — deaf person
装聋作哑	zhuānglóng-zuòyǎ — pretend to be deaf and dumb

- 11 画
- 合体字
- 耳(龙)部
- 1-4年级

"龙" 不是 "尤"。

一 ナ 尢 聋 聋 聋 聋 聋 聋 聋 聋

楼 (樓) — lóu

楼房	lóufáng — building
茶楼	chálóu — teahouse
高楼大厦	gāolóu-dàshà — high buildings and large mansions

- 13 画
- 合体字
- 木部
- 1-4年级

楼 楼 楼 楼 楼 楼 楼 楼 楼 楼 楼 楼 楼

漏 (漏) — lòu

漏	lòu — leak; leave out
漏洞	lòudòng — leak; loophole
遗漏	yílòu — omit; leave out

- 14 画
- 合体字
- 氵部
- 5-6年级

漏 漏 漏 漏 漏 漏 漏 漏 漏 漏 漏 漏 漏 漏

炉 (爐) — lú

炉子	lúzi — stove; oven
电炉	diànlú — electric stove; hot plate

- 8 画
- 合体字
- 火部
- 5-6年级

"户" 不是 "卢"。

炉 炉 炉 炉 炉 炉 炉 炉

路(路) lù

路	lù	road; path
路途	lùtú	way; journey
思路	sīlù	train of thought; thinking

✏️ 13 画

🔲 合体字

📖 足(⻊)部

👥 1-4年级

"⼡" 不是 "夂"。

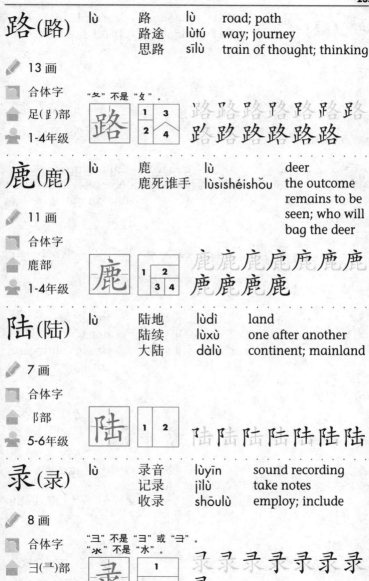

鹿(鹿) lù

鹿	lù	deer
鹿死谁手	lùsǐshéishǒu	the outcome remains to be seen; who will bag the deer

✏️ 11 画

🔲 合体字

📖 鹿部

👥 1-4年级

陆(陆) lù

陆地	lùdì	land
陆续	lùxù	one after another
大陆	dàlù	continent; mainland

✏️ 7 画

🔲 合体字

📖 阝部

👥 5-6年级

录(录) lù

录音	lùyīn	sound recording
记录	jìlù	take notes
收录	shōulù	employ; include

✏️ 8 画

🔲 合体字

📖 彐(彐)部

👥 5-6年级

"彐" 不是 "彐" 或 "彐"。
"氺" 不是 "水"。

碌(碌) lù

忙碌 mánglù busy about; be busy
劳碌 láolù work hard; toil

- 13 画
- 合体字 "ヨ" 不是 "ヨ" 或 "ヨ"。 "氺" 不是 "水"。
- 石部
- 5-6年级

露(露) lù / lòu

果子露 guǒzilù fruit syrup
露马脚 lòumǎjiǎo give oneself away; let the cat out of the bag

- 21 画
- 合体字 "夂" 不是 "夊"。
- 雨(⻗)部
- 5-6年级

旅(旅) lǚ

旅行 lǚxíng travel; tour
旅馆 lǚguǎn hotel
劲旅 jìnglǚ strong contingent; crack force

- 10 画
- 合体字 "𧀐" 不是 "氏"。
- 方部
- 1-4年级

绿(绿) lù

绿 lǜ green
绿茶 lǜchá green tea
红绿灯 hónglǜdēng traffic lights

- 11 画
- 合体字 "ヨ" 不是 "ヨ" 或 "ヨ"。 "氺" 不是 "水"。
- 纟(糸)部
- 1-4年级

律(律)

lǜ

法律	fǎlǜ	law; statute
规律	guīlǜ	law; regular pattern
律师	lǜshī	lawyer; solicitor

- 9 画
- 合体字
- 彳部
- 5-6年级

律 律 律 彳 律 律 律
律 律

虑(虑)

lǜ

考虑	kǎolǜ	think over
顾虑	gùlǜ	misgiving; apprehension
深思熟虑	shēnsī-shúlǜ	careful consideration

- 10 画
- 合体字

"心"第二笔楷体是卧钩，宋体是竖弯钩。

- 虍(心)部
- 5-6年级

虑 虑 虑 虍 卢 虑 虑
虑 虑 虑

滤(滤)

lǜ

| 过滤 | guòlǜ | filter |
| 滤纸 | lǜzhǐ | filter paper |

- 13 画
- 合体字

"心"第二笔楷体是卧钩，宋体是竖弯钩。

- 氵部
- 5-6年级

滤 滤 滤 滤 滤 滤 滤
泸 滤 滤 滤 滤 滤

卵(卵)

luǎn

| 卵生 | luǎnshēng | oviparity |
| 杀鸡取卵 | shājīqǔluǎn | kill the hen for its eggs; eat the calf in the cow's belly |

- 7 画
- 独体字
- 丿(卩)部
- 高级华文

卵 卵 卵 卵 卵 卵 卵

乱 (亂) luàn

乱	luàn	disorder; chaos
乱世	luànshì	trouble times
慌乱	huāngluàn	flustered; alarmed

7 画

合体字

舌(乙)部

1-4年级

乱 乱 手 手 舌 舌 乱

略 (略) lüè

略微	lüèwēi	slightly; a little
大略	dàlüè	generally; roughly
侵略	qīnlüè	agressive; invasion

11 画

合体字

"夂"不是"攵"。

田部

5-6年级

丿 略 口 略 日 略 田 略 町 眇 略 略 略 略

轮 (輪) lún

轮子	lúnzi	wheel
轮流	lúnliú	take turns; do things in turns
客轮	kèlún	passenger ship

8 画

合体字

"匕"不是"七"或"巳"。

车部

1-4年级

轮 轮 车 车 轮 轮 轮 轮

论 (論) lùn

讨论	tǎolùn	discuss; talkover
推论	tuīlùn	inference; deduction
论文	lùnwén	thesis; treatise

6 画

合体字

"匕"不是"七"或"巳"。

讠(言)部

1-4年级

论 论 论 论 论 论

锣(鑼)

luó

锣鼓	luógǔ	gong and drum
敲锣打鼓	qiāoluó-dǎgǔ	beat drums and strike gongs

13 画

合体字

钅(金)部

高级华文

箩(籮)

luó

箩	luó	a square-bottomed basket

14 画

合体字

竹(⺮)部

高级华文

罗(羅)

luó

罗列	luóliè	spread out; enumerate
罗汉	luóhàn	arhat
张罗	zhāngluó	take care of; attend to

8 画

合体字

罒部

5-6年级

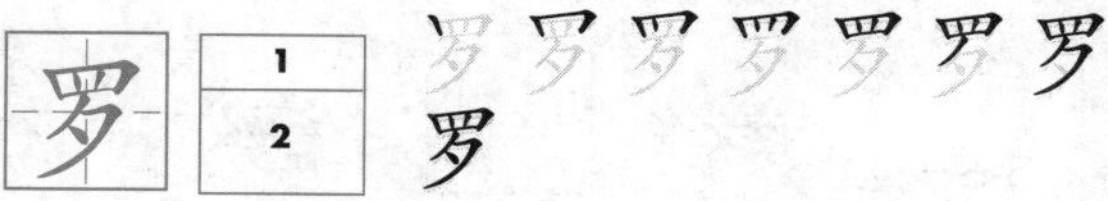

萝(蘿)

luó

萝卜	luóbo	radish

11 画

合体字

艹部

5-6年级

骆(駱) luò 骆驼 luòtuo camel

- 9 画
- 合体字
- 马部
- 高级华文

"夂" 不是 "夊"。

骆 马 马 马 驴 驴 骆
骆 骆

落(落) luò 落实 luòshí carry out; ascertain
角落 jiǎoluò corner; nook
là 落 là leave out; leave behind

- 12 画
- 合体字
- 艹部
- 1-4年级

"夂" 不是 "夊"。

落 落 落 落 落 落 茨
莎 茨 落 落 落

络(絡) luò 联络 liánluò get in touch with; contact
活络 huóluò loose; indefinite
网络 wǎngluò network

- 9 画
- 合体字
- 纟(糸)部
- 5-6年级

"夂" 不是 "夊"。

络 络 络 绞 绞 络 终
络 络

吗(嗎) ma 吗 ma indication of a question at the end of a sentence
mǎ 吗啡 mǎfēi morphine

- 6 画
- 合体字
- 口部
- 1-4年级

吗 吗 吗 吗 吗 吗

妈(媽)   mā   妈妈   māma   mummy; mum

- ✏ 6 画
- 🔲 合体字
- 🏠 女部
- 👥 1-4年级

乄 妈 妈 妈 妈 妈

麻(麻)   má   麻木   mámù   numb; insensitive
                    肉麻   ròumá   disgusting; nauseating
                    芝麻   zhīma   sesame; sesame seed

- ✏ 11 画
- 🔲 合体字
- 🏠 麻部
- 👥 1-4年级

麻 麻 麻 庁 庁 庁 庁
庁 麻 麻 麻

马(馬)   mǎ   马   mǎ   horse
                    马路   mǎlù   road; avenue
                    拍马   pāimǎ   flatter; fawn on

- ✏ 3 画
- 🔲 独体字
- 🏠 马部
- 👥 1-4年级

马 马 马

蚂(螞)   mǎ   蚂蚁   mǎyǐ   ant

- ✏ 9 画
- 🔲 合体字
- 🏠 虫部
- 👥 1-4年级

蚂 蚂 口 虫 虫 虫 虫
蚂 蚂

码(码) mǎ

码头	mǎtou	wharf; dock
尺码	chǐmǎ	size; measures
号码	hàomǎ	number

- 8 画
- 合体字
- 石部
- 1-4年级

骂(骂) mà

| 骂 | mà | abuse; curse |
| 叫骂 | jiàomà | shout curses |

- 9 画
- 合体字
- 口(马)部
- 1-4年级

埋(埋) mái

| 埋藏 | máicáng | bury; lie hidden in the earth |
| 埋没 | máimò | cover up; stifle |

mán

| 埋怨 | mányuàn | blame; complain |

- 10 画
- 合体字
- 土部
- 5-6年级

买(买) mǎi

买	mǎi	buy; purchase
买主	mǎizhǔ	buyer; customer
购买	gòumǎi	purchase; buy

- 6 画
- 合体字
- 乙(一、大)部
- 1-4年级

"乛" 不是 "ㄱ"。

卖 (卖) mài

卖	mài	sell; betray
卖力	màilì	exert all one's strength
小卖部	xiǎomàibù	snack counter

- 8 画
- 合体字
- 十(大)部
- 1-4年级

"龸" 不是 "𫇭"。

麦 (麦) mài

麦子	màizi	wheat
麦片	màipiàn	oatmeal
小麦	xiǎomài	wheat

- 7 画
- 合体字
- 麦部
- 5-6年级

"夂" 不是 "夕"。

满 (滿) mǎn

| 满 | mǎn | full; expire |
| 美满 | měimǎn | perfectly satisfactory |

- 13 画
- 合体字
- 氵部
- 1-4年级

"两" 不是 "雨"。

慢 (慢) màn

慢	màn	slow; postpone
快慢	kuàimàn	speed
傲慢	àomàn	arrogant; haughty

- 14 画
- 合体字
- 忄部
- 1-4年级

芒 (芒)

máng	芒果	mángguǒ	mongo
	光芒	guāngmáng	rays of light; radiance
	锋芒	fēngmáng	spearhead; abilities

6 画

合体字

艹 部

高级华文

芒芒芒芒芒芒

忙 (忙)

máng	忙	máng	busy; fully occupied
	忙乱	mángluàn	in a rush and a muddle
	急忙	jímáng	in a hurry; in a haste

6 画

合体字

忄部

1-4年级

忙忙忙忙忙忙

盲 (盲)

máng	盲人	mángrén	blind person
	盲从	mángcóng	follow blindly
	文盲	wénmáng	illiterate person

8 画

合体字

目部

5-6年级

盲盲盲盲盲盲盲
盲

猫 (猫)

māo	猫	māo	cat
	猫头鹰	māotóuyīng	owl
	熊猫	xióngmāo	panda

11 画

合体字

犭部

1-4年级

猫猫猫猫猫猫猫
猫猫猫猫

毛(毛)

máo

毛	máo	hair; feather
毛利	máolì	gross profit
羽毛球	yǔmáoqiú	badminton; shuttlecock

✏️ 4 画

独体字

毛部

1-4年级

毛 毛 毛 毛 毛

矛(矛)

máo

长矛	chángmáo	lance; pike
矛头	máotóu	spearhead
矛盾	máodùn	contradict; disagree

✏️ 5 画

独体字

矛部

5-6年级

矛 矛 矛 矛 矛

帽(帽)

mào

帽子	màozi	hat; cap
草帽	cǎomào	straw hat
乌纱帽	wūshāmào	official post

✏️ 12 画

合体字

巾部

1-4年级

"冃" 不是 "日"。

帽 帽 帽 帽 帽 帽 帽
帽 帽 帽 帽 帽

貌(貌)

mào

面貌	miànmào	look; appearance
相貌	xiàngmào	facial features; looks
美貌	měimào	good looks

✏️ 14 画

合体字

豸部

1-4年级

"白" 不是 "日"。

貌 貌 貌 貌 貌 貌 貌
貌 貌 貌 貌 貌 貌 貌

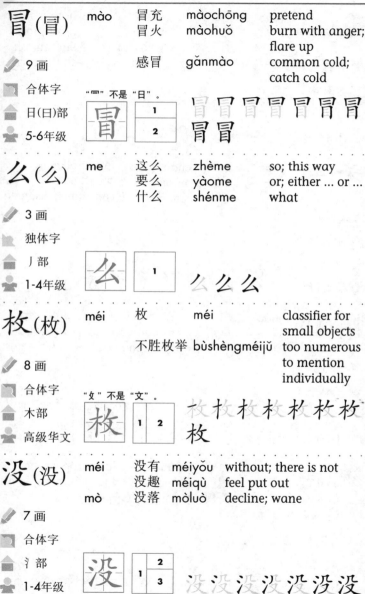

冒 (冒) | mào | 冒充 | màochōng | pretend
| | 冒火 | màohuǒ | burn with anger; flare up
9 画 | | 感冒 | gǎnmào | common cold; catch cold
合体字
日(日)部   "冃" 不是 "日"。
5-6年级

么 (么) | me | 这么 | zhème | so; this way
| | 要么 | yàome | or; either ... or ...
| | 什么 | shénme | what
3 画
独体字
丿部
1-4年级

枚 (枚) | méi | 枚 | méi | classifier for small objects
| | 不胜枚举 | bùshèngméijǔ | too numerous to mention individually
8 画
合体字   "攵" 不是 "文"。
木部
高级华文

没 (没) | méi | 没有 | méiyǒu | without; there is not
| | 没趣 | méiqù | feel put out
| mò | 没落 | mòluò | decline; wane
7 画
合体字
氵部
1-4年级

眉 (眉) méi

眉毛 méimáo — eyebrow; brow
扬眉吐气 yángméi-tǔqì — feel proud and elated

- 9 画
- 合体字
- 目部
- 1-4年级

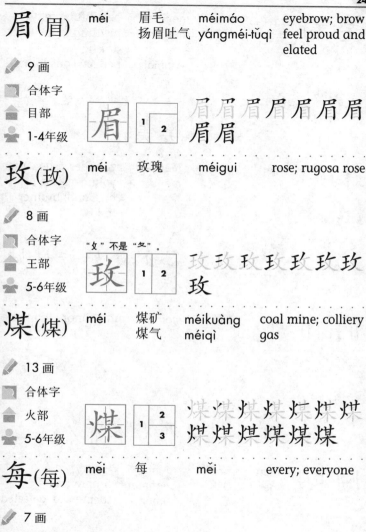

玫 (玫) méi

玫瑰 méigui — rose; rugosa rose

- 8 画
- 合体字
- "夂" 不是 "冬"。
- 王部
- 5-6年级

煤 (煤) méi

煤矿 méikuàng — coal mine; colliery
煤气 méiqì — gas

- 13 画
- 合体字
- 火部
- 5-6年级

每 (每) měi

每 měi — every; everyone

- 7 画
- 合体字
- 母(毋)部
- 1-4年级

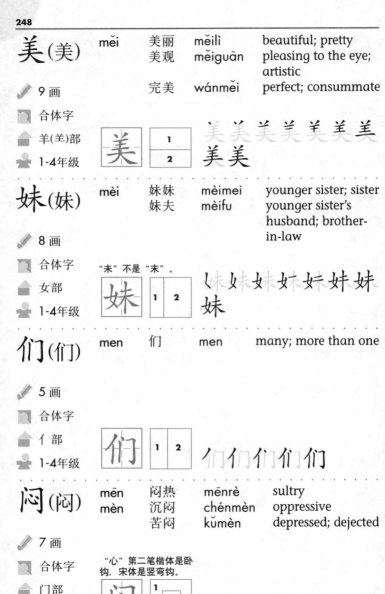

美(美)

měi

美丽	měilì	beautiful; pretty
美观	měiguān	pleasing to the eye; artistic
完美	wánměi	perfect; consummate

✏ 9 画

🔲 合体字

🏠 羊(羊)部

👤 1-4年级

妹(妹)

mèi

| 妹妹 | mèimei | younger sister; sister |
| 妹夫 | mèifu | younger sister's husband; brother-in-law |

✏ 8 画

🔲 合体字

🏠 女部

👤 1-4年级

"未"不是"末"。

们(们)

men

| 们 | men | many; more than one |

✏ 5 画

🔲 合体字

🏠 亻部

👤 1-4年级

闷(闷)

mēn
mèn

闷热	mēnrè	sultry
沉闷	chénmèn	oppressive
苦闷	kǔmèn	depressed; dejected

✏ 7 画

🔲 合体字

🏠 门部

👤 5-6年级

"心"第二笔楷体是卧钩，宋体是竖弯钩。

门 (门)

	mén	门	mén	door; gate
		门诊	ménzhěn	outpatient service
		分门别类	fēnmén-biélèi	put into different categories

- 3 画
- 独体字
- 门部
- 1-4年级

门 | ¹ | 丿 门 门

蒙 (蒙)

	mēng	蒙骗	mēngpiàn	cheat; hoodwink
	méng	蒙混	ménghùn	deceive; mislead
	měng	蒙古	Měnggǔ	Mongolia

- 13 画
- 合体字
- 艹部
- 高级华文

蒙 | 1 2 3 4 | 蒙蒙蒙蒙蒙蒙蒙 蒙蒙蒙蒙蒙蒙

猛 (猛)

	měng	猛烈	měngliè	fierce
		勇猛	yǒngměng	bold and powerful
		突飞猛进	tūfēi-měngjìn	advance by leaps and bounds

- 11 画
- 合体字
- 犭部
- 5-6年级

猛 | 1 2 / 3 | 犭犭犭犭犭犭犭 猛猛猛猛

梦 (梦)

	mèng	梦	mèng	dream
		梦想	mèngxiǎng	dream of
		做梦	zuòmèng	dream

- 11 画
- 合体字
- 夕部
- 1-4年级

梦 | 1 2 3 | 梦梦梦梦梦梦梦 林林梦梦

迷 (迷)

mí

迷宫	mígōng	labyrinth; maze
迷路	mílù	lose one's way; get lost
球迷	qiúmí	(ball game) fan

- 9 画
- 合体字
- 辶部
- 1-4年级

"辶"楷体比宋体多一个弯曲。

谜 (谜)

mí

谜语	míyǔ	riddle; puzzle
灯谜	dēngmí	lantern riddle
字谜	zìmí	riddle about a character; word puzzle

- 11 画
- 合体字
- 讠(言)部
- 1-4年级

"辶"楷体比宋体多一个弯曲。

米 (米)

mǐ

米	mǐ	rice; metre
米酒	mǐjiǔ	rice wine
虾米	xiāmi	shelled shrimps

- 6 画
- 独体字
- 米部
- 1-4年级

蜜 (蜜)

mì

| 蜜蜂 | mìfēng | honeybee; bee |
| 甜言蜜语 | tiányán-mìyǔ | fine-sounding words |

- 14 画
- 合体字
- 宀部
- 1-4年级

"必"第二笔楷体是卧钩，宋体是竖弯钩。

秘(秘)	mì	秘密	mìmì	secret; clandestine
		秘书	mìshū	secretary
	bì	秘鲁	Bìlǔ	Peru

✏️ 10 画

📄 合体字

🏠 禾部

🎓 1-4年级

"必"第二笔楷体是卧钩，宋体是竖弯钩。

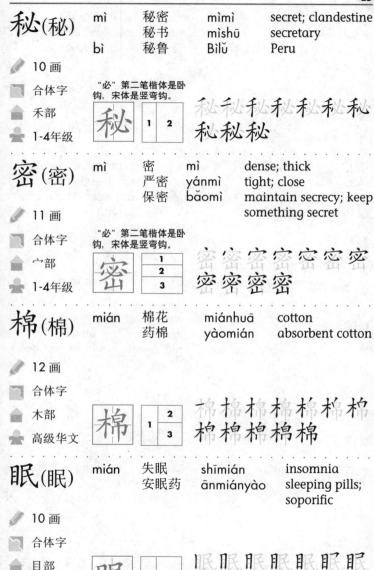

秘秘秘秘秘秘秘
秘秘秘

密 (密)	mì	密	mì	dense; thick
		严密	yánmì	tight; close
		保密	bǎomì	maintain secrecy; keep something secret

✏️ 11 画

📄 合体字

🏠 宀部

🎓 1-4年级

"必"第二笔楷体是卧钩，宋体是竖弯钩。

密密密密密密密
密密密密

| 棉(棉) | mián | 棉花 | miánhuā | cotton |
| | | 药棉 | yàomián | absorbent cotton |

✏️ 12 画

📄 合体字

🏠 木部

🎓 高级华文

棉棉棉棉棉棉棉
棉棉棉棉棉

| 眠(眠) | mián | 失眠 | shīmián | insomnia |
| | | 安眠药 | ānmiányào | sleeping pills; soporific |

✏️ 10 画

📄 合体字

🏠 目部

🎓 5-6年级

眠眠眠眠眠眠眠
眠眠眠

免(免) miǎn

免费	miǎnfèi	free; gratis
避免	bìmiǎn	avoid; refrain from
难免	nánmiǎn	hard to avoid

7 画

独体字

刀(⺈)部

1-4年级

免 免 免 免 免 免 免 免

勉(勉) miǎn

| 慰勉 | wèimiǎn | comfort and encourage; be relieved |
| 勉强 | miǎnqiǎng | manage with an effort; do with difficulty |

9 画

合体字

力部

5-6年级

勉 勉 勉 免 免 免 免 免 免 勉

面(面) miàn

面孔	miànkǒng	face
面包	miànbāo	bread
前面	qiánmian	in front; ahead

9 画

独体字

一部

1-4年级

面 面 面 面 面 而 而 面 面

苗(苗) miáo

| 禾苗 | hémiáo | seedlings of cereal crops |
| 苗条 | miáotiao | slender; slim |

8 画

合体字

艹部

1-4年级

苗 苗 苗 苗 苗 苗 苗 苗

秒(秒)	miǎo	秒 分秒必争	miǎo fēnmiǎo-bìzhēng	second seize every minute and second

🖊 9 画

合体字

"少"第二笔楷体是点，宋体是撇。

禾部

1-4年级

秒秒秒秒秒秒秒
秒秒

妙(妙)	miào	妙用 美妙	miàoyòng měimiào	magical effect splendid; wonderful

🖊 7 画

合体字

"少"第二笔楷体是点，宋体是撇。

女部

1-4年级

〈 女 女 女 妙 妙 妙

庙(庙)	miào	庙 寺庙	miào sìmiào	temple; shrine monastery; mosque

🖊 8 画

合体字

广部

5-6年级

庙庙庙庙庙庙庙
庙

灭(灭)	miè	灭火 消灭 扑灭	mièhuǒ xiāomiè pūmiè	put out a fire; extinguish a fire perish; die out stamp out; put out

🖊 5 画

合体字

火部

1-4年级

灭灭灭灭灭

民(民)　mín

民用	mínyòng	civil; for civil use
民族	mínzú	nation; race
人民	rénmín	people

5 画

独体字

乙(乛)部

1-4年级

民 民 民 民 民

敏(敏)　mǐn

敏感	mǐngǎn	sensitive; susceptible
灵敏	língmǐn	agile; sensitive
机敏	jīmǐn	alert and resourceful

11 画

合体字

"攵"不是"夂"。

攵 部

高级华文

敏 敏 匕 匃 匄 每 每 每 每 敏 敏

鸣(鳴)　míng

| 鸣 | míng | ring; the cry of birds |
| 共鸣 | gòngmíng | resonance; sympathetic |

8 画

合体字

"鸟"不是"乌"。

口(鸟)部

高级华文

鸣 鸣 鸣 鸣 鸣 鸣 鸣 鸣

明(明)　míng

明天	míngtiān	tomorrow
发明	fāmíng	invent; invention
文明	wénmíng	civilization; culture

8 画

合体字

日部

1-4年级

明 明 明 日 旫 明 明 明

名(名) míng 名字 míngzi name
名贵 míngguì famous and precious; rare

✏️ 6画
合体字
"夕"不是"夊"。
夕(口)部
1-4年级
名 ⁄ 1 ⁄ 2
名 ⁄ ⁄ 夕 夕 名 名

命(命) mìng 命名 mìngmíng name; denominate
生命 shēngmìng life; breath
革命 gémìng revolution

✏️ 8画
合体字
"卩"不是"阝"。
人部
1-4年级
命 ⁄ 1 ⁄ 2 ⁄ 3 4
命 ⁄ ⁄ 命 命 命 命 命 命 命

摸(摸) mō 摸 mō feel; touch
摸索 mōsuǒ grope; fumble
捉摸 zhuōmō fathom; ascertain

✏️ 13画
合体字
扌部
1-4年级
摸 ⁄ 1 ⁄ 2 ⁄ 3 ⁄ 4
摸 摸 摸 摸 摸 摸 摸 摸 摸 摸 摸 摸 摸

模(模) mó 模范 mófàn model; an exemplary person or thing
模糊 móhu blurred; dim
mú 模样 múyàng appearance; look

✏️ 14画
合体字
木部
1-4年级
模 ⁄ 1 ⁄ 2 ⁄ 3 ⁄ 4
模 模 模 模 模 模 模 模 模 模 模 模 模 模

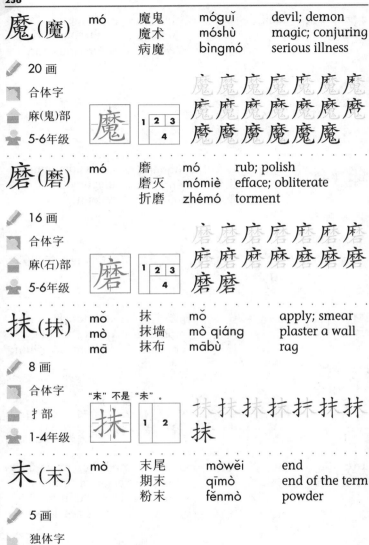

魔(魔) mó

魔鬼	móguǐ	devil; demon
魔术	móshù	magic; conjuring
病魔	bìngmó	serious illness

- 20 画
- 合体字
- 麻(鬼)部
- 5-6年级

磨(磨) mó

磨	mó	rub; polish
磨灭	mómiè	efface; obliterate
折磨	zhémó	torment

- 16 画
- 合体字
- 麻(石)部
- 5-6年级

抹(抹) mǒ / mò / mā

抹	mǒ	apply; smear
抹墙	mò qiáng	plaster a wall
抹布	mābù	rag

- 8 画
- 合体字
- 扌部
- 1-4年级

"末" 不是 "未"。

末(末) mò

末尾	mòwěi	end
期末	qīmò	end of the term
粉末	fěnmò	powder

- 5 画
- 独体字
- 一(木)部
- 高级华文

漠(漠)	mò	沙漠 漠不关心	shāmò mòbùguānxīn	desert indifferent; unconcerned

13 画

合体字

氵部

高级华文

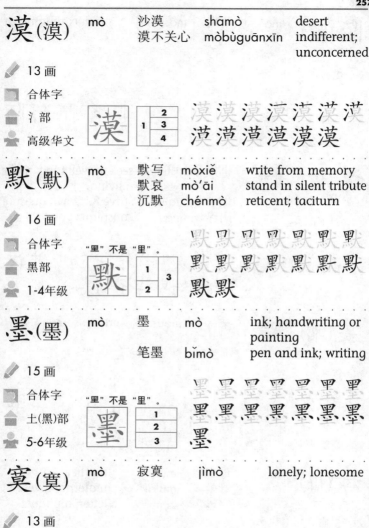

默(默)	mò	默写 默哀 沉默	mòxiě mò'āi chénmò	write from memory stand in silent tribute reticent; taciturn

16 画

合体字

"里" 不是 "里"。

黑部

1-4年级

墨(墨)	mò	墨 笔墨	mò bǐmò	ink; handwriting or painting pen and ink; writing

15 画

合体字

"里" 不是 "里"。

土(黑)部

5-6年级

寞(寞)	mò	寂寞	jìmò	lonely; lonesome

13 画

合体字

宀部

5-6年级

陌 (陌)　mò　陌生　mòshēng　strange; unfamiliar

8 画
合体字
阝部
5-6年级

陌陌陌陌陌陌陌陌

谋 (謀)　móu
谋生　móushēng　seek a livelihood; make a living
谋求　móuqiú　strive for; be in quest of
阴谋　yīnmóu　conspiracy; plot

11 画
合体字
讠(言)部
5-6年级

谋谋谋谋谋谋谋谋谋谋谋

某 (某)　mǒu　某　mǒu　certain; some

9 画
合体字
木部
高级华文

某某某某某某某某某

母 (母)　mǔ
母亲　mǔqīn　mother
母爱　mǔ'ài　maternal love
字母　zìmǔ　letter; alphabet

5 画
独体字
母部
1-4年级

母母母母母

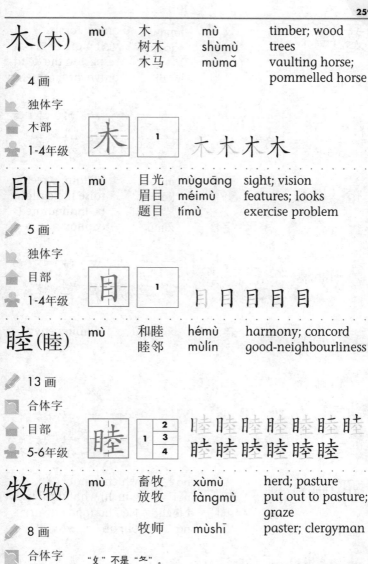

木(木) mù

木	mù	timber; wood
树木	shùmù	trees
木马	mùmǎ	vaulting horse; pommelled horse

4 画
独体字
木部
1-4年级

一 十 木 木

目(目) mù

目光	mùguāng	sight; vision
眉目	méimù	features; looks
题目	tímù	exercise problem

5 画
独体字
目部
1-4年级

门 月 月 月 目

睦(睦) mù

| 和睦 | hémù | harmony; concord |
| 睦邻 | mùlín | good-neighbourliness |

13 画
合体字
目部
5-6年级

牧(牧) mù

畜牧	xùmù	herd; pasture
放牧	fàngmù	put out to pasture; graze
牧师	mùshī	paster; clergyman

8 画
合体字
牛(牜)部
5-6年级

"攵"不是"夂"。

墓(墓) mù

坟墓 fénmù grave; tomb
扫墓 sǎomù visit a grave to pay respect to the dead
墓地 mùdì graveyard; cemetery

13 画
合体字
艹(土)部
5-6年级

墓

墓 墓 墓 墓 艹 苦 苜
草 莫 莫 莫 墓 墓

幕(幕) mù

幕布 mùbù curtain; screen
开幕 kāimù raise the curtain; be inaugurated
字幕 zìmù captions

13 画
合体字
艹(巾)部
5-6年级

幕

幕 幕 幕 幕 艹 苦 苜
草 莫 莫 莫 幕 幕

慕(慕) mù

羡慕 xiànmù admire; envy

14 画
合体字
艹(忄)部
5-6年级

"忄" 不是 "小"。

慕

慕 慕 慕 慕 艹 苦 苜
草 莫 莫 莫 慕 慕 慕

哪(哪) nǎ
nei
né
na

哪 nǎ which; what
哪 nei which; what (oral usage)
哪吒 Nézhā Ne Zha (god of war)
哪 na oh; ah

9 画
合体字
口部
1-4年级

哪

丶 叮 叩 叮 叮 叮 叩 哵
哪 哪 哪

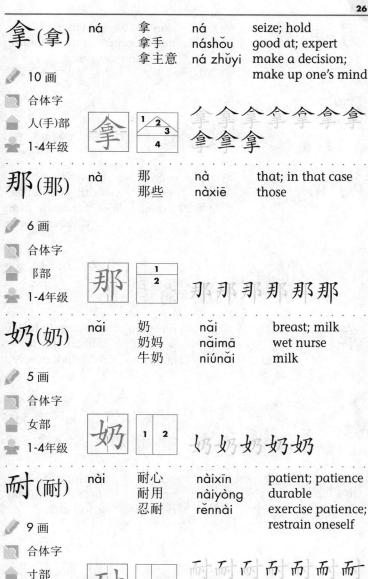

拿(拿)	ná	拿	ná	seize; hold
		拿手	náshǒu	good at; expert
		拿主意	ná zhǔyi	make a decision; make up one's mind

10 画

合体字

人(手)部

1-4年级

丿 人 今 今 今 拿 拿 拿 拿 拿

| 那(那) | nà | 那 | nà | that; in that case |
| | | 那些 | nàxiē | those |

6 画

合体字

阝部

1-4年级

乛 刁 刁 那 那 那

奶(奶)	nǎi	奶	nǎi	breast; milk
		奶妈	nǎimā	wet nurse
		牛奶	niúnǎi	milk

5 画

合体字

女部

1-4年级

乚 奶 奶 奶 奶

耐(耐)	nài	耐心	nàixīn	patient; patience
		耐用	nàiyòng	durable
		忍耐	rěnnài	exercise patience; restrain oneself

9 画

合体字

寸部

1-4年级

耐 耐 耐 丙 而 而 而 耐 耐

男 (男)

nán

男	nán	male
男装	nánzhuāng	men's clothing
男子汉	nánzǐhàn	man

7 画

合体字

田(力)部

1-4年级

男 男 男 男 男 男 男

南 (南)

nán

南	nán	south
南极	nánjí	the South Pole
天南地北	tiānnán-dìběi	far apart; from different places

9 画

合体字

"南"不是"芮"。

十部

1-4年级

南 南 南 南 南 南 南 南 南

难 (难)

nán

| 难受 | nánshòu | feel unwell; feel ill |
| 艰难 | jiānnán | difficult; hard |

nàn

| 苦难 | kǔnàn | suffering; misery |

10 画

合体字

"佳"不是"住"。

又(隹)部

1-4年级

难 难 难 难 难 难 难 难 难 难

脑 (脑)

nǎo

脑子	nǎozi	brain; head
脑力	nǎolì	brains; mentality
电脑	diànnǎo	computer

10 画

合体字

月部

1-4年级

脑 脑 脑 脑 脑 脑 脑 脑 脑 脑

恼(惱)	nǎo	恼火	nǎohuǒ	annoyed; irritated
		恼怒	nǎonù	angry; furious
		烦恼	fánnǎo	worry; be vexed

9 画

合体字

忄 部

5-6年级

恼 恼 恼 恼 恼 恼 恼 恼 恼

闹(鬧)	nào	闹	nào	noisy; stir up trouble
		闹市	nàoshì	downtown area; busy shopping centre
		热闹	rènao	lively; bustling with noise and excitement

8 画

合体字

门部

1-4年级

闹 闹 闹 闹 闹 闹 闹 闹

| 呢(呢) | ne | 呢 | ne | modal particle at the end of an interrogative sentence |
| | ní | 花呢 | huāní | fancy suiting; tweed |

8 画

合体字

"匕"不是"乚"。

口部

1-4年级

呢 呢 呢 呢 呢 呢 呢 呢

内(內)	nèi	内部	nèibù	internal; interior
		内容	nèiróng	content; substance
		日内	rìnèi	in a couple of days; in a few days

4 画

独体字

冂部

5-6年级

内 内 内 内

嫩(嫩) nèn

嫩芽	nèn yá	tender shoot
细嫩	xìnèn	delicate; tender
鲜嫩	xiānnèn	fresh and tender

14 画

合体字
"束"不是"束"。
"攵"不是"夂"。

女部

高级华文

嫩 | 1 2 3

丨 ㄥ 女 妒 妒 妒 姤 姤
婞 婞 婞 嫰 嫩 嫩 嫩

能(能) néng

能	néng	can; be able to
能力	nénglì	ability; capability
功能	gōngnéng	function

10 画

合体字

厶部

1-4年级

能 | 1 3 / 2 4

能 能 能 能 能 能 能
能 能 能

泥(泥) ní

泥	ní	mud; mashed
烂泥	lànní	slush
拖泥带水	tuōní-dàishuǐ	messy; slovenly

8 画

合体字
"匕"不是"㇇"。

氵部

1-4年级

泥 | 2 / 1 3

泥 泥 泥 泥 泥 泥 泥
泥

你(你) nǐ

你	nǐ	you

7 画

合体字
"尔"第四笔楷体是点，
宋体是撇。

亻部

1-4年级

你 | 1 2 / 3

你 你 你 你 你 你 你

年(年)	nián	年	nián	year
		年龄	niánlíng	age
		少年	shàonián	juvenile

6 画

独体字

丿部

1-4年级

年 车 午 乍 年 年

念(念)	niàn	念头	niàntou	thought; idea
		纪念	jìniàn	commemorate; souvenir
		想念	xiǎngniàn	miss; long to see again

8 画

合体字

"心"第二笔楷体比宋体多一个弯曲。

心部

1-4年级

念 念 念 念 念 念 念 念

娘(娘)	niáng	娘	niáng	mother
		大娘	dàniáng	aunt; wife of father's elder brother
		姑娘	gūniang	girl; daughter

10 画

合体字

女部

1-4年级

娘 娘 女 娘 娘 娘 娘 娘 娘 娘

鸟(鸟)	niǎo	鸟	niǎo	bird
		益鸟	yìniǎo	beneficial bird
		鸟语花香	niǎoyǔ-huāxiāng	singing birds and fragrant flowers

5 画

独体字

鸟部

1-4年级

鸟 鸟 鸟 鸟 鸟

您(您)

nín 您 nín you

- 11 画
- 合体字
- 心部
- 1-4年级

"尔"第四笔楷体是点，宋体是撇。
"心"第二笔楷体比宋体多一个弯曲。

您您您您您您您
您您您您

宁(宁)

níng	宁静	níngjìng	peaceful; tranquil
	安宁	ānníng	calm; free from worry
nìng	宁可	nìngkě	would rather; better

- 5 画
- 合体字
- 宀部
- 高级华文

宁宁宁宁宁

牛(牛)

niú	牛	niú	ox
	吹牛	chuīniú	boast; brag
	对牛弹琴	duìniútánqín	play the lute to an ox-choose the wrong audience

- 4 画
- 独体字
- 牛部
- 1-4年级

牛午牛牛

扭(扭)

niǔ	扭动	niǔdòng	turn; twist
	扭转	niǔzhuǎn	turn back; turn round
	别扭	bièniu	awkward; can not see eye to eye

- 7 画
- 合体字
- 扌部
- 高级华文

扭扭扭扭扭扭扭

| 钮(钮) | niǔ | 电钮 | diànniǔ | electric button; push button |

- 9 画
- 合体字
- 钅(金)部
- 5-6年级

钮 | 1 2

钮 钮 钮 钮 钮 钮 钮 钮 钮

农(农)	nóng	农民	nóngmín	peasant; farmer
		农作物	nóngzuòwù	crops
		菜农	càinóng	vegetable grower

- 6 画
- 独体字
- 冖部
- 1-4年级

农 | 1

农 农 农 农 农 农

浓(浓)	nóng	浓	nóng	dense; thick
		浓度	nóngdù	density; concentration
		浓缩	nóngsuō	condense; enrich

- 9 画
- 合体字
- 氵部
- 5-6年级

浓 | 1 2

浓 浓 浓 浓 浓 浓 浓 浓 浓

弄(弄)	nòng	弄	nòng	play with; handle
		搬弄	bānnòng	move something about; fiddle with
	lòng	弄	lòng	lane; alley

- 7 画
- 合体字
- 王(卄)部
- 1-4年级

弄 | 1 / 2

弄 弄 弄 弄 弄 弄 弄

努(努)

nǔ

努力   nǔlì   make great efforts; try hard

努嘴   nǔzuǐ   pout one's lips as a signal

7 画

合体字

力部

1-4年级

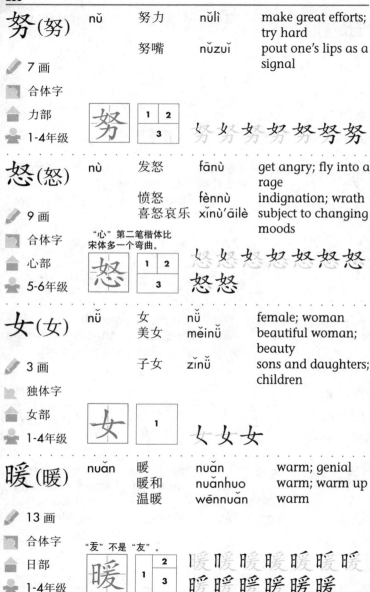

努 努 努 奴 奴 努 努

怒(怒)

nù

发怒   fānù   get angry; fly into a rage

愤怒   fènnù   indignation; wrath

喜怒哀乐   xǐnù'āilè   subject to changing moods

9 画

合体字

"心"第二笔楷体比宋体多一个弯曲。

心部

5-6年级

怒 怒 怒 怒 奴 怒 怒 怒 怒

女(女)

nǚ

女   nǚ   female; woman

美女   měinǚ   beautiful woman; beauty

子女   zǐnǚ   sons and daughters; children

3 画

独体字

女部

1-4年级

女 女 女

暖(暖)

nuǎn

暖   nuǎn   warm; genial

暖和   nuǎnhuo   warm; warm up

温暖   wēnnuǎn   warm

13 画

合体字

"爰"不是"友"。

日部

1-4年级

暖 暖 暖 暖 暖 暖 暖 暖 暖 暖 暖 暖 暖

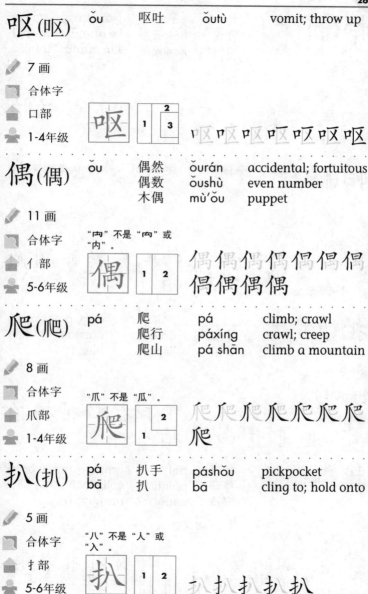

呕(呕) ǒu　呕吐　ǒutù　vomit; throw up

7 画
合体字
口部
1-4年级

呕呕呕呕呕呕呕

偶(偶) ǒu
偶然　ǒurán　accidental; fortuitous
偶数　ǒushù　even number
木偶　mù'ǒu　puppet

11 画
合体字　"禺"不是"禸"或"内"。
亻部
5-6年级

偶偶偶偶偶偶偶偶偶偶偶

爬(爬) pá
爬　pá　climb; crawl
爬行　páxíng　crawl; creep
爬山　pá shān　climb a mountain

8 画
合体字　"爪"不是"瓜"。
爪部
1-4年级

爬爬爬爬爬爬爬爬

扒(扒) pá　扒手　páshǒu　pickpocket
bā　扒　bā　cling to; hold onto

5 画
合体字　"八"不是"人"或"入"。
扌部
5-6年级

扒扒扒扒扒

怕(怕) pà

怕	pà	fear; dread
害怕	hàipà	be afraid; be scared
恐怕	kǒngpà	I'm afraid; I think

✏️ 8 画

🔲 合体字

🏠 忄部

👤 1-4年级

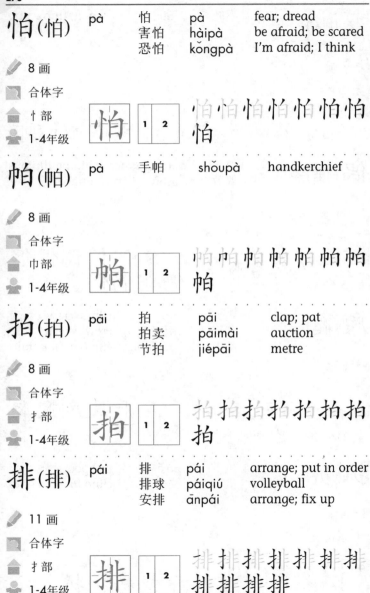

怕 怕 怕 怕 怕 怕 怕 怕

帕(帕) pà

| 手帕 | shǒupà | handkerchief |

✏️ 8 画

🔲 合体字

🏠 巾部

👤 1-4年级

丨 冂 帕 帕 帕 帕 帕 帕

拍(拍) pāi

拍	pāi	clap; pat
拍卖	pāimài	auction
节拍	jiépāi	metre

✏️ 8 画

🔲 合体字

🏠 扌部

👤 1-4年级

拍 拍 拍 拍 拍 拍 拍 拍

排(排) pái

排	pái	arrange; put in order
排球	páiqiú	volleyball
安排	ānpái	arrange; fix up

✏️ 11 画

🔲 合体字

🏠 扌部

👤 1-4年级

排 排 排 排 排 排 排 排 排 排 排

牌(牌)	pái	大牌	dàpái	block
		门牌	ménpái	number plate; house number
✏️ 12 画		金牌	jīnpái	golden medal

📖 合体字
"⻆" 不是 "甲"。

🏛️ 片部

👤 1-4年级

牌 牌 牌 牌 牌 牌 牌
牌 牌 牌 牌 牌

派(派)	pài	派	pài	school; assign
		派别	pàibié	group; faction
		气派	qìpài	manner; style
✏️ 9 画				

📖 合体字
"氏" 不是 "氐"。

🏛️ 氵部

👤 1-4年级

派 派 派 派 派 派 派
派 派

盘(盤)	pán	盘子	pánzi	tray; dish
		盘问	pánwèn	cross-examine; interrogate
✏️ 11 画		方向盘	fāngxiàngpán	steering wheel

📖 合体字

🏛️ 皿部

👤 1-4年级

盘 ノ 力 力 舟 舟 舟
舟 盘 盘 盘

盼(盼)	pàn	盼望	pànwàng	look forward to; hope for
		左顾右盼	zuǒgù-yòupàn	glance right and left
✏️ 9 画				

📖 合体字
"八" 不是 "入" 或 "人"。

🏛️ 目部

👤 高级华文

盼 盼 盼 盼 盼 盼 盼
盼 盼

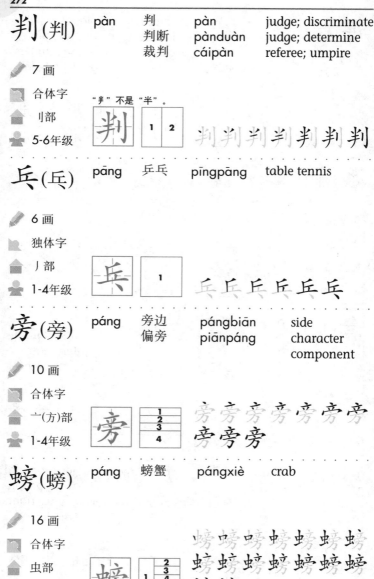

判(判)

pàn

判	pàn	judge; discriminate
判断	pànduàn	judge; determine
裁判	cáipàn	referee; umpire

✏️ 7 画

🧩 合体字

🏠 刂部

👤 5-6年级

"⺶" 不是 "半"。

1 2

判 判 判 ⺶ 半 判 判

兵(乓)

pāng

| 乒乓 | pīngpāng | table tennis |

✏️ 6 画

🧩 独体字

🏠 丿部

👤 1-4年级

1

乒 乒 乒 乒 乓 乓

旁(旁)

páng

| 旁边 | pángbiān | side |
| 偏旁 | piānpáng | character component |

✏️ 10 画

🧩 合体字

🏠 亠(方)部

👤 1-4年级

1
2
3
4

旁 旁 旁 旁 旁 旁 旁
旁 旁 旁

螃(螃)

páng

| 螃蟹 | pángxiè | crab |

✏️ 16 画

🧩 合体字

🏠 虫部

👤 5-6年级

2
3
4
5

螃 螃 螃 虫 虫 虫 虫
螃 螃 螃 螃 螃 螃 螃
螃 螃

胖 (胖)

	pàng	胖	pàng	fat; stout
		肥胖	féipàng	fat; corpulent
	pán	心广体胖	xīnguǎng-tǐpán	carefree and contended

✏️ 9 画

▢ 合体字

⬛ 月部

👤 1-4年级

胖 | 1 | 2

丿 刀 月 月 月 月 胖 胖 胖

抛 (抛)

	pāo	抛	pāo	throw; toss
		抛弃	pāoqì	abandon; forsake
		抛头露面	pāotóu-lùmiàn	appear in public; show one's face in public

✏️ 7 画

▢ 合体字

⬛ 扌部

👤 5-6年级

抛 | 1 | 2 | 3

抛 抛 抛 扚 扚 抛 抛

袍 (袍)

	páo	袍子	páozi	robe; gown
		旗袍	qípáo	close-fitting woman's gown; cheongsam

✏️ 10 画

▢ 合体字

"衤" 不是 "礻"。

⬛ 衤部

👤 高级华文

袍 | 1 | 2 | 3

袍 袍 袍 袍 袍 袍 袍 袍 袍 袍

炮 (炮)

	páo	炮制	páozhì	concoct; cook up
	pào	礼炮	lǐpào	salvo; gun salute
	bāo	炮羊肉	bāoyángròu	quick-fried mutton

✏️ 9 画

▢ 合体字

⬛ 火部

👤 5-6年级

炮 | 1 | 2 | 3

炮 炮 炮 炮 炮 炮 炮 炮 炮

跑(跑) pǎo

跑	pǎo	run; flee
跑道	pǎodào	runway; track
逃跑	táopǎo	run away; take flight

12 画

合体字

足(⻊)部

1-4年级

陪(陪) péi

陪	péi	accompany; look after
陪伴	péibàn	keep somebody company
失陪	shīpéi	excuse me, but I must be leaving now

10 画

合体字

阝部

1-4年级

培(培) péi

培养	péiyǎng	foster; develop
培训	péixùn	cultivate; train
栽培	zāipéi	cultivate; educate

11 画

合体字

土部

1-4年级

赔(赔) péi

| 赔偿 | péicháng | compensate; pay for |
| 退赔 | tuìpéi | return what one has unlawfully taken and pay compensation for it |

12 画

合体字

贝部

5-6年级

| 配(配) | pèi | 配
配备
支配 | pèi
pèibèi
zhīpèi | join in marriage
provide; fit out
control; budget |

✏ 10 画

▦ 合体字

"酉" 不是 "西"。
"己" 不是 "已" 或
"巳"。

🏠 酉部

🎓 1-4年级

配 配 丆 丙 西 西 酉
配 配 配

| 佩(佩) | pèi | 佩带
佩服
敬佩 | pèidài
pèifú
jìngpèi | wear
admire
esteem; admire |

✏ 8 画

▦ 合体字

"巾" 不是 "币"。

🏠 亻部

🎓 5-6年级

佩 佩 亻 仴 仴 佩 佩
佩

| 喷(噴) | pēn

pèn | 喷
喷水池
喷香 | pēn
pēnshuǐchí
pènxiāng | spurt; spray
fountain
fragrant; delicious |

✏ 12 画

▦ 合体字

🏠 口部

🎓 1-4年级

喷 喷 喷 吥 吥 喷 喷
喷 喷 喷 喷 喷

| 盆(盆) | pén | 盆子
盆地
聚宝盆 | pénzi
péndì
jùbǎopén | tub; pot
basin
cornucopia; place
rich in natural
resources |

✏ 9 画

▦ 合体字

"八" 不是 "入" 或
"人"。

🏠 皿部

🎓 1-4年级

盆 盆 分 分 分 盆 盆
盆 盆

棚(棚)

péng   棚   péng   canopy; shed

- ✏️ 12 画
- 合体字
- 木部
- 高级华文

| 棚 | 1 | 2 | 3 |

一十十十朴朴栩栩
栩栩棚棚棚

朋(朋)

péng   朋友   péngyou   friend; acquaintance
   亲朋   qīnpéng   relatives and friends; kith and kin

- ✏️ 8 画
- 合体字
- 月部
- 1-4年级

| 朋 | 1 | 2 |

丿刀月月月朋朋
朋

捧(捧)

pěng   捧   pěng   hold in both hands; flatter

捧场   pěngchǎng   sing the praise of
吹捧   chuīpěng   lavish praise on; laud to the skies

- ✏️ 11 画
- 合体字
- 扌部
- 5-6年级

"丰" 不是 "丰"。

| 捧 | 1 | 2 / 3 |

捧捧捧捧捧捧捧
捧捧捧捧

碰(碰)

pèng   碰   pèng   bump; run into
碰巧   pèngqiǎo   by chance; by coincidence
碰钉子   pèngdīngzi   meet with a rebuff

- ✏️ 13 画
- 合体字
- 石部
- 1-4年级

| 碰 | 1 | 2 / 3 |

碰石石石碰碰碰
碰碰碰碰碰碰

劈(劈) pī

劈 pī cleave; chop
劈头盖脸 pītóu-gàiliǎn right in the face

15 画
合体字
刀部 "启"不是"启"。
高级华文

批(批) pī

批 pī refute; batch
批评 pīpíng criticise; criticism
大批 dàpī large quantities of

7 画
合体字
扌 部
5-6年级

皮(皮) pí

皮 pí leather; wrapper
皮球 píqiú ball; rubber ball
顽皮 wánpí naughty; mischievous

5 画
独体字
皮部
1-4年级

脾(脾) pí

脾气 píqi temperamant; bad temper
脾胃 píwèi taste
脾性 píxìng disposition; temper

12 画
合体字
月部 "电"不是"电"。
1-4年级

疲(疲) pí 疲倦 píjuàn tired and sleepy
疲乏 pífá weary; tired
精疲力尽 jīngpí-lìjìn exhausted; worn-out

✏ 10 画

📄 合体字

🏠 疒部

👤 5-6年级

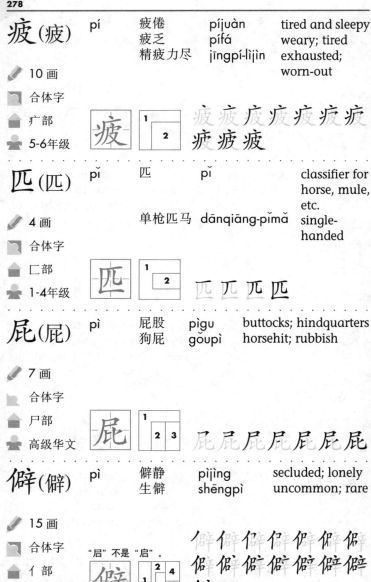

疲疲疲疲疲疲疲 疲疲疲

匹(匹) pǐ 匹 pǐ classifier for horse, mule, etc.

单枪匹马 dānqiāng-pǐmǎ single-handed

✏ 4 画

📄 合体字

🏠 匚部

👤 1-4年级

匹匹匹匹

屁(屁) pì 屁股 pìgu buttocks; hindquarters
狗屁 gǒupì horsehit; rubbish

✏ 7 画

📄 合体字

🏠 尸部

👤 高级华文

屁屁屁屁屁屁屁

僻(僻) pì 僻静 pìjìng secluded; lonely
生僻 shēngpì uncommon; rare

✏ 15 画

📄 合体字

"启" 不是 "启"。

🏠 亻部

👤 5-6年级

僻僻僻僻僻僻僻 僻僻僻僻僻僻 僻

篇 (篇)

piān

篇	piān	a piece of writing
篇幅	piānfú	length; space
长篇	chángpiān	novel; of full length

📝 15 画

🔲 合体字

🏠 竹 (⺮) 部

🎓 1-4年级

篇 | 1 2 / 3 4

篇 篇 篇 篇 篇 篇 篇
篇 笃 笃 笃 篇 篇 篇
篇

片 (片)

piān

| 唱片儿 | chàngpiānr | gramophone record; disc |

piàn

| 片面 | piànmiàn | unilateral; one-sided |
| 刀片 | dāopiàn | razor blade |

📝 4 画

🔲 独体字

🏠 片部

🎓 1-4年级

片 | 1

片 片 片 片

偏 (偏)

piān

偏差	piānchā	deviation; error
偏偏	piānpiān	wilfully; insistently
偏向	piānxiàng	erroneous tendency

📝 11 画

🔲 合体字

🏠 亻部

🎓 5-6年级

偏 | 1 2 / 3

偏 偏 偏 偏 偏 偏 偏
偏 偏 偏 偏

骗 (骗)

piàn

骗	piàn	deceive; hoodwink
骗子	piànzi	swindler; impostor
欺骗	qīpiàn	dupe; cheat

📝 12 画

🔲 合体字

🏠 马部

🎓 1-4年级

骗 | 1 2 / 3

骗 马 马 马 骗 骗 驴
驴 骗 骗 骗 骗

飘 (飄)

	piāo	飘	piāo	float; flutter
		飘带	piāodài	streamer; ribbon
		轻飘	qīngpiāo	lightly; buoyantly

✏️ 15 画

▢ 合体字

🏠 风部

👤 1-4年级

"示"第四笔楷体是点，宋体是撇。

	1	4
飘	2	
	3	5

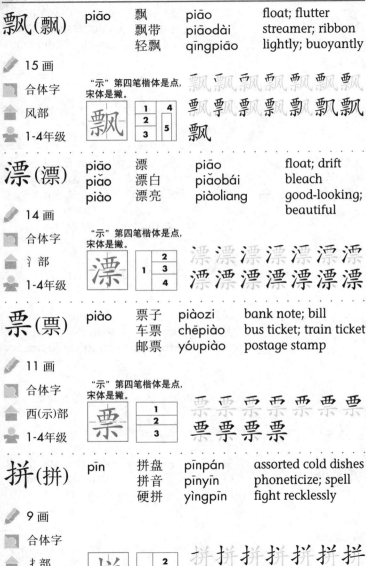

漂 (漂)

piāo	漂	piāo	float; drift
piǎo	漂白	piǎobái	bleach
piào	漂亮	piàoliang	good-looking; beautiful

✏️ 14 画

▢ 合体字

🏠 氵部

👤 1-4年级

"示"第四笔楷体是点，宋体是撇。

漂	1	2
		3
		4

票 (票)

piào	票子	piàozi	bank note; bill
	车票	chēpiào	bus ticket; train ticket
	邮票	yóupiào	postage stamp

✏️ 11 画

▢ 合体字

🏠 西(示)部

👤 1-4年级

"示"第四笔楷体是点，宋体是撇。

票	1
	2
	3

拼 (拼)

pīn	拼盘	pīnpán	assorted cold dishes
	拼音	pīnyīn	phoneticize; spell
	硬拼	yìngpīn	fight recklessly

✏️ 9 画

▢ 合体字

🏠 扌部

👤 5-6年级

拼	1	2
		3

贫 (贫)

pín

贫穷   pínqióng   poor; needy
贫血   pínxuè   anaemia
济贫   jìpín   relieve somebody in his hour of need

8 画

合体字

"八" 不是 "入" 或 "人"。

贝部

1-4年级

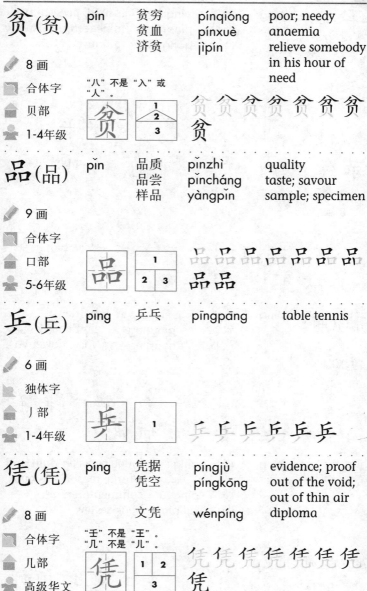

品 (品)

pǐn

品质   pǐnzhì   quality
品尝   pǐncháng   taste; savour
样品   yàngpǐn   sample; specimen

9 画

合体字

口部

5-6年级

乒 (乒)

pīng

乒乓   pīngpāng   table tennis

6 画

独体字

丿部

1-4年级

凭 (凭)

píng

凭据   píngjù   evidence; proof
凭空   píngkōng   out of the void; out of thin air

8 画

文凭   wénpíng   diploma

合体字

"壬" 不是 "王"。
"几" 不是 "儿"。

几部

高级华文

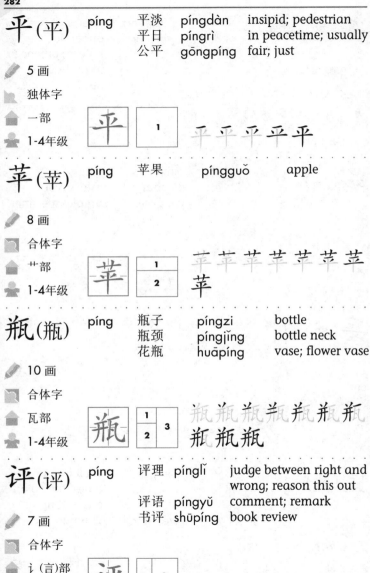

平(平) píng

平淡 píngdàn insipid; pedestrian
平日 píngrì in peacetime; usually
公平 gōngpíng fair; just

✏️ 5 画
独体字
一部
1-4年级

平 | 一 | 平 平 平 平 平

苹(苹) píng

苹果 píngguǒ apple

✏️ 8 画
合体字
艹部
1-4年级

苹 | 1 / 2 | 苹 苹 苹 苹 苹 苹 苹
苹

瓶(瓶) píng

瓶子 píngzi bottle
瓶颈 píngjǐng bottle neck
花瓶 huāpíng vase; flower vase

✏️ 10 画
合体字
瓦部
1-4年级

瓶 | 1 / 2 3 | 瓶 瓶 瓶 瓶 瓶 瓶
瓶 瓶 瓶

评(评) píng

评理 pínglǐ judge between right and wrong; reason this out
评语 píngyǔ comment; remark
书评 shūpíng book review

✏️ 7 画
合体字
讠(言)部
5-6年级

评 | 1 2 | 评 评 评 评 评 评 评

坡(坡)	pō	坡地	pōdì	hillside; land on the slopes
		山坡	shānpō	hillside; mountain slope
		斜坡	xiépō	slope

8 画

合体字

土部

1-4年级

坡坡坡坡坷坷坡坡
坡

| 泼(潑) | pō | 泼 泼辣 | pō pōlà | splash; spill shrewish; bold and vigorous |
| | | 活泼 | huópō | lively; vivacious |

8 画

合体字

"发"不是"发"。

氵部

5-6年级

泼泼泼泼泼泼泼泼
泼

| 婆(婆) | pó | 外婆 老婆 婆家 | wàipó lǎopo pójiā | maternal grandmother wife husband's family |

11 画

合体字

女部

1-4年级

婆婆婆婆婆婆婆
婆婆婆婆

| 破(破) | pò | 破 破坏 | pò pòhuài | broken; worn-out destroy; do great damage to |
| | | 突破 | tūpò | break through; surmount |

10 画

合体字

石部

1-4年级

破破破破破破破
破破破

迫 (迫)

pò 逼迫 bīpò compel; coerce
迫不得已 pòbùdéyǐ have no alternative; be forced to

8 画

pǎi 迫击炮 pǎijīpào mortar

合体字

"辶" 楷体比宋体多一个弯曲。

辶部

5-6年级

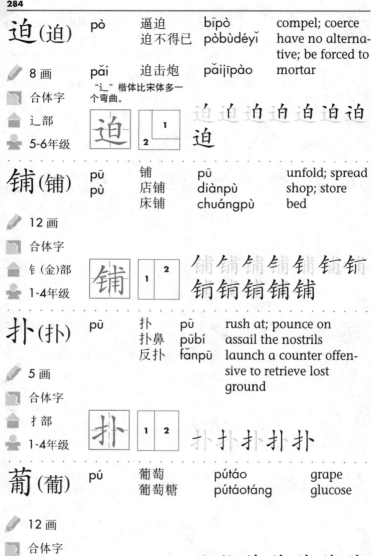

迫 白 白 白 白 迫 迫
迫

铺 (铺)

pū 铺 pū unfold; spread
pù 店铺 diànpù shop; store
床铺 chuángpù bed

12 画

合体字

钅(金)部

1-4年级

铺 铺 铺 铺 铺 铺 铺
铺 铺 铺 铺 铺

扑 (扑)

pū 扑 pū rush at; pounce on
扑鼻 pūbí assail the nostrils
反扑 fǎnpū launch a counter offensive to retrieve lost ground

5 画

合体字

扌部

1-4年级

扑 扑 扑 扑 扑

葡 (葡)

pú 葡萄 pútáo grape
葡萄糖 pútáotáng glucose

12 画

合体字

艹部

5-6年级

葡 葡 葡 葡 葡 萄 苟
苟 苟 萄 葡 葡

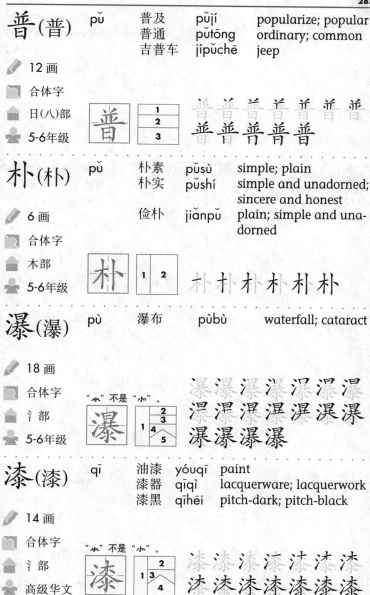

普(普) pǔ

普及	pǔjí	popularize; popular
普通	pǔtōng	ordinary; common
吉普车	jípǔchē	jeep

✏️ 12 画

📑 合体字

🏠 日(八)部

👥 5-6年级

普普普普普普普
普普普普普

朴(朴) pǔ

朴素	pǔsù	simple; plain
朴实	pǔshí	simple and unadorned; sincere and honest
俭朴	jiǎnpǔ	plain; simple and unadorned

✏️ 6 画

📑 合体字

🏠 木部

👥 5-6年级

朴朴朴朴朴朴

瀑(瀑) pù

| 瀑布 | pùbù | waterfall; cataract |

✏️ 18 画

📑 合体字

🏠 氵部

👥 5-6年级

"氺"不是"小"。

瀑瀑瀑瀑瀑瀑瀑
瀑瀑瀑瀑瀑瀑瀑
瀑瀑瀑瀑

漆(漆) qī

油漆	yóuqī	paint
漆器	qīqì	lacquerware; lacquerwork
漆黑	qīhēi	pitch-dark; pitch-black

✏️ 14 画

📑 合体字

🏠 氵部

👥 高级华文

"氺"不是"小"。

漆漆漆漆漆漆漆
漆漆漆漆漆漆漆

七 (七) qī

七	qī	seven
七手八脚	qīshǒu-bājiǎo	with everybody lending a hand; in a bustle

- 2 画
- 独体字
- 一部
- 1-4年级

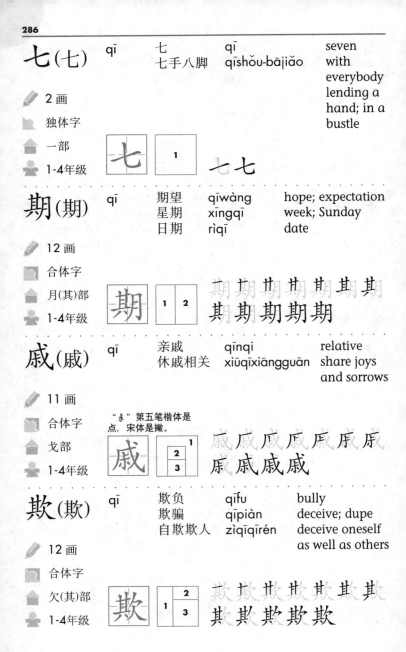

七 七

期 (期) qī

期望	qīwàng	hope; expectation
星期	xīngqī	week; Sunday
日期	rìqī	date

- 12 画
- 合体字
- 月(其)部
- 1-4年级

其 期 期 期 期

戚 (戚) qī

亲戚	qīnqi	relative
休戚相关	xiūqīxiāngguān	share joys and sorrows

- 11 画
- 合体字

"夫" 第五笔楷体是点，宋体是撇。

- 戈部
- 1-4年级

厉 戚 戚 戚

欺 (欺) qī

欺负	qīfu	bully
欺骗	qīpiàn	deceive; dupe
自欺欺人	zìqīqīrén	deceive oneself as well as others

- 12 画
- 合体字
- 欠(其)部
- 1-4年级

其 其 欺 欺 欺

妻(妻) qī
妻子 qīzi wife
夫妻 fūqī man and wife

8 画
独体字
女部
5-6年级

祈(祈) qí
祈祷 qídǎo pray; say one's prayers
祈求 qíqiú earnestly hope; pray for

8 画
合体字
礻(示)部
高级华文

旗(旗) qí
旗子 qízi flag; banner
旗手 qíshǒu standard-bearer
国旗 guóqí national flag

14 画
合体字
方部
1-4年级

奇(奇) qí
奇怪 qíguài strange; odd
好奇 hàoqí be curious; be full of curiosity
jī
奇数 jīshù odd number

8 画
合体字
大部
1-4年级

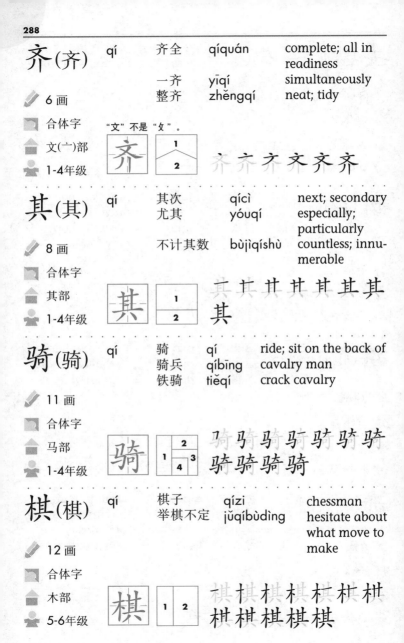

齐(齐) qí

齐全　qíquán　complete; all in readiness
一齐　yīqí　simultaneously
整齐　zhěngqí　neat; tidy

✏ 6 画

▢ 合体字

"文"不是"夂"。

🏛 文(亠)部

👤 1-4年级

齐 亠 宁 文 齐 齐

其(其) qí

其次　qícì　next; secondary
尤其　yóuqí　especially; particularly
不计其数　bùjìqíshù　countless; innumerable

✏ 8 画

▢ 合体字

🏛 其部

👤 1-4年级

其 十 廿 廿 甘 甘 其 其 其

骑(骑) qí

骑　qí　ride; sit on the back of
骑兵　qíbīng　cavalry man
铁骑　tiěqí　crack cavalry

✏ 11 画

▢ 合体字

🏛 马部

👤 1-4年级

骑 马 马 马 马 马 马 骑 骑 骑 骑

棋(棋) qí

棋子　qízi　chessman
举棋不定　jǔqíbùdìng　hesitate about what move to make

✏ 12 画

▢ 合体字

🏛 木部

👤 5-6年级

棋 棋 棋 棋 棋 棋 棋 棋 棋 棋 棋

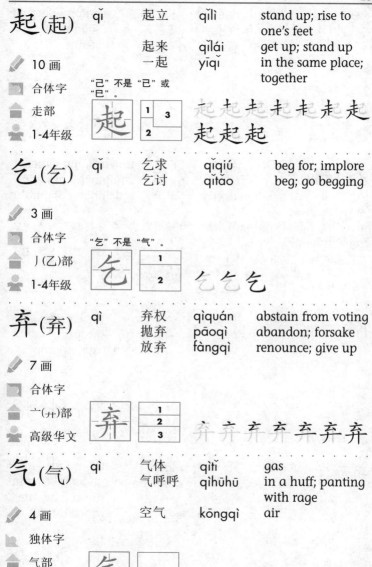

起(起)	qǐ	起立	qǐlì	stand up; rise to one's feet
		起来	qǐlái	get up; stand up
10 画		一起	yīqǐ	in the same place; together
合体字	"己" 不是 "已" 或 "巳"。			
走部				
1-4年级				

乞(乞)	qǐ	乞求	qǐqiú	beg for; implore
		乞讨	qǐtǎo	beg; go begging
3 画				
合体字	"乞" 不是 "气"。			
丿(乙)部				
1-4年级				

弃(弃)	qì	弃权	qìquán	abstain from voting
		抛弃	pāoqì	abandon; forsake
7 画		放弃	fàngqì	renounce; give up
合体字				
亠(艹)部				
高级华文				

气(气)	qì	气体	qìtǐ	gas
		气呼呼	qìhūhū	in a huff; panting with rage
4 画		空气	kōngqì	air
独体字				
气部				
1-4年级				

汽(汽) qì

汽车	qìchē	automobile; car
汽水	qìshuǐ	soda water
蒸汽	zhēngqì	steam

7 画

合体字

氵部

1-4年级

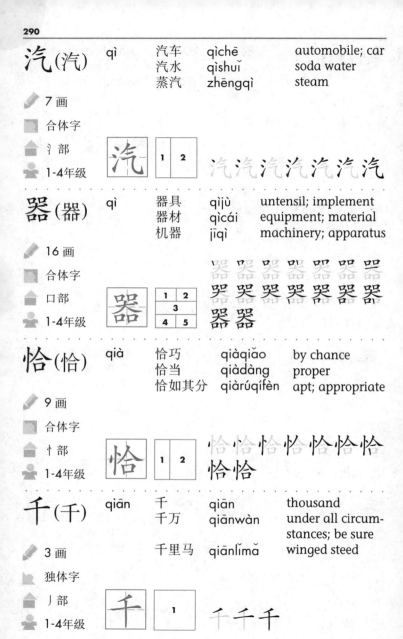

汽汽汽汽汽汽汽

器(器) qì

器具	qìjù	untensil; implement
器材	qìcái	equipment; material
机器	jīqì	machinery; apparatus

16 画

合体字

口部

1-4年级

器器器器器器器
器器

恰(恰) qià

恰巧	qiàqiǎo	by chance
恰当	qiàdàng	proper
恰如其分	qiàrúqífèn	apt; appropriate

9 画

合体字

忄部

1-4年级

恰恰恰恰恰恰恰
恰恰

千(千) qiān

千	qiān	thousand
千万	qiānwàn	under all circumstances; be sure
千里马	qiānlǐmǎ	winged steed

3 画

独体字

丿部

1-4年级

千千千

| 铅(鉛) | qiān | 铅笔 | qiānbǐ | pencil |
| | | 铅球 | qiānqiú | shot |

📏 10 画

▢ 合体字

🏠 钅(金)部

🎓 1-4年级

| 铅 | 1 | 2 |
| | | 3 |

铅铅铅铅铅铅铅
铅铅铅

| 牵(牽) | qiān | 牵 | qiān | lead along |
| | | 顺手牵羊 | shùnshǒuqiānyáng | walk off with something |

📏 9 画

▢ 合体字

🏠 大(牛)部

🎓 5-6年级

牵	1
	2
	3

牵牵牵牵牵牵牵
牵牵

签(簽)	qiān	签名	qiānmíng	sign one's name; autograph
		牙签	yáqiān	tooth pick
		抽签	chōuqiān	draw lots

📏 13 画

▢ 合体字

🏠 竹(⺮)部

🎓 5-6年级

签	1	2
	3	
	4	
	5	

签签签签签签签
签签签签签签

前(前)	qián	前	qián	front; ago
		从前	cóngqián	before
		一往无前	yīwǎngwúqián	press forward with indomitable will

📏 9 画

▢ 合体字

🏠 八(丷)部

🎓 1-4年级

| 前 | 1 | |
| | 2 | 3 |

前前前前前前前
前前

钱(錢) qián

钱	qián	money; cash
钱币	qiánbì	coin
车钱	chēqián	bus (train, ship, etc.) fare

10 画
合体字
钅(金)部
1-4年级

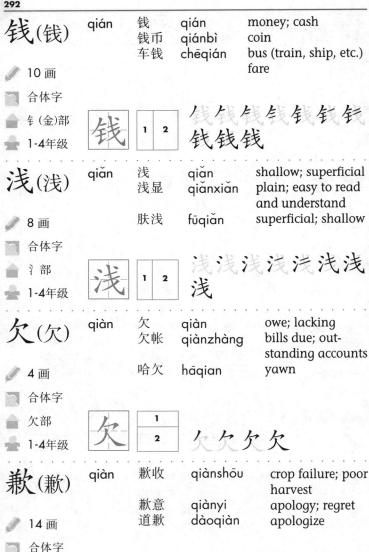

钱 钱 钱 钱 钱 钱 钱 钱 钱 钱

浅(淺) qiǎn

浅	qiǎn	shallow; superficial
浅显	qiǎnxiǎn	plain; easy to read and understand
肤浅	fūqiǎn	superficial; shallow

8 画
合体字
氵部
1-4年级

浅 浅 浅 浅 浅 浅 浅 浅

欠(欠) qiàn

欠	qiàn	owe; lacking
欠帐	qiànzhàng	bills due; out-standing accounts
哈欠	hāqian	yawn

4 画
合体字
欠部
1-4年级

欠 欠 欠 欠

歉(歉) qiàn

歉收	qiànshōu	crop failure; poor harvest
歉意	qiànyì	apology; regret
道歉	dàoqiàn	apologize

14 画
合体字
欠部
5-6年级

歉 歉 歉 兰 兰 兰 羊 羊 羊 羊 歉 歉 歉 歉

| 枪(枪) | qiāng | 枪
枪林弹雨 | qiāng
qiānglín-dànyǔ | gun
a forest of
guns and a
hail of bullets |

8 画

合体字

木部

1-4年级

"乜" 不是 "匕"

枪 枪 枪 枪 枪 枪 枪 枪

| 墙(墙) | qiáng | 墙壁
挖墙脚 | qiángbì
wāqiángjiǎo | wall
undermine the
foundation |

14 画

合体字

土部

1-4年级

墙 墙 墙 墙 墙 墙 墙 墙 墙 墙 墙 墙 墙 墙

| 强(强) | qiáng
qiǎng
jiàng | 强壮
强迫
强嘴 | qiángzhuàng
qiǎngpò
jiàngzuǐ | strong; sturdy
compel; coerce
reply defiantly;
answer back |

12 画

合体字

弓部

1-4年级

强 强 强 强 强 强 强 强 强 强 强 强

| 抢(抢) | qiǎng | 抢
抢救
抢先 | qiǎng
qiǎngjiù
qiǎngxiān | loot; scramble for
rescue; salvage
do before others have
a chance |

7 画

合体字

扌部

1-4年级

"乜" 不是 "匕"

抢 抢 抢 抢 抢 抢 抢

敲 (敲)

qiāo

敲	qiāo	knock
推敲	tuīqiāo	weigh
敲门砖	qiāoménzhuān	a stepping stone to success

14 画

合体字

"攴" 不是 "支"。

攴部

1-4年级

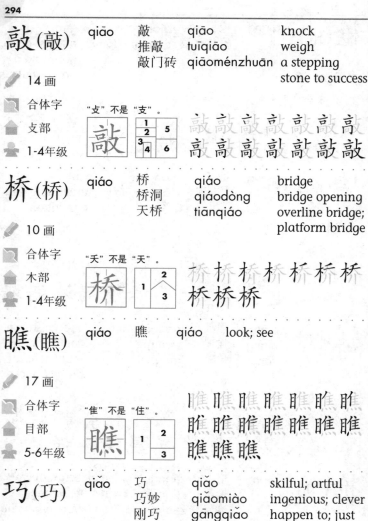

桥 (橋)

qiáo

桥	qiáo	bridge
桥洞	qiáodòng	bridge opening
天桥	tiānqiáo	overline bridge; platform bridge

10 画

合体字

"夭" 不是 "天"。

木部

1-4年级

瞧 (瞧)

qiáo

| 瞧 | qiáo | look; see |

17 画

合体字

"隹" 不是 "住"。

目部

5-6年级

巧 (巧)

qiǎo

巧	qiǎo	skilful; artful
巧妙	qiǎomiào	ingenious; clever
刚巧	gāngqiǎo	happen to; just

5 画

合体字

工部

1-4年级

切(切)

qiē	切	qiē	cut; slice
	切除	qiēchú	excise; resect
qiè	迫切	pòqiè	urgent; imperative

✏ 4 画

🔲 合体字

🏠 刀部 "ㄊ"不是"土"。

🎓 1-4年级

切切切切

且(且)

| qiě | 并且 | bìngqiě | and; furthermore |
| | 而且 | érqiě | but also; and also |

✏ 5 画

🔲 独体字

🏠 丨(一)部

🎓 1-4年级

且且且且且

窃(竊)

qiè	窃取	qièqǔ	usurp; steal
	偷窃	tōuqiè	steal; pilfer
	失窃	shīqiè	have things stolen; suffer loss by theft

✏ 9 画

🔲 合体字

🏠 穴部 "ㄊ"不是"土"。

🎓 1-4年级

窃窃窃窃窃窃窃窃窃

怯(怯)

| qiè | 怯场 | qièchǎng | have stage fright |
| | 胆怯 | dǎnqiè | timid; cowardly |

✏ 8 画

🔲 合体字

🏠 忄部

🎓 1-4年级

怯怯怯怯怯怯怯怯

亲(親)

qīn　亲属　qīnshǔ　kinsfolk; relatives
　　　母亲　mǔqīn　mother
qìng　亲家　qìngjia　relatives by marriage;
　　　　　　　　parents of one's son-in-
　　　　　　　　law or daughter-in-law

✏ 9 画

▢ 合体字

🏠 立部

⭐ 1-4年级

"木"第三笔楷体是点，宋体是撇。

亲 亲 亲 亲 亲 亲 辛 亲 亲

侵(侵)

qīn　侵略　qīnlüè　agression; invasion
　　　侵占　qīnzhàn　invade and occupy;
　　　　　　　　seize
　　　入侵　rùqīn　invade; intrude

✏ 9 画

▢ 合体字

🏠 亻部

⭐ 5-6年级

"彐"不是"彐"。

侵 侵 侵 侵 侵 侵 侵 侵 侵

勤(勤)

qín　勤劳　qínláo　hardworking; industrious
　　　勤快　qínkuài　diligent; hardworking
　　　考勤　kǎoqín　check on work attendance

✏ 13 画

▢ 合体字

🏠 力部

⭐ 1-4年级

勤 勤 勤 勤 勤 勤 勤 勤 勤 堇 堇 勤 勤

琴(琴)

qín　钢琴　gāngqín　piano
　　　乱弹琴　luàntánqín　act or talk like
　　　　　　　　a fool; talk
　　　　　　　　nonsense

✏ 12 画

▢ 合体字

🏠 王部

⭐ 1-4年级

"今"不是"令"。

琴 珡 王 王 珡 珡 珡 珡 珡 琴 琴 琴

禽 (禽) qín

禽兽	qínshòu	birds and beasts
家禽	jiāqín	fowls; poultry
飞禽	fēiqín	birds

- 12 画
- 合体字
- 人部
- 5-6年级

"禸"不是"禸"或"内"。

人 仒 仒 仒 仒 仒 禽
禽 禽 禽 禽 禽

蜻 (蜻) qīng

| 蜻蜓 | qīngtíng | dragonfly |

- 14 画
- 合体字
- 虫部
- 高级华文

蜻 蜻 蜻 蜻 蜻 蜻 蜻
蜻 蜻 蜻 蜻 蜻 蜻 蜻

青 (青) qīng

青草	qīngcǎo	green grass
青年	qīngnián	youth
万古长青	wàngǔchángqīng	remain fresh forever

- 8 画
- 合体字
- 青部
- 1-4年级

青 青 青 青 青 青 青
青

清 (清) qīng

清洁	qīngjié	clean; tidy
清晨	qīngchén	early morning
分清	fēnqīng	distinguish; draw a clear distinction between

- 11 画
- 合体字
- 氵部
- 1-4年级

清 清 清 清 清 清 清
清 清 清 清

轻(輕) qīng

轻	qīng	light; gently
轻便	qīngbiàn	portable; light
年轻	niánqīng	young

- 9 画
- 合体字
- "圣" 不是 "圣"。
- 车部
- 1-4年级

轻轻车车轻轻轻
轻轻

情(情) qíng

情感	qínggǎn	emotion; feeling
情况	qíngkuàng	situation; condition
友情	yǒuqíng	friendly sentiments; friendship

- 11 画
- 合体字
- 忄部
- 1-4年级

情情情情情情情
情情情情

晴(晴) qíng

晴	qíng	fine; clear
晴朗	qínglǎng	fine; sunny
雨过天晴	yǔguò-tiānqíng	the sun shines again after the rain

- 12 画
- 合体字
- 日部
- 1-4年级

晴晴晴晴晴晴晴
晴晴晴晴晴

请(請) qǐng

请	qǐng	request; invite
请求	qǐngqiú	ask; request
宴请	yànqǐng	entertain (to dinner); fete

- 10 画
- 合体字
- 讠(言)部
- 1-4年级

请请请请请请请
请请请

庆 (庆) qìng

庆祝	qìngzhù	celebrate
庆贺	qìnghè	congratulate; celebrate
校庆	xiàoqìng	anniversary of the founding of a school

- 6 画
- 合体字
- 广部
- 1-4年级

"大" 不是 "犬"。

庆 庆 庆 庆 庆 庆

穷 (穷) qióng

穷	qióng	poor; poverty-stricken
穷尽	qióngjìn	limit; end
无穷	wúqióng	infinite; endless

- 7 画
- 合体字
- 穴部
- 1-4年级

穷 穷 穷 穷 穷 穷 穷

丘 (丘) qiū

土丘	tǔqiū	hillock; mound
荒丘	huāngqiū	barren hillock
沙丘	shāqiū	sand dune

- 5 画
- 独体字
- 丿部
- 高级华文

丘 丘 丘 丘 丘

秋 (秋) qiū

秋天	qiūtiān	autumn
秋千	qiūqiān	swing
中秋	zhōngqiū	the Mid-autumn Festival

- 9 画
- 合体字
- 禾部
- 1-4年级

秋 秋 秋 秋 秋 秋 秋 秋 秋

蚯(蚯) qiū 蚯蚓 qiūyǐn earthworm

- ✏️ 11 画
- 合体字
- 虫部
- 5-6年级

球(球) qiú 球 qiú ball; globe
球门 qiúmén goal
足球 zúqiú football; soccer

- ✏️ 11 画
- 合体字
- 王部
- 1-4年级

求(求) qiú 求 qiú entreat; beseech
求救 qiújiù cry for help
请求 qǐngqiú ask; request

- ✏️ 7 画
- 独体字
- 一部
- 1-4年级

曲(曲) qū 曲折 qūzhé winding; complications
弯曲 wānqū zigzag; meandering
qǔ 歌曲 gēqǔ song

- ✏️ 6 画
- 独体字
- 日(丨)部
- 1-4年级

区(區) qū

区别 qūbié distinguish; differentiate
地区 dìqū district; region
Ōu 区 Ōu a surname

4 画
独体字
匚部
1-4年级

区 フ ヌ 区

取(取) qǔ

取 qǔ fetch; adopt
取消 qǔxiāo cancel; call off
进取 jìnqǔ keep forging ahead;
eager to make
progress

8 画
合体字
耳(又)部
1-4年级

取取 厂厂 FF 取取取
取

娶(娶) qǔ

娶 qǔ marry (a woman); take
a wife
娶亲 qǔqīn (of a man) get married

11 画
合体字
女部
5-6年级

娶娶 厂厂 耳耳取
取取娶娶

去(去) qù

去 qù go; leave
去向 qùxiàng the direction in which
somebody or some-
thing has gone
失去 shīqù lose

5 画
合体字
土(厶)部
1-4年级

去 土 去 去 去

趣(趣) qù

趣味	qùwèi	interest; taste
兴趣	xìngqù	interest
有趣	yǒuqù	interesting; fascinating

15 画

合体字

走部

1-4年级

圈(圈) quān

| 圈儿 | quānr | circle; ring |
| 光圈 | guāngquān | diaphragm; aperture |

juàn

| 圈 | juàn | pen; sty |

11 画

合体字

"已" 不是 "巳"。

口部

1-4年级

全(全) quán

全	quán	complete; entire
全部	quánbù	whole; total
周全	zhōuquán	thorough; comprehensive

6 画

合体字

人部

1-4年级

权(权) quán

权力	quánlì	power; authority
政权	zhèngquán	power; regime
所有权	suǒyǒuquán	ownership; title

6 画

合体字

木部

1-4年级

泉(泉)	quán	泉水	quánshuǐ	spring; spring water
		源泉	yuánquán	source; fountain-head
9 画		温泉	wēnquán	hot spring
合体字				
白(水)部				
5-6年级				

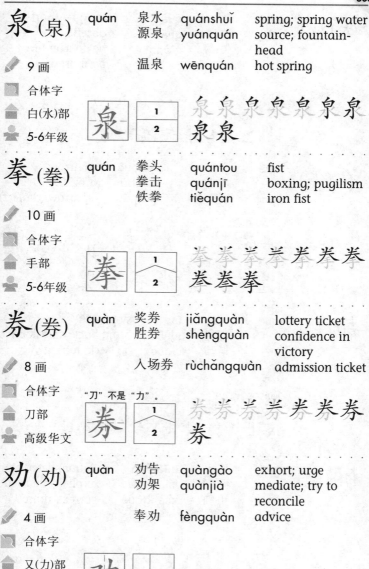

拳(拳)	quán	拳头	quántou	fist
		拳击	quánjī	boxing; pugilism
10 画		铁拳	tiěquán	iron fist
合体字				
手部				
5-6年级				

券(券)	quàn	奖券	jiǎngquàn	lottery ticket
		胜券	shèngquàn	confidence in victory
8 画		入场券	rùchǎngquàn	admission ticket
合体字				
刀部	"刀" 不是 "力"。			
高级华文				

劝(劝)	quàn	劝告	quàngào	exhort; urge
		劝架	quànjià	mediate; try to reconcile
4 画		奉劝	fèngquàn	advice
合体字				
又(力)部				
1-4年级				

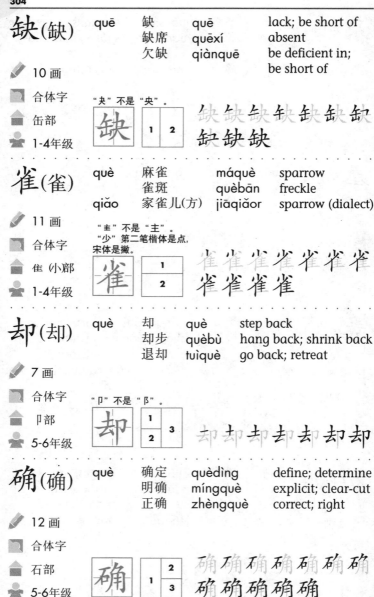

缺(缺) quē

缺 quē lack; be short of
缺席 quēxí absent
欠缺 qiànquē be deficient in; be short of

- 10 画
- 合体字
- 缶部
- 1-4年级

"夬" 不是 "央"。

缺 缺 缺 缺 缺 缺 缺
缺 缺 缺

雀(雀) què

麻雀 máquè sparrow
雀斑 quèbān freckle
qiǎo 家雀儿(方) jiāqiǎor sparrow (dialect)

- 11 画
- 合体字
- 隹 (小部
- 1-4年级

"圭" 不是 "主"。
"少" 第二笔楷体是点，宋体是撇。

雀 雀 雀 雀 雀 雀 雀
雀 雀 雀 雀

却(却) què

却 què step back
却步 quèbù hang back; shrink back
退却 tuìquè go back; retreat

- 7 画
- 合体字
- 卩部
- 5-6年级

"卩" 不是 "阝"。

却 却 却 却 去 却 却

确(確) què

确定 quèdìng define; determine
明确 míngquè explicit; clear-cut
正确 zhèngquè correct; right

- 12 画
- 合体字
- 石部
- 5-6年级

确 确 确 确 石 石 确
确 确 确 确 确

群 (群)

qún

群	qún	group; team
群岛	qúndǎo	archipelago
人群	rénqún	crowd

13 画

合体字

羊部

1-4年级

裙 (裙)

qún

裙子	qúnzi	shirt
围裙	wéiqún	apron
连衣裙	liányīqún	dress

12 画

合体字

衤部

1-4年级

燃 (燃)

rán

燃烧	ránshāo	burn; in flames
燃料	ránliào	fuel
点燃	diǎnrán	ignite; kindle

16 画

合体字

火部

高级华文

然 (然)

rán

然而	rán'ér	yet; but
忽然	hūrán	all of a sudden
竟然	jìngrán	unexpectedly; to one's surprise

12 画

合体字

灬部

1-4年级

染 (染)

rǎn

染	rǎn	dye; contaminate
染料	rǎnliào	dyestuff
传染	chuánrǎn	infect; be contagious

9 画

合体字

木部

5-6年级

"九" 不是 "丸"。

染 染 染 染 染 染 染
染 染

让 (让)

ràng

让	ràng	give way; offer
让座	ràngzuò	offer one's seat to
退让	tuìràng	make a concession

5 画

合体字

讠(言)部

1-4年级

让 让 让 让 让

绕 (绕)

rào

绕	rào	wind; coil
绕道	ràodào	go by a round-about road
绕口令	ràokǒulìng	tongue twister

9 画

合体字

纟部

1-4年级

"尧" 不是 "尧"。

绕 绕 绕 绕 绕 绕 绕
绕 绕

热 (热)

rè

热	rè	heat; hot
热情	rèqíng	enthusiasm; zeal
炎热	yánrè	scorching; burning hot

10 画

合体字

灬部

1-4年级

"丸" 不是 "九"。

热 热 热 热 热 热 热
热 热 热

人(人)　rén

人	rén	human being; person
人才	réncái	talented person; person of ability
老人	lǎorén	old man or woman; the aged

2 画

独体字

人部

1-4年级

人人

仁(仁)　rén

仁爱	rén'ài	kind-heartedness
花生仁	huāshēngrén	shelled peanuts
一视同仁	yīshìtóngrén	regard all with equal favour

4 画

合体字

亻部

5-6年级

仁 亻 仁 仁

任(任)　rén
　　　　　rèn

任	Rén	a surname
责任	zérèn	duty; responsibility
任凭	rènpíng	no matter; at one's discretion

6 画

合体字

"壬"不是"王"。

亻部

5-6年级

任 任 任 任 任 任

忍(忍)　rěn

忍	rěn	endure; tolerate
忍耐	rěnnài	excercise patience
残忍	cánrěn	cruel; ruthless

7 画

合体字

"刃"不是"刀"。
"心"第二笔楷体是卧钩，宋体是竖弯钩。

心部

5-6年级

忍 忍 忍 忍 忍 忍 忍

认 (認) rèn

认	rèn	recognise; make out
认真	rènzhēn	serious; earnest
承认	chéngrèn	admit; acknowledge

✏️ 4 画
📄 合体字
🏠 讠(言)部
🎓 1-4年级

认认认认

扔 (扔) rēng

扔	rēng	throw; cast
扔下	rēngxia	abandon; throw away
扔弃	rēngqì	discard; leave behind

✏️ 5 画
📄 合体字
🏠 扌部
🎓 5-6年级

扔扔扔扔扔

仍 (仍) réng

仍旧	réngjiù	remain the same
仍然	réngrán	still; yet

✏️ 4 画
📄 合体字
🏠 亻部
🎓 高级华文

仍仍仍仍

日 (日) rì

日用	rìyòng	daily expenses; of daily use
日历	rìlì	calendar
生日	shēngrì	birthday

✏️ 4 画
📄 独体字
🏠 日部
🎓 1-4年级

日日日日

溶(溶)	róng	溶化	rónghuà	dissolve
		溶液	róngyè	solution
		溶解	róngjiě	dissolve

13 画

合体字

氵部

高级华文

容(容)	róng	容量	róngliàng	capacity
		容易	róngyì	easy; easily
		笑容	xiàoróng	a smiling face

10 画

合体字

穴部

1-4年级

荣(荣)	róng	荣获	rónghuò	have the honour to win
		光荣	guāngróng	honour; glory
		繁荣	fánróng	prosperous; booming

9 画

合体字

艹(木)部

5-6年级

柔(柔)	róu	柔软	róuruǎn	soft; lithe
		柔道	róudào	judo
		温柔	wēnróu	gentle and soft

9 画

合体字

"矛" 不是 "予"。

木(矛)部

1-4年级

肉 (肉)	ròu	肉	ròu	meat; flesh
		肉麻	ròumá	nauseating; disgusting
6 画		鱼肉	yúròu	the flesh of fish; fish and meat
合体字				
门部				
1-4年级				

肉 肉 肉 肉 肉 肉

如 (如)	rú	如果	rúguǒ	if; in case
		如意	rúyì	as one wishes; after one's own heart
6 画		例如	lìrú	for example; for instance
合体字				
女部				
1-4年级				

如 如 女 如 如 如

乳 (乳)	rǔ	乳名	rǔmíng	infant name; child's pet name
		乳汁	rǔzhī	milk
8 画		炼乳	liànrǔ	condensed milk
合体字				
爪(⺈、乙)部				
高级华文				

乳 乳 乳 乳 乳 乳 乳 乳

入 (入)	rù	入	rù	enter; join
		入口	rùkǒu	entrance
2 画		收入	shōurù	income; revenue
独体字				
人(入)部				
1-4年级				

入 入

| 软(軟) | ruǎn | 软
软弱
柔软 | ruǎn
ruǎnruò
róuruǎn | soft; flexible
weak; feeble
soft; lithe |

8 画

合体字

车(欠)部

1-4年级

软 | 1 2 / 3 | 软

软 软 软 软 软 软 软

| 弱(弱) | ruò | 弱
弱小
瘦弱 | ruò
ruòxiǎo
shòuruò | weak; inferior
small and weak
thin and weak;
emaciated |

10 画

合体字

弓部

1-4年级

弱 | 1 2 |

弱 弱 弓 弓 弓 弓 弓
弱 弱 弱

| 洒(灑) | sǎ | 洒
洒扫 | sǎ
sǎsǎo | sprinkle; spray
sprinkle water and
sweep the floor |
| | | 飘洒 | piāosǎ | float; drift |

9 画

合体字

"西"不是"酉"。

氵部

5-6年级

洒 | 1 2 |

洒 洒 洒 洒 洒 洒 洒
洒 洒

| 塞(塞) | sāi
sài
sè | 塞
边塞
闭塞 | sāi
biānsài
bìsè | stuff; fill in
frontier fortress
ill informed;
inaccessible |

13 画

合体字

宀(土)部

1-4年级

塞 | 1 / 2 / 3 4 |

塞 塞 塞 塞 塞 塞 塞
塞 塞 塞 塞 塞 塞

赛 (賽)

sài	赛	sài	contest; surpass
	赛跑	sàipǎo	race
	比赛	bǐsài	match; competition

14 画

合体字

宀(贝)部

1-4年级

赛 赛 赛 赛 赛 赛 赛 赛 赛 赛 赛 赛 赛 赛

三 (三)

sān	三	sān	three
	三角形	sānjiǎoxíng	triangle
	三言两语	sānyán-liǎngyǔ	in a few words; in one or two words

3 画

独体字

一部

1-4年级

三 三 三

伞 (傘)

sǎn	伞	sǎn	umbrella
	伞兵	sǎnbīng	paratroopers
	阳伞	yángsǎn	parasol; sunshade

6 画

合体字

人部

1-4年级

伞 伞 伞 伞 伞 伞

散 (散)

sǎn	松散	sōngsǎn	loose; inattentive
sàn	散步	sànbù	go for a stroll; take a walk
	解散	jiěsàn	dismiss; disband

12 画

合体字

攵部

1-4年级

"攵" 不是 "夂"。

散 散 散 散 散 散 散 散 散 散 散 散

丧（丧）

sāng　丧事　sāngshì　funeral
sàng　丧失　sàngshī　lose; forfeit
　　　灰心丧气　huīxīn-sàngqì　be utterly disheartened; lose heart

8 画

独体字

十部

高级华文

丧 丧 丧 丧 丧 丧 丧
丧

扫（扫）

sǎo　扫　sǎo　sweep
　　　打扫　dǎsǎo　sweep; clean
sào　扫把　sàobǎ　broom

6 画

合体字

"ヨ" 不是 "⺕"。

扌部

1-4年级

扫 扫 扫 扫 扫 扫

嫂（嫂）

sǎo　嫂子　sǎozi　sister-in-law; elder brother's wife
　　　大嫂　dàsǎo　elder sister-in-law
　　　嫂嫂　sǎosao　sister-in-law; elder brother's wife

12 画

合体字

"申" 不是 "由"。

女部

1-4年级

嫂 嫂 嫂 嫂 嫂 嫂 嫂
嫂 嫂 嫂 嫂 嫂

色（色）

sè　颜色　yánsè　colour; countenance
　　色彩　sècǎi　colour; hue
shǎi　掉色儿　diàoshǎir　fade; lose colour

6 画

合体字

刀（⺈）部

1-4年级

色 色 色 色 色 色

314

啬(嗇) sè 吝啬 lìnsè stingy; miserly

- 11 画
- 合体字
- 十(口)部
- 5-6年级

啬 啬 啬 啬 啬 啬 啬 啬 啬 啬 啬

森(森) sēn

森林 sēnlín forest
森严 sēnyán stern; strict
阴森森 yīnsēnsēn gloomy; ghastly

- 12 画
- 合体字
- 木部
- 1-4年级

"木"第四笔楷体是捺，宋体是点。

一 十 才 木 杏 杏 森 森 森 森 森 森

刹(剎) shā

刹车 shāchē brake; put on the brake

chà 巴刹 bāshā pasar; market
一刹那 yīchànà instant

- 8 画
- 合体字
- 刂部
- 1-4年级

"杀"第三笔楷体是点，宋体是撇。

刹 刹 刹 刹 刹 刹 刹 刹

杀(殺) shā

杀 shā kill; slaughter
杀菌 shājūn disinfect; sterilize
误杀 wùshā manslaughter

- 6 画
- 合体字
- 丿(木)部
- 1-4年级

"杀"第三笔楷体是点，宋体是撇。

杀 杀 杀 杀 杀 杀

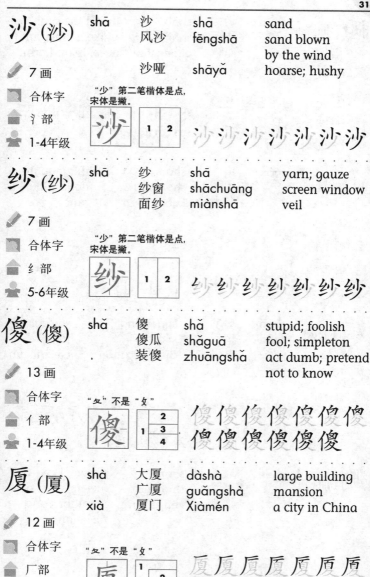

沙 (沙)	shā	沙 风沙	shā fēngshā	sand sand blown by the wind
		沙哑	shāyǎ	hoarse; hushy

7 画

合体字

氵部

1-4年级

"少"第二笔楷体是点，宋体是撇。

沙沙沙沙沙沙沙

纱 (纱)	shā	纱 纱窗 面纱	shā shāchuāng miànshā	yarn; gauze screen window veil

7 画

合体字

纟部

5-6年级

"少"第二笔楷体是点，宋体是撇。

纱纱纱纱纱纱纱

傻 (傻)	shǎ	傻 傻瓜 装傻	shǎ shǎguā zhuāngshǎ	stupid; foolish fool; simpleton act dumb; pretend not to know

13 画

合体字

亻部

1-4年级

"夂"不是"攵"

傻傻傻傻傻傻
傻傻傻傻傻傻

厦 (厦)	shà xià	大厦 广厦 厦门	dàshà guǎngshà Xiàmén	large building mansion a city in China

12 画

合体字

厂部

5-6年级

"夂"不是"攵"

厦厦厦厦厦厦厦
厦厦厦厦厦

晒 (晒)

shài	晒	shài	dry in the sun; bask
	晒图	shàitú	make a blueprint
	冲晒	chōngshài	develop and print

✏️ 10 画

🔲 合体字

🏠 日部

👤 1-4年级

"西"不是"酉"。

山 (山)

shān	山	shān	hill; mountain
	山峰	shānfēng	mountain peak
	矿山	kuàngshān	mine

✏️ 3 画

🔲 独体字

🏠 山部

👤 1-4年级

扇 (扇)

shān	扇动	shāndòng	stir up; flap
shàn	扇子	shànzi	fan
	电风扇	diànfēngshàn	electric fan

✏️ 10 画

🔲 合体字

🏠 户部

👤 1-4年级

删 (删)

shān	删	shān	delete; leave out
	删除	shānchú	delete; cross out
	增删	zēngshān	additions and deletions

✏️ 7 画

🔲 合体字

🏠 刂部

👤 5-6年级

闪 (閃)

shǎn

闪	shǎn	dodge; flash
闪电	shǎndiàn	lightening
闪耀	shǎnyào	radiate; shine

- 5 画
- 合体字
- 门部
- 1-4年级

闪 闪 闪 闪 闪

善 (善)

shàn

善良	shànliáng	good and honest; kindhearted
完善	wánshàn	perfect
慈善	císhàn	charitable; philanthropic

- 12 画
- 合体字
- 羊部
- 5-6年级

善 善 善 善 善 羊 羊
善 善 善 善 善

伤 (傷)

shāng

伤害	shānghài	injure; harm
创伤	chuāngshāng	wound; trauma
哀伤	āishāng	distressed; sad

- 6 画
- 合体字
- 亻部
- 1-4年级

伤 伤 伤 伤 伤 伤

商 (商)

shāng

商店	shāngdiàn	shop; store
经商	jīngshāng	engage in trade
商量	shāngliáng	consult; discuss

- 11 画
- 合体字
- 亠(口)部
- 1-4年级

"啇"不是"啇"。

商 商 商 商 商 商 商
商 商 商 商

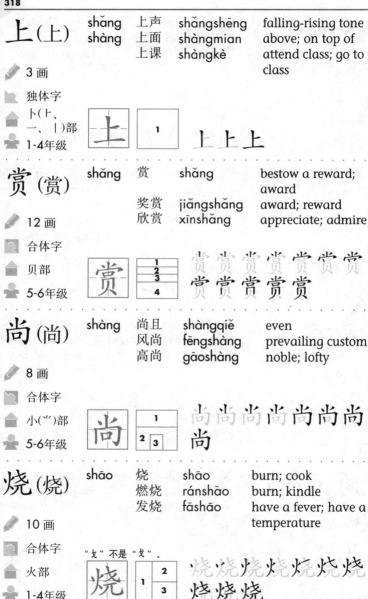

| 上(上) | shǎng
shàng | 上声
上面
上课 | shǎngshēng
shàngmian
shàngkè | falling-rising tone
above; on top of
attend class; go to class |

3 画

独体字

卜(⼘、一、丨)部

1-4年级

上 | 1

上 上 上

| 赏(赏) | shǎng | 赏

奖赏
欣赏 | shǎng

jiǎngshǎng
xīnshǎng | bestow a reward; award
award; reward
appreciate; admire |

12 画

合体字

贝部

5-6年级

赏 | 1 2 3 4

赏 赏 赏 赏 赏 赏 赏
赏 赏 赏 赏 赏

| 尚(尚) | shàng | 尚且
风尚
高尚 | shàngqiě
fēngshàng
gāoshàng | even
prevailing custom
noble; lofty |

8 画

合体字

小("")部

5-6年级

尚 | 1 / 2 3

尚 尚 尚 尚 尚 尚 尚
尚

| 烧(烧) | shāo | 烧
燃烧
发烧 | shāo
ránshāo
fāshāo | burn; cook
burn; kindle
have a fever; have a temperature |

10 画

合体字

"尧"不是"尧"。

火部

1-4年级

烧 | 1 2 3

烧 烧 烧 烧 烧 烧 烧
烧 烧 烧

少 (少)

shǎo	少	shǎo	few; little
	少量	shǎoliàng	a small amount; a little
shào	少年	shàonián	juvenile; early youth

✏️ 4 画

📖 独体字

🏠 少部

🎓 1-4年级

"少"第二笔楷体是点，宋体是撇。

ノ 小 少 少

绍 (绍)

| shào | 介绍 | jièshào | introduce; present |

✏️ 8 画

📖 合体字

🏠 纟 (糸)部

🎓 1-4年级

纟纟纟纟纟纟纟纟绍绍绍绍绍绍绍绍

舌 (舌)

shé	舌头	shétou	tongue
	帽舌	màoshé	visor; peak (of a cap)
	口舌	kǒushé	talking; quarrel

✏️ 6 画

📖 合体字

🏠 舌部

🎓 1-4年级

"千"不是"干"。

舌舌舌舌舌舌

蛇 (蛇)

| shé | 毒蛇 | dúshé | poisonous snake |
| | 地头蛇 | dìtóushé | local villain |

✏️ 11 画

📖 合体字

🏠 虫部

🎓 1-4年级

"匕"不是"七"。

蛇口口中虫虫虫蛇蛇蛇蛇

舍(舍)

shě 　舍得　shědé　be willing to part with; not grudge

shè　施舍　shīshě　give alms; bestow alms
　　　宿舍　sùshè　dormitory; hostel

8 画

合体字

人部

5-6年级

人 个 合 合 全 全 舍 舍

设(设)

shè　设立　shèlì　set up; establish
　　　建设　jiànshè　build; construct
　　　假设　jiǎshè　hypothesis; suppose

6 画

合体字

讠(言)部

1-4年级

设 设 设 设 设 设

射(射)

shè　射门　shèmén　shoot at the goal
　　　喷射　pēnshè　spray; spurt
　　　照射　zhàoshè　irradiate; illuminate

10 画

合体字

身(寸)部

1-4年级

射 亻 白 白 身 身
身 射 射

社(社)

shè　社会　shèhuì　society
　　　报社　bàoshè　newspaper office
　　　旅行社　lǚxíngshè　travel service; tourist agency

7 画

合体字

"礻"不是"衤"。

礻(示)部

5-6年级

社 礻 礻 礻 礻 社 社

申(申)	shēn	申明	shēnmíng	declare; state
		申请	shēnqǐng	apply for; application
		引申	yǐnshēn	extend (the meaning of a word, etc.)

5画
独体字
丨部
高级华文

申 / 1 / 丨 冂 冃 日 申

| 呻(呻) | shēn | 呻吟 | shēnyín | groan; moan |
| | | 无病呻吟 | wúbìngshēnyín | moan and groan without cause |

8画
合体字
口部
高级华文

呻 / 1 2 / 丨 冂 申 口 叩 呻 呻 呻 呻

身(身)	shēn	身体	shēntǐ	body
		本身	běnshēn	itself
		奋不顾身	fènbùgùshēn	dash ahead regardless of one's safety

7画
独体字
身部
1-4年级

身 / 1 / 身 身 身 身 身 身 身

深(深)	shēn	深	shēn	deep
		深刻	shēnkè	profound
		深入	shēnrù	go deep into

11画
合体字
氵部
1-4年级

深 / 1 2 3 4 / 深深深深深深深 深深深深

伸(伸) shēn

伸	shēn	extend; stretch
延伸	yánshēn	extend; elongate
伸懒腰	shēnlǎnyāo	give a stretch

- 7 画
- 合体字
- 亻部
- 1-4年级

亻 伸 伊 伊 伊 伊 伸

甚(甚) shén / shèn

甚么	shénme	what; something
甚至	shènzhì	even; go so far as to

- 9 画
- 独体字
- 一(其)部
- 高级华文

甚 甚 甘 甚 甚 其 其
其 甚

什(什) shén / shí

什么	shénme	what; something
什物	shíwù	sundries; odds and ends

- 4 画
- 合体字
- 亻部
- 1-4年级

亻 亻 什 什

神(神) shén

神	shén	god; deity
神话	shénhuà	mythology
精神	jīngshen	vigour; vitality

- 9 画
- 合体字 "礻"不是"衤"。
- 礻(示)部
- 1-4年级

神 礻 礻 礻 礻 礻 衤 衤
衤 神

审 (审) shěn

审判	shěnpàn	judge; trial
审查	shěnchá	examine; investigate
评审	píngshěn	evaluate; pass judgement on

🖊 8 画

🔲 合体字

🏠 宀部

🏫 高级华文

审审审审宀宀宀
审

婶 (婶) shěn

| 婶婶 | shěnshen | aunt; auntie |

🖊 11 画

🔲 合体字

🏠 女部

🏫 高级华文

⟨ 妗 妗 女 女 女 妗 妗
妗 妗 婶 婶

慎 (慎) shèn

慎重	shènzhòng	careful; cautious
谨慎	jǐnshèn	careful; circumspect
审慎	shěnshèn	cautious; prudent

🖊 13 画

🔲 合体字

🏠 忄部   "且" 不是 "且"。

🏫 高级华文

慎慎慎慎慎慎慎
慎慎慎慎慎慎

生 (生) shēng

生	shēng	raw; unfamiliar
生吃	shēngchī	eat (something) raw
卫生	wèishēng	hygiene; sanitation

🖊 5 画

🔲 独体字

🏠 丿部

🏫 1-4年级

生生生生生

声 (聲)

shēng	声音	shēngyīn	sound; voice
	响声	xiǎngshēng	sound; noise
	鸦雀无声	yāquèwúshēng	in dead silence

✏ 7 画

📖 合体字　　"士"不是"土"。

🏠 士部

🎓 1-4年级

声 声 声 声 声 声 声

升 (升)

shēng	升	shēng	rise; hoist
	升学	shēngxué	enter schools of a higher grade
	提升	tíshēng	promote; advance

✏ 4 画

📖 独体字

🏠 丿部

🎓 1-4年级

升 千 壬 升

牲 (牲)

shēng	牲口	shēngkou	livestock
	畜牲	chùsheng	beast; brute
	牺牲	xīshēng	sacrifice; die

✏ 9 画

📖 合体字

🏠 牛(牛)部

🎓 5-6年级

牲 牲 牲 牲 牲 牲 牲 牲 牲

甥 (甥)

shēng	甥女	shēngnǚ	niece
	外甥	wàisheng	nephew

✏ 12 画

📖 合体字

🏠 丿部

🎓 5-6年级

甥 甥 甥 甥 甥 甥 甥 甥 甥 甥 甥

绳 (繩)

shéng	绳子	shéngzi
	绳之以法	shéngzhīyǐfǎ

rope; cord
enforce law upon

✏️ 11 画

🔲 合体字

🏠 纟(糸)部

📈 1-4年级

绳绳绳绳绳绳绚
绚绚绚绳

省 (省)

shěng	省	shěng
	省会	shěnghuì
xǐng	反省	fǎnxǐng

province
provincial capital
self-reflection

✏️ 9 画

🔲 合体字

"少"第二笔楷体是点，宋体是撇。

🏠 目(小)部

📈 1-4年级

省省省省省省省
省省

胜 (勝)

shèng	胜	shèng
	胜利	shènglì
	优胜	yōushèng

win; succeed
victory; success
championship;
superior

✏️ 9 画

🔲 合体字

🏠 月部

📈 1-4年级

胜胜胜胜胜胜胜
胜胜

剩 (剩)

shèng	剩	shèng
	剩余	shèngyú
	过剩	guòshèng

remain; leave (over)
surplus; remainder
surplus; excess

✏️ 12 画

🔲 合体字

🏠 刂部

📈 1-4年级

剩剩乖剩剩乖乖
乖乖乖剩剩

盛 (盛)

shèng	兴盛	xīngshèng	prosperous
	盛况	shèngkuàng	grand occasion
chéng	盛饭	chéng fàn	fill a bowl with rice

- 11 画
- 合体字
- 皿部
- 1-4年级

盛 盛 盛 成 成 成 成 盛 盛 盛 盛

圣 (聖)

shèng	圣人	shèngrén	sage; saint
	圣诞节	Shèngdànjié	Christmas
	神圣	shénshèng	sacred; holy

- 5 画
- 合体字
- 又(土)部
- 5-6年级

"圣" 不是 "圣"。

圣 又 圣 圣 圣

尸 (屍)

shī	尸体	shītǐ	corpse; dead body
	验尸	yànshī	autopsy; post-mortem examination

- 3 画
- 独体字
- 尸部
- 高级华文

尸 尸 尸

师 (師)

shī	老师	lǎoshī	teacher; master
	律师	lùshī	lawyer
	师父	shīfu	master

- 6 画
- 合体字
- 丨(巾)部
- 1-4年级

"帀" 不是 "币"。

师 师 师 师 师 师

狮(獅) shī

狮子	shīzi	lion
舞狮子	wǔ shīzi	perform a lion dance
鱼尾狮	yúwěishī	Merlion

✏️ 9 画

🔲 合体字

🔲 犭部

📖 1-4年级

"帀" 不是 "币"。

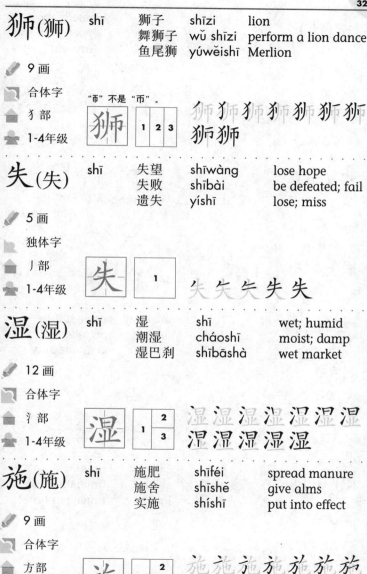

失(失) shī

失望	shīwàng	lose hope
失败	shībài	be defeated; fail
遗失	yíshī	lose; miss

✏️ 5 画

🔲 独体字

🔲 丿部

📖 1-4年级

湿(濕) shī

湿	shī	wet; humid
潮湿	cháoshī	moist; damp
湿巴刹	shībāshà	wet market

✏️ 12 画

🔲 合体字

🔲 氵部

📖 1-4年级

施(施) shī

施肥	shīféi	spread manure
施舍	shīshě	give alms
实施	shíshī	put into effect

✏️ 9 画

🔲 合体字

🔲 方部

📖 5-6年级

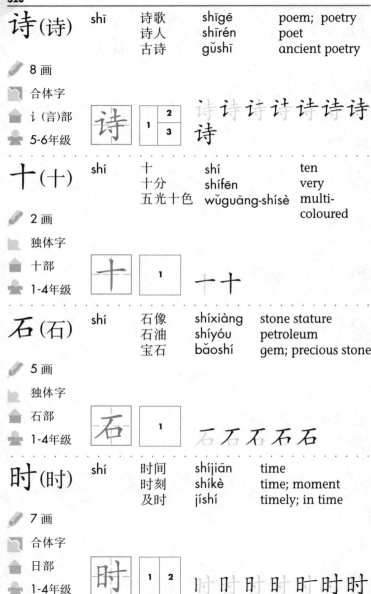

诗 (诗)   shī

诗歌	shīgē	poem; poetry
诗人	shīrén	poet
古诗	gǔshī	ancient poetry

8 画

合体字

讠(言)部

5-6年级

十 (十)   shí

十	shí	ten
十分	shífēn	very
五光十色	wǔguāng-shísè	multi-coloured

2 画

独体字

十部

1-4年级

石 (石)   shí

石像	shíxiàng	stone stature
石油	shíyóu	petroleum
宝石	bǎoshí	gem; precious stone

5 画

独体字

石部

1-4年级

时 (时)   shí

时间	shíjiān	time
时刻	shíkè	time; moment
及时	jíshí	timely; in time

7 画

合体字

日部

1-4年级

拾(拾)

shí

拾	shí	pick up
收拾	shōushí	put in order
道不拾遗	dàobùshíyí	honesty prevails throughout society

✏️ 9画

📖 合体字

🏠 扌部

👥 1-4年级

拾 拾 拾 拾 拾 拾 拾 拾 拾

食(食)

shí

食物	shíwù	food; edibles
粮食	liángshi	grain; cereals
日食	rìshí	solar elipse

✏️ 9画

📖 合体字

🏠 饣(食)部

👥 1-4年级

食 食 食 食 食 食 食 食 食

识(识)

shí

| 识字 | shízì | learn to read |
| 常识 | chángshí | elementary knowledge |

zhì

| 标识 | biāozhì | mark; sign |

✏️ 7画

📖 合体字

🏠 讠(言)部

👥 1-4年级

识 识 识 识 识 识 识

实(实)

shí

实	shí	solid; true
实用	shíyòng	practical; pragmatic
老实	lǎoshi	honest; frank

✏️ 8画

📖 合体字

🏠 宀部

👥 1-4年级

实 实 实 实 实 实 实 实

使(使)　shǐ

使用	shǐyòng	make use of; apply
大使	dàshǐ	ambassador
假使	jiǎshǐ	if; in case

8 画

合体字

亻部

1-4年级

使 使 使 佢 佢 佢 使 使

始(始)　shǐ

始终	shǐzhōng	throughout
开始	kāishǐ	begin; start
原始	yuánshǐ	primitive; original

8 画

合体字

女部

1-4年级

ㄥ 妗 始 始 始 始 始 始

史(史)　shǐ

历史	lìshǐ	history; past records
校史	xiàoshǐ	school history
史书	shǐshū	history book

5 画

独体字

口部

5-6年级

史 史 史 史 史

驶(驶)　shǐ

| 行驶 | xíngshǐ | travel; ply |
| 驾驶 | jiàshǐ | drive; pilot |

8 画

合体字

马部

5-6年级

驶 驶 驶 驶 驶 驶 驶

势 (勢)

shì

势力	shìlì	force; influence
形势	xíngshì	situation
手势	shǒushì	gesture; sign

✏️ 8 画

📄 合体字

🏛️ 力部

🎓 高级华文

"丸"不是"九"。

势 … 势 势 执 执 执 执 势 势

侍 (侍)

shì

侍候	shìhòu	wait upon; attend
侍应生	shìyìngshēng	waiter; waitress
服侍	fúshì	wait upon; attend

✏️ 8 画

📄 合体字

🏛️ 亻部

🎓 高级华文

"士"不是"士"。

侍 侍 侍 侍 侍 侍 侍 侍

士 (士)

shì

士兵	shìbīng	soldier
护士	hùshì	nurse
博士	bóshì	doctor

✏️ 3 画

📄 独体字

🏛️ 士部

🎓 1-4年级

一 十 士

室 (室)

shì

室内	shìnèi	indoor; interior
教室	jiàoshì	classroom
实验室	shíyànshì	laboratory

✏️ 9 画

📄 合体字

🏛️ 宀部

🎓 1-4年级

室 室 室 室 室 室 室 室 室

是(是) shì

是	shì	correct; right
是非	shìfēi	right and wrong
自以为是	zìyǐwéishì	be opinionated

9 画

合体字

日部

1-4年级

是 是 是 是 是 是 是 是 是

视(视) shì

视力	shìlì	vision; sight
近视	jìnshì	shortsightedness
电视	diànshì	television

8 画

合体字

礻(示)部

"礻"不是"衤"。

1-4年级

视 视 视 视 视 视 视 视

事(事) shì

事情	shìqíng	matter; thing
事先	shìxiān	beforehand; prior
军事	jūnshì	military affairs

8 画

独体字

一部

1-4年级

事 事 事 事 亨 亨 亨 事

示(示) shì

示范	shìfàn	demonstrate
表示	biǎoshì	express; show
展示	zhǎnshì	reveal; lay bare

5 画

合体字

示部

第四笔楷体是点，宋体是撇。

1-4年级

示 示 示 示 示

世(世)	shì	世界	shìjiè	world
		世纪	shìjì	century
		去世	qùshì	die; pass away

✎ 5画

📑 独体字

🏛 一部

🎓 1-4年级

试(试)	shì	试验	shìyàn	trial; experiment
		试题	shìtí	examination question
		笔试	bǐshì	written examination

✎ 8画

📑 合体字

🏛 讠(言)部

🎓 1-4年级

市(市)	shì	市长	shìzhǎng	mayor
		市场	shìchǎng	market; bazaar
		城市	chéngshì	city; town

✎ 5画

📑 合体字

🏛 亠(巾)部

🎓 1-4年级

"市" 不是 "市"。

适(适)	shì	适当	shìdàng	suitable; proper
		适合	shìhé	suit; fit
		舒适	shūshì	comfortable; cosy

✎ 9画

📑 合体字

🏛 辶部

🎓 1-4年级

"辶" 楷体比宋体多一个弯曲。

释(释) shì

释放	shìfàng	release; set free
释疑	shìyí	clear up doubts
解释	jiěshì	explain; interpret

12 画

合体字

采部

5-6年级

"丬" 不是 "丰"。

释 释 释 释 平 平 释 释 释 释 释 释

式(式) shì

式样	shìyàng	style; model
方式	fāngshì	way; fashion
仪式	yíshì	ceremony; rite

6 画

合体字

弋(工)部

5-6年级

式 式 式 式 式 式

嗜(嗜) shì

| 嗜好 | shìhào | hobby; addiction |

13 画

合体字

口部

5-6年级

嗜 嗜 嗜 嗜 嗜 嗜 嗜 嗜 嗜 嗜 嗜 嗜 嗜

饰(饰) shì

饰物	shìwù	ornaments
饰演	shìyǎn	play the role of
装饰	zhuāngshì	decorate; adorn

8 画

合体字

饣(食)部

5-6年级

饰 饣 饰 饰 饰 饰 饰 饰

收(收) | shōu | 收 | shōu | receive; accept
| | 收获 | shōuhuò | harvest; gain
| | 丰收 | fēngshōu | bumper harvest

6 画

合体字

"攵" 不是 "夂"。

攵 部

1-4年级

收收收收收收

手(手) | shǒu | 手 | shǒu | hand
| | 手段 | shǒuduàn | means; method
| | 动手 | dòngshǒu | get to work; hit out

4 画

独体字

手部

1-4年级

手手手手

守(守) | shǒu | 守候 | shǒuhòu | expect; keep
| | 看守 | kānshǒu | watch; warder
| | 防守 | fángshǒu | defend; guard

6 画

合体字

宀部

1-4年级

守守守宁守守

首(首) | shǒu | 首尾 | shǒuwěi | the head and the tail
| | 首要 | shǒuyào | of the first importance
| | 元首 | yuánshǒu | head of state

9 画

合体字

八(丷)部

5-6年级

首首首首首首首
首首

寿(寿)	shòu	寿命 长寿 祝寿	shòumìng chángshòu zhùshòu	life; life-span longevity; long life congratulate somebody on his birthday

✏ 7 画

▢ 合体字

🏠 寸部

🎓 高级华文

寿 | 1 2 | 寿 寿 寿 寿 寿 寿 寿

受(受)	shòu	受 接受 难受	shòu jiēshòu nánshòu	suffer; be subjected to receive; accept feel unhappy; suffer pain

✏ 8 画

▢ 合体字

🏠 爪(⺍、又)部

🎓 1-4年级

受 | 1 2 3 | 受 受 受 受 受 受 受 受

瘦(瘦)	shòu	瘦 瘦肉 干瘦	shòu shòuròu gānshòu	thin; emaciated lean meat skinny; bony

✏ 14 画

▢ 合体字

🏠 疒部

🎓 1-4年级

"申" 不是 "由"。

瘦 | 1 2 3 | 瘦 瘦 瘦 瘦 瘦 瘦 瘦 瘦 瘦 瘦 瘦 瘦 瘦 瘦

售(售)	shòu	出售 销售 售价	chūshòu xiāoshòu shòujià	put on sale; sell sell; market selling price

✏ 11 画

▢ 合体字

🏠 隹(口)部

🎓 1-4年级

售 | 1 2 | 售 售 售 售 售 售 售 售 售 售

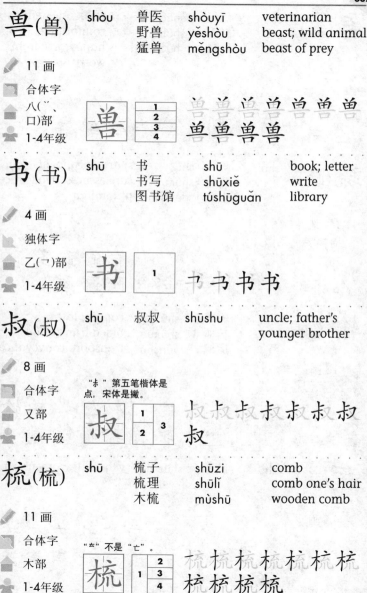

兽(兽)	shòu	兽医 野兽 猛兽	shòuyī yěshòu měngshòu	veterinarian beast; wild animal beast of prey

11 画

合体字

八(丷、口)部

1-4年级

兽兽兽兽兽兽兽兽兽兽兽

书(书)	shū	书 书写 图书馆	shū shūxiě túshūguǎn	book; letter write library

4 画

独体字

乙(一)部

1-4年级

フ ⅎ 书 书

叔(叔)	shū	叔叔	shūshu	uncle; father's younger brother

8 画

合体字

"扌"第五笔楷体是点，宋体是撇。

又部

1-4年级

叔叔叔叔叔叔叔叔

梳(梳)	shū	梳子 梳理 木梳	shūzi shūlǐ mùshū	comb comb one's hair wooden comb

11 画

合体字

"云"不是"亡"。

木部

1-4年级

梳梳梳梳梳梳梳梳梳梳梳

338

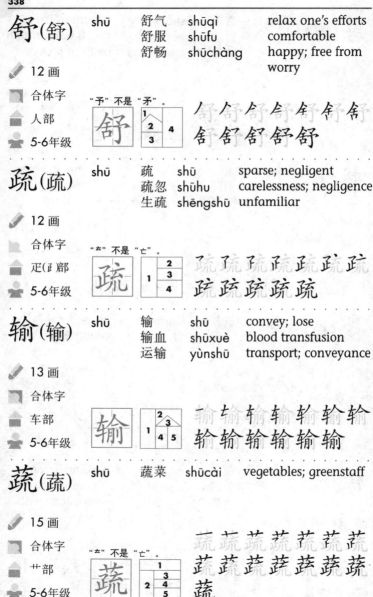

舒(舒) shū

舒气	shūqì	relax one's efforts
舒服	shūfu	comfortable
舒畅	shūchàng	happy; free from worry

12 画
合体字
人部
5-6年级

"予"不是"矛"。

疏(疏) shū

疏	shū	sparse; negligent
疏忽	shūhu	carelessness; negligence
生疏	shēngshū	unfamiliar

12 画
合体字
足(⻊)部
5-6年级

"ㄊ"不是"亡"。

输(输) shū

输	shū	convey; lose
输血	shūxuè	blood transfusion
运输	yùnshū	transport; conveyance

13 画
合体字
车部
5-6年级

蔬(蔬) shū

| 蔬菜 | shūcài | vegetables; greenstaff |

15 画
合体字
艹部
5-6年级

"ㄊ"不是"亡"。

| 熟(熟) | shú | 熟客 | shúkè | frequent visitor |
| | | 成熟 | chéngshú | ripe, mature |

✏ 15 画

📑 合体字   "丸"不是"九"。

🏠 灬部

🎓 1-4年级

属(属)	shǔ	属于	shǔyú	belong to; be part of
		金属	jīnshǔ	metal
		家属	jiāshǔ	family member; dependant

✏ 12 画

📑 合体字

🏠 尸部

🎓 高级华文

| 鼠(鼠) | shǔ | 老鼠 | lǎoshǔ | rat; mouse |
| | | 滑鼠 | huáshǔ | mouse |

✏ 13 画

📑 合体字

🏠 鼠部

🎓 1-4年级

数(数)	shǔ	数	shǔ	count
	shù	数目	shùmù	number; amount
	shuò	数见不鲜	shuòjiàn-bùxiān	common occurrence; nothing new

✏ 13 画

📑 合体字

🏠 攵部

🎓 1-4年级

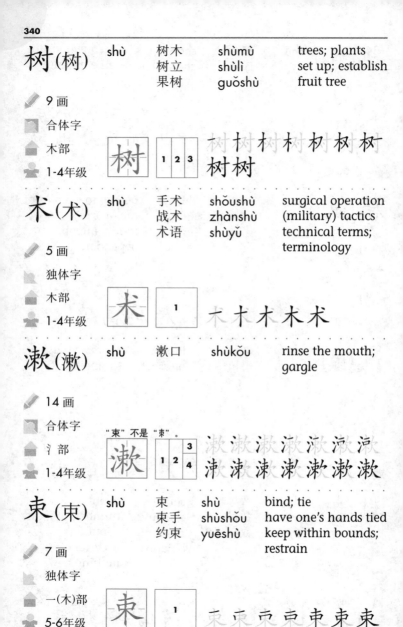

树(樹) shù

树木 shùmù trees; plants
树立 shùlì set up; establish
果树 guǒshù fruit tree

9 画
合体字
木部
1-4年级

树 | 1 2 3 | 十村村村村村村村村树树

术(術) shù

手术 shǒushù surgical operation
战术 zhànshù (military) tactics
术语 shùyǔ technical terms; terminology

5 画
独体字
木部
1-4年级

术 | 1 | 一十才木术

漱(漱) shù

漱口 shùkǒu rinse the mouth; gargle

14 画
合体字
"束"不是"束"。
氵部
1-4年级

漱 | 1 2 | 3 4 | 漱漱漱漱漱氵氵沭沭沭漱漱漱漱漱

束(束) shù

束 shù bind; tie
束手 shùshǒu have one's hands tied
约束 yuēshù keep within bounds; restrain

7 画
独体字
一(木)部
5-6年级

束 | 1 | 一一一一一束束

刷(刷)	shuā	刷	shuā	brush; scrub
		刷子	shuāzi	brush
		粉刷	fěnshuā	whitewash

✏️ 8 画

📖 合体字

🏠 刂部

🎓 1-4年级

耍(耍)	shuǎ	玩耍	wánshuǎ	play; amuse oneself
		杂耍	záshuǎ	variety show
		耍弄	shuǎnòng	make fun of; make a fool of

✏️ 9 画

📖 合体字

"而" 不是 "西"。

🏠 女部

🎓 1-4年级

衰(衰)	shuāi	衰弱	shuāiruò	weak; feeble
		衰老	shuāilǎo	old and feeble; senile
		盛衰	shèngshuāi	prosperity and decline; ups and downs

✏️ 10 画

📖 合体字

"𧘇" 不是 "队"。

🏠 亠(衣)部

🎓 5-6年级

摔(摔)	shuāi	摔交	shuāijiāo	tumble; wrestle
		摔打	shuāidǎ	temper oneself
		摔跟头	shuāigēntou	trip and fall; trip up

✏️ 14 画

📖 合体字

🏠 扌部

🎓 5-6年级

帅 (帥)

shuài   长得帅   zhǎng de shuài   look hand-some

元帅   yuánshuài   marshal

✏ 5 画

▢ 合体字

☗ 巾部

♟ 高级华文

"丨" 不是 "刂"。

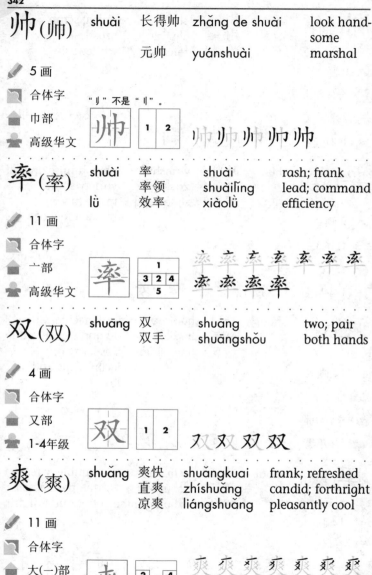

帅 ｜１｜２｜ 刂 刂 刂 帅 帅

率 (率)

shuài   率   shuài   rash; frank

率领   shuàilǐng   lead; command

lǜ   效率   xiàolǜ   efficiency

✏ 11 画

▢ 合体字

☗ 亠部

♟ 高级华文

率率亠玄玄玄率

率率率率

双 (雙)

shuāng   双   shuāng   two; pair

双手   shuāngshǒu   both hands

✏ 4 画

▢ 合体字

☗ 又部

♟ 1-4年级

双 双 双 双

爽 (爽)

shuǎng   爽快   shuǎngkuai   frank; refreshed

直爽   zhíshuǎng   candid; forthright

凉爽   liángshuǎng   pleasantly cool

✏ 11 画

▢ 合体字

☗ 大(一)部

♟ 1-4年级

爽 爽 爽 爽 爽 爽 爽

爽 爽 爽 爽

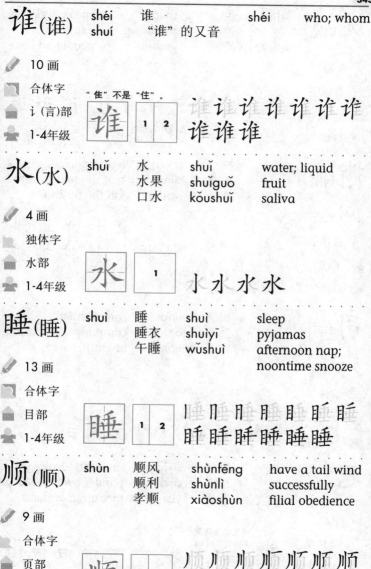

谁 (谁)
shéi 谁 shéi who; whom
shuí "谁"的又音

- 10 画
- 合体字
- 讠(言)部　"隹"不是"住"。
- 1-4年级

笔顺：讠 讠 讠 讠 讠 诈 诈 谁 谁

水 (水)
shuǐ 水 shuǐ water; liquid
水果 shuǐguǒ fruit
口水 kǒushuǐ saliva

- 4 画
- 独体字
- 水部
- 1-4年级

笔顺：亅 水 水 水

睡 (睡)
shuì 睡 shuì sleep
睡衣 shuìyī pyjamas
午睡 wǔshuì afternoon nap; noontime snooze

- 13 画
- 合体字
- 目部
- 1-4年级

笔顺：丨 冂 冃 冃 目 盰 盰 盰 盰 睡 睡 睡 睡

顺 (顺)
shùn 顺风 shùnfēng have a tail wind
顺利 shùnlì successfully
孝顺 xiàoshùn filial obedience

- 9 画
- 合体字
- 页部
- 1-4年级

笔顺：丿 丿 顺 顺 顺 顺 顺 顺 顺

说(说)

shuō	说 shuō	speak; talk
	说明 shuōmíng	explain
shuì	游说 yóushuì	peddle an idea

9 画

合体字

讠(言)部

1-4年级

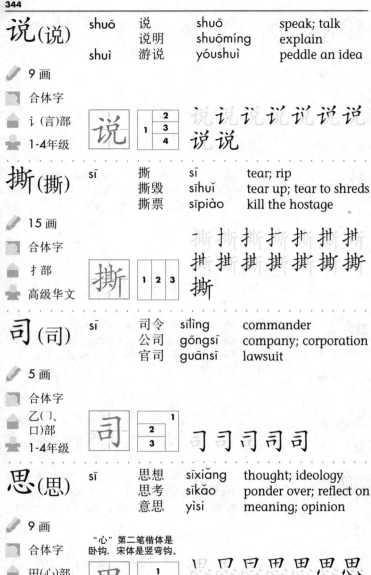

说 说 说 说 说 说 说 说 说

撕(撕)

sī	撕 sī	tear; rip
	撕毁 sīhuǐ	tear up; tear to shreds
	撕票 sīpiào	kill the hostage

15 画

合体字

扌部

高级华文

撕 扌 扩 扩 扪 扪 揣 揣 揣 揣 揣 撕 撕

司(司)

sī	司令 sīlìng	commander
	公司 gōngsī	company; corporation
	官司 guānsī	lawsuit

5 画

合体字

乙(乛、口)部

1-4年级

コ ヨ 司 司 司

思(思)

sī	思想 sīxiǎng	thought; ideology
	思考 sīkǎo	ponder over; reflect on
	意思 yìsi	meaning; opinion

9 画

合体字

"心"第二笔楷体是卧钩，宋体是竖弯钩。

田(心)部

1-4年级

思 思 思 思 思 思 思 思 思

丝(丝)

sī

丝带	sīdài	silk ribbon; silk sash
丝毫	sīháo	the slightest amount
肉丝	ròusī	shredded meat

🖊 5 画

📄 合体字

"纟" 不是 "幺"。

🏠 一部

👤 5-6年级

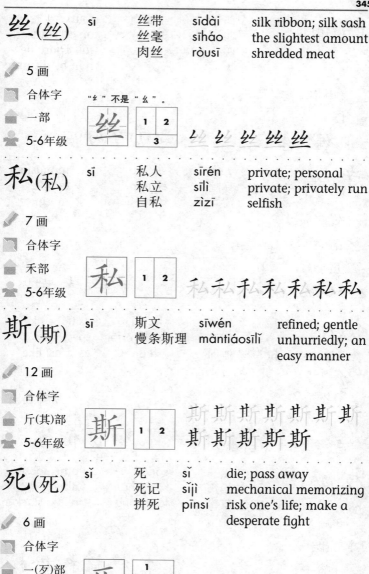

丝 | 1 | 2 | 3

纟 纟 纟 纟 丝

私(私)

sī

私人	sīrén	private; personal
私立	sīlì	private; privately run
自私	zìsī	selfish

🖊 7 画

📄 合体字

🏠 禾部

👤 5-6年级

私 | 1 | 2

私 私 千 禾 禾 私 私

斯(斯)

sī

斯文	sīwén	refined; gentle
慢条斯理	màntiáosīlǐ	unhurriedly; an easy manner

🖊 12 画

📄 合体字

🏠 斤(其)部

👤 5-6年级

斯 | 1 | 2

斯 一 廿 廿 甘 甘 其

其 其 斯 斯 斯

死(死)

sǐ

死	sǐ	die; pass away
死记	sǐjì	mechanical memorizing
拼死	pīnsǐ	risk one's life; make a desperate fight

🖊 6 画

📄 合体字

🏠 一(歹)部

👤 1-4年级

死 | 1 | 2

死 死 歹 歹 死 死

四 (四) sì

四	sì	four
四周	sìzhōu	on all sides
四分五裂	sìfēn-wǔliè	fall apart; be rent by disunity

✏️ 5 画

📖 独体字

🔲 口部

🎓 1-4年级

四　| 1 |　四 囗 四 四 四

寺 (寺) sì

寺庙	sìmiào	monastery
寺院	sìyuàn	temple
清真寺	qīngzhēnsì	mosque

✏️ 6 画

📖 合体字 　"土" 不是 "士"。

🔲 土(寸)部

🎓 5-6年级

寺　| 1 / 2 |　寺 寺 寺 寺 寺 寺

似 (似)

sì	好似	hǎosì	as if; be like
	似是而非	sìshì'érfēi	specious
shì	似的	shìde	as ... as; like

✏️ 6 画

📖 合体字

🔲 亻部

🎓 5-6年级

似　| 1 / 2 |　似 亻 亿 似 似 似

松 (松) sōng

松	sōng	pine; loose
松树	sōngshù	pine
放松	fàngsōng	relax; slacken

✏️ 8 画

📖 合体字

🔲 木部

🎓 1-4年级

松　| 1 / 2 3 |　松 十 才 朴 朳 松 松 松

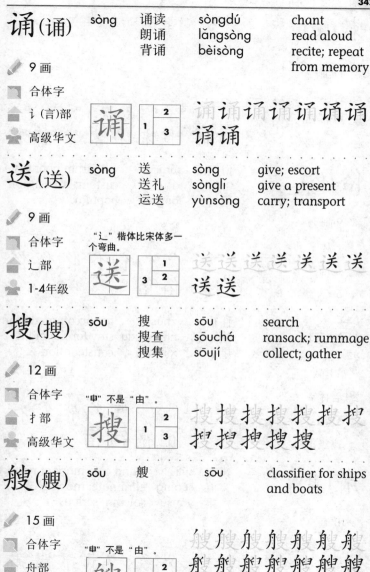

诵(诵)	sòng	诵读	sòngdú	chant
		朗诵	lǎngsòng	read aloud
		背诵	bèisòng	recite; repeat from memory

9 画

合体字

讠(言)部

高级华文

诵诵讠讠讠讠讠讠讠讠讠讠讠讠诵诵

送(送)	sòng	送	sòng	give; escort
		送礼	sònglǐ	give a present
		运送	yùnsòng	carry; transport

9 画

合体字

"辶" 楷体比宋体多一个弯曲。

辶部

1-4年级

送送送送关关关误送

搜(搜)	sōu	搜	sōu	search
		搜查	sōuchá	ransack; rummage
		搜集	sōují	collect; gather

12 画

合体字

"申" 不是 "由"。

扌部

高级华文

搜搜搜搜搜搜搜搜搜搜搜

| 艘(艘) | sōu | 艘 | sōu | classifier for ships and boats |

15 画

合体字

"申" 不是 "由"。

舟部

5-6年级

艘艘艘艘艘艘艘艘艘艘艘艘艘艘

嗽(嗽) sòu 咳嗽 késou cough

- 14 画
- 合体字
- 口部
- 1-4年级

"束"不是"束"。

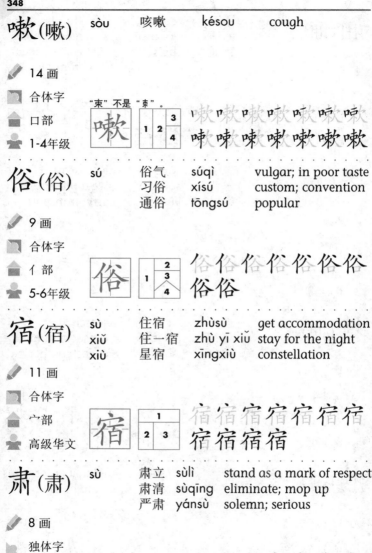

丶 嗽 丿 嗽 口 嗽 吓 嗽 吁 嗽 吶 嗽

呐 嗽 哧 嗽 唪 嗽 喇 嗽 嗽 嗽 嗽 嗽 嗽

俗(俗) sú 俗气 súqì vulgar; in poor taste
习俗 xísú custom; convention
通俗 tōngsú popular

- 9 画
- 合体字
- 亻部
- 5-6年级

俗 俗 俗 俗 俗 俗 俗
俗 俗

宿(宿) sù 住宿 zhùsù get accommodation
xiǔ 住一宿 zhù yī xiǔ stay for the night
xiù 星宿 xīngxiù constellation

- 11 画
- 合体字
- 宀部
- 高级华文

宿 宿 宿 宿 宿 宿 宿
宿 宿 宿 宿

肃(肅) sù 肃立 sùlì stand as a mark of respect
肃清 sùqīng eliminate; mop up
严肃 yánsù solemn; serious

- 8 画
- 独体字
- 聿部
- 高级华文

肃 肃 肃 肃 肃 肃 肃
肃

诉(诉)

sù

诉说	sùshuō	relate; recount
哭诉	kūsù	complain tearfully
投诉	tóusù	complain

7 画

合体字

"斥" 不是 "斤"。

讠(言)部

1-4年级

素(素)

sù

素	sù	white; vegetable
素质	sùzhì	quality
朴素	pǔsù	simple; plain

10 画

合体字

"纟"第五笔楷体是点，宋体是撇。

糸部

5-6年级

速(速)

sù

速度	sùdù	speed; velocity
速写	sùxiě	sketch; literary sketch
迅速	xùnsù	rapid; swift

10 画

合体字

"束" 不是 "束"。
"辶" 楷体比宋体多一个弯曲。

辶部

5-6年级

塑(塑)

sù

塑像	sùxiàng	statue
塑造	sùzào	mould
面塑	miànsù	dough modelling

13 画

合体字

土部

5-6年级

酸(酸) suān

酸	suān	acid; sour
酸疼	suānténg	ache
寒酸	hánsuān	miserable and shabby

14画

合体字

"夂"不是"夂"。

酉部

1-4年级

酸 丁 酉 酉 酉 酉
酚 酚 酚 酚 酸 酸 酸

算(算) suàn

算	suàn	calculate; reckon
算帐	suànzhàng	do accounts
打算	dǎsuan	plan; intend

14 画

合体字

"艹"不是"艹"。

竹(⺮)部

1-4年级

算 算 算 算 算 算 算
笁 笁 算 算 算 算 算

虽(虽) suī

虽然	suīrán	though; although
虽说	suīsuō	though; although
虽则	suīzé	though; although

9 画

合体字

口(虫)部

1-4年级

虽 虽 虽 虽 虽 虽 虽
虽 虽

随(随) suí

随便	suíbiàn	casual; informal
随时	suíshí	at anytime
跟随	gēnsuí	follow; come after

11 画

合体字

"辶"楷体比宋体多一个弯曲。

阝部

1-4年级

阝 阝 阝 阝 阝 阝
阶 阶 随 随

隧(隧)   suì   隧道   suìdào   tunnel

14 画

合体字

阝部

高级华文

"辶" 楷体比宋体多一个弯曲。

岁 (岁)   suì   岁月   suìyuè   years; time
                      周岁   zhōusuì   first birthday
                      压岁钱   yāsuìqián   money given to children as a lunar New Year gift

6 画

合体字

山(夕)部

1-4年级

碎(碎)   suì   碎石   suìshí   broken stones; crushed stones

                      破碎   pòsuì   broken; tattered
                      粉碎   fěnsuì   smash; shatter

13 画

合体字

石部

1-4年级

孙(孙)   sūn   孙子   sūnzi   grandson
                      子孙   zǐsūn   descendants
                      徒子徒孙   túzǐ-túsūn   adherents

6 画

合体字

子(子)部

1-4年级

"小" 第二笔楷体是点，宋体是撇。

损(損) sǔn

损害	sǔnhài	harm; damage
损伤	sǔnshāng	injure; harm
破损	pòsǔn	torn; worn

10 画

合体字

扌部

5-6年级

损 损 损 损 损 损 损 损 损 损

缩(縮) suō

缩	suō	contract; shrink
缩短	suōduǎn	shorten; curtail
压缩	yāsuō	compress; condense

14 画

合体字

纟（糸）部

5-6年级

缩 缩 缩 缩 缩 缩 缩 缩 缩 缩 缩 缩 缩 缩

所(所) suǒ

所有	suǒyǒu	own; possess
所以	suǒyǐ	therefore
诊所	zhěnsuǒ	clinic; despensary

8 画

合体字

斤部

1-4年级

所 所 所 所 所 所 所 所

锁(鎖) suǒ

锁	suǒ	lock
锁链	suǒliàn	shackles; fetters
连锁	liánsuǒ	chain; interlock

12 画

合体字

钅（金）部

5-6年级

锁 锁 锁 锁 锁 锁 锁 锁 锁 锁 锁 锁

| 他(他) | tā | 他 | tā | he; him |
| | | 他们 | tāmen | they; them |

✏️ 5 画

🗂️ 合体字

🏠 亻部

🎓 1-4年级

他 他 们 他 他

| 她(她) | tā | 她 | tā | she; her |
| | | 她们 | tāmen | they; them |

✏️ 6 画

🗂️ 合体字

🏠 女部

🎓 1-4年级

她 她 女 如 她 她

| 它(它) | tā | 它 | tā | it |
| | | 它们 | tāmen | they; them |

✏️ 5 画

🗂️ 合体字

🏠 宀部

🎓 1-4年级

"匕"不是"七"。

它 它 它 它 它

| 踏(踏) | tā | 踏实 | tāshi | steady and sure |
| | tà | 踏 | tà | step on; stamp |

✏️ 15 画

🗂️ 合体字

🏠 足(𧿧)部

🎓 1-4年级

"水"不是"氺"。

踏 踏 踏 踏 踏 踏 踏
趴 跖 跻 跻 踏 踏 踏
踏

塔(塔) tǎ

塔　　　　tǎ　　　　pagoda; tower
宝塔　　　bǎotǎ　　　Buddhist pagoda
灯塔　　　dēngtǎ　　lighthouse; beacon

12 画
合体字
土部
5-6年级

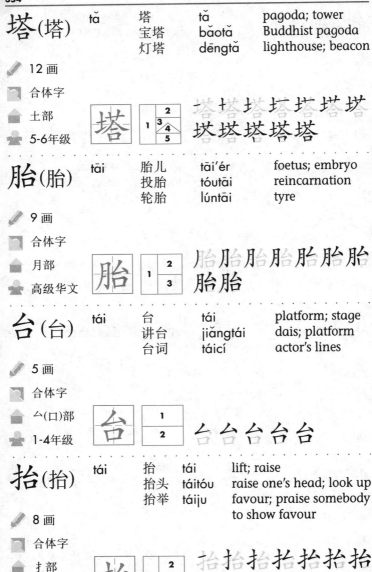

胎(胎) tāi

胎儿　　tāi'ér　　　foetus; embryo
投胎　　tóutāi　　　reincarnation
轮胎　　lúntāi　　　tyre

9 画
合体字
月部
高级华文

台(台) tái

台　　　　tái　　　　platform; stage
讲台　　　jiǎngtái　　dais; platform
台词　　　táicí　　　actor's lines

5 画
合体字
厶(口)部
1-4年级

抬(抬) tái

抬　　　　tái　　　　lift; raise
抬头　　　táitóu　　　raise one's head; look up
抬举　　　táiju　　　favour; praise somebody
　　　　　　　　　　　to show favour

8 画
合体字
扌部
1-4年级

汰 (汰)   tài   淘汰   táotài   discard; eliminate

✏️ 7 画

▨ 合体字

🏠 氵部

👤 高级华文

汰 1 2   汰 汰 汰 汏 汰 汰 汰

太 (太)   tài

太   tài   excessively; too
太平   tàipíng   peace and tranquillity
老太太   lǎotàitai   old lady; one's mother

✏️ 4 画

▨ 独体字

🏠 大部

👤 1-4年级

太 1   六 大 大 太

态 (态)   tài

态度   tàidù   manner; attitude
动态   dòngtài   trends; developments
丑态   chǒutài   ugly performance; buffoonery

✏️ 8 画

▨ 合体字

🏠 心部

👤 1-4年级

"心"第二笔楷体是卧钩，宋体是竖弯钩。

态 1 2   态 态 态 态 态 态 态 态

贪 (贪)   tān

贪图   tāntú   covet; hanker after
贪污   tānwū   corruption; graft
贪心   tānxīn   greed; avarice

✏️ 8 画

▨ 合体字

🏠 贝(人)部

👤 1-4年级

贪 1 2 3   贪 贪 贪 贪 贪 贪 贪 贪

摊 (攤) tān

摊	tān	spread out
摊派	tānpài	apportion
收摊	shōutān	pack up the stall; wind up the day's business

13 画

合体字

扌部

1-4年级

摊 1 2 3

摊 扌 扗 扗 扗 扗 扗 扗 扗 摊 摊 摊 摊

滩 (灘) tān

河滩	hétān	river side; flood land
沙滩	shātān	sandy beach; shoal
险滩	xiǎntān	dangerous shoals

13 画

合体字

氵部

1-4年级

滩 1 2 3

滩 氵 汁 汉 沪 沪 洲 滩 滩 滩 滩 滩 滩

谈 (談) tán

谈话	tánhuà	conversation; talk
谈心	tánxīn	heart-to-heart talk
座谈	zuòtán	have an informal discussion

10 画

合体字

讠(言)部

1-4年级

谈 1 2 3

谈 讠 讠 谈 谈 谈 谈 谈 谈 谈

痰 (痰) tán

痰	tán	phlegm; sputum
吐痰	tǔ tán	spit; expectorate

13 画

合体字

疒部

1-4年级

痰 1 2 3

痰 痰 疒 痰 痰 痰 痰 痰 痰 痰 痰 痰 痰

坦(坦) tǎn

坦白 tǎnbái candid; frank
坦率 tǎnshuài straightforward
平坦 píngtǎn level; smooth

✏ 8 画
▢ 合体字
▣ 土部
★ 5-6年级

坦 坦 坦 坦 坦 坦
坦

炭(炭) tàn

炭 tàn charcoal
煤炭 méitàn coal

✏ 9 画
▢ 合体字
▣ 山(火)部
★ 高级华文

炭 炭 炭 炭 炭 炭 炭
炭 炭

探(探) tàn

探望 tànwàng look about; visit
探听 tàntīng try to find out
试探 shìtàn sound out; probe

✏ 11 画
▢ 合体字
"⼂"不是"宀"。
▣ 扌部
★ 1-4年级

探 探 探 探 探 探 探
探 探 探 探

叹(叹) tàn

叹气 tànqì sigh; have a sigh
感叹 gǎntàn sigh with feeling
赞叹 zàntàn highly praise; sigh in admiration

✏ 5 画
▢ 合体字
▣ 口部
★ 5-6年级

叹 叹 叹 叹 叹

汤(汤)	tāng	汤	tāng	soup; broth
		汤圆	tāngyuán	stuffed dumpling made of glutinous rice
✏ 6 画		泡汤	pàotāng	fall flat; fall through
▢ 合体字				
⌂ 氵部				
⚘ 1-4年级				

汤 | 1 2 | 汤汤汤 汤汤汤

塘(塘)	táng	海塘	hǎitáng	seawall
		池塘	chítáng	pond; pool
		鱼塘	yútáng	fish pond
✏ 13 画				
▢ 合体字				
⌂ 土部				
⚘ 高级华文				

塘 | 塘塘塘塘塘塘塘 塘塘塘塘塘塘

糖(糖)	táng	糖	táng	sugar
		糖果	tángguǒ	sweets; candy
		食糖	shítáng	refined sugar
✏ 16 画				
▢ 合体字				
⌂ 米部				
⚘ 1-4年级				

糖 | 糖糖糖糖糖糖糖 糖糖糖糖糖糖糖 糖糖

堂(堂)	táng	堂兄	tángxiōng	cousin
		礼堂	lǐtáng	assembly hall
		天堂	tiāntáng	paradise; heaven
✏ 11 画				
▢ 合体字				
⌂ 小(⺌、土)部				
⚘ 1-4年级				

堂 | 堂堂堂堂堂堂堂 堂堂堂堂

躺(躺) tǎng

躺	tǎng	lie; recline
躺椅	tǎngyǐ	deck chair

✏️ 15画

🔲 合体字

🏠 身部

👥 1-4年级

躺 躺 躺 躺 躺 躺 身
身 躺 躺 躺 躺 躺 躺
躺

烫(燙) tàng

烫	tàng	scald; burn
烫伤	tàngshāng	scald
滚烫	gǔntàng	boiling hot; burning hot

✏️ 10画

🔲 合体字

🏠 火部

👥 1-4年级

烫 烫 烫 汤 汤 汤 汤
汤 烫 烫

陶(陶) táo

陶器	táoqì	pottery; earthware
陶醉	táozuì	be intoxicated
乐陶陶	lètáotáo	cheeful; joyful

✏️ 10画

🔲 合体字

🏠 阝部

👥 高级华文

陶 陶 陶 阝 阝 陶 陶
陶 陶 陶

逃(逃) táo

逃	táo	run away; flee
逃学	táoxué	play truant; cut class
逃跑	táopǎo	take to one's heels; take flight

✏️ 9画

🔲 合体字

"辶"楷体比宋体多一
个弯曲。

🏠 辶部

👥 1-4年级

逃 逃 兆 兆 兆 兆 逃
逃 逃

桃(桃)

táo

桃花	táohuā	peach blossom
桃红	táohóng	pink
羊桃	yángtáo	starfruit

- 10 画
- 合体字
- 木部
- 5-6年级

一 十 十 朴 朴 机 枕 桃
桃 桃 桃

萄(萄)

táo

| 萄糖 | táotáng | glucose; dextrose |
| 葡萄 | pútáo | grape |

- 11 画
- 合体字
- 艹部
- 5-6年级

萄 萄 萄 萄 苟 苟 苟
苟 萄 萄 萄

淘(淘)

táo

淘金	táojīn	panning
淘汰	táotài	eliminate through selection
淘气	táoqì	naughty; mischievous

- 11 画
- 合体字
- 氵部
- 5-6年级

淘 淘 淘 淘 沟 沟 沟
沟 淘 淘 淘

讨(讨)

tǎo

讨	tǎo	beg for; demand
讨论	tǎolùn	discuss; talk over
检讨	jiǎntǎo	self-criticism

- 5 画
- 合体字
- 讠(言)部
- 1-4年级

讨 讨 讨 讨 讨

套(套) tào

套	tào	case; set
笔套	bǐtào	the cap of a pen; the sheath of a pen
圈套	quāntào	snare; trap

✏️ 10 画

▢ 合体字

⬛ 大部

👥 1-4年级

套 大 大 夵 夲 奆 套 套 套 套

特(特) tè

特别	tèbié	special; particular
特征	tèzhēng	trait; feature
奇特	qítè	peculiar; quaint

✏️ 10 画

▢ 合体字

⬛ 牛(牜)部

👥 1-4年级

"土"不是"士"。

特 牜 牜 牜 牜 牜 特 特 特 特

疼(疼) téng

疼痛	téngtòng	pain; ache
疼爱	téng'ài	be very fond of; love dearly
心疼	xīnténg	love dearly; feel sorry

✏️ 10 画

▢ 合体字

⬛ 疒部

👥 1-4年级

"夂"不是"夂"。

疼 疒 疒 疒 疒 疒 疒 疼 疼 疼

踢(踢) tī

| 踢 | tī | kick |
| 踢球 | tīqiú | kick a ball; pass a buck |

✏️ 15 画

▢ 合体字

⬛ 足(⻊)部

👥 1-4年级

踢 踢 踢 踢 踢 踢 踢 踢 踢 踢 踢 踢 踢 踢 踢

梯 (梯)

tī

楼梯	lóutī	staircase
电梯	diàntī	lift; elevator
梯级	tījí	stair; step

- 11 画
- 合体字
- 木部
- 1-4年级

梯 梯 梯 梯 梯 梯 梯
梯 梯 梯 梯

题 (題)

tí

题目	tímù	title; topic
习题	xítí	exercise
问题	wèntí	question; problem

- 15 画
- 合体字
- 页(日)部
- 1-4年级

题 题 题 题 题 题 题
题 题 题 题 题 题 题
题

提 (提)

tí

| 提高 | tígāo | enhance; raise |
| 提问 | tíwèn | put questions to; quiz |

dī

| 提防 | dīfang | take precaution against; be on guard against |

- 12 画
- 合体字
- 扌部
- 1-4年级

提 提 提 提 提 提 提
提 提 提 提 提

啼 (啼)

tí

| 啼哭 | tíkū | cry; wail |
| 鸡啼 | jītí | cocks crow |

- 12 画
- 合体字
- 口部
- 1-4年级

啼 啼 啼 啼 啼 啼 啼
啼 啼 啼 啼 啼

体(體) tǐ

体育	tǐyù	PE (physical education); sports
体会	tǐhuì	realise; learn from experience
形体	xíngtǐ	physique; formal structure

✏️ 7 画

🔲 合体字

🏠 亻部

🎓 1-4年级

亻 仁 什 休 休 体

涕(涕) tì

鼻涕	bítì	nasal mucus
痛哭流涕	tòngkūliútì	shed bitter tears

✏️ 10 画

🔲 合体字

🏠 氵部

🎓 高级华文

涕 涕 涕 涕 涕 涕 涕 涕 涕 涕

替(替) tì

替	tì	replace; substitute
替换	tìhuàn	take the place of
替身	tìshēn	replacement; stand-in

✏️ 12 画

🔲 合体字

🏠 日(日)部

🎓 1-4年级

＝ 夫 夫 扶 扶 扶 替 替 替 替 替

天(天) tiān

天	tiān	sky; heaven
天空	tiānkōng	sky; the heavens
明天	míngtiān	tomorrow

✏️ 4 画

🔲 独体字

🏠 一(大)部

🎓 1-4年级

天 天 天 天

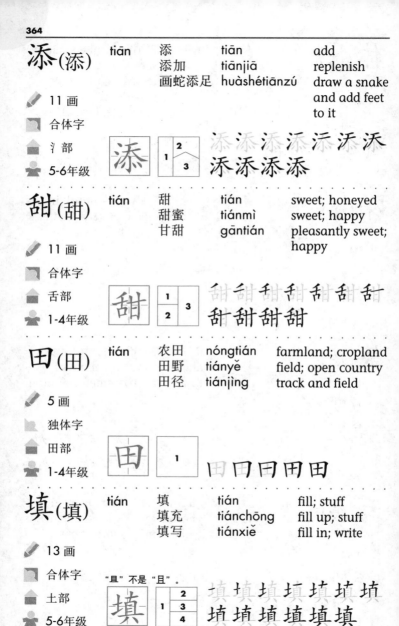

添 (添)

tián

添　tiān　add
添加　tiānjiā　replenish
画蛇添足　huàshétiānzú　draw a snake and add feet to it

✏ 11 画

▢ 合体字

🏠 氵部

👤 5-6年级

添添添添添汤汤汤
添添添添

甜 (甜)

tián

甜　tián　sweet; honeyed
甜蜜　tiánmì　sweet; happy
甘甜　gāntián　pleasantly sweet; happy

✏ 11 画

▢ 合体字

🏠 舌部

👤 1-4年级

甜甜舌舌舌舌舌
甜甜甜甜

田 (田)

tián

农田　nóngtián　farmland; cropland
田野　tiányě　field; open country
田径　tiánjìng　track and field

✏ 5 画

▢ 独体字

🏠 田部

👤 1-4年级

田冂田田田

填 (填)

tián

填　tián　fill; stuff
填充　tiánchōng　fill up; stuff
填写　tiánxiě　fill in; write

✏ 13 画

▢ 合体字

🏠 土部

👤 5-6年级

"且"不是"且"。

填填填填填填填
填填填填填填

挑(挑)

tiāo	挑	tiāo	choose; select
	挑选	tiāoxuǎn	choose; pick out
tiǎo	挑拨	tiǎobō	instigate; sow

- 9 画
- 合体字
- 扌部
- 1-4年级

挑 | 1 | 2

挑 挑 挑 挑 挑 挑 挑
挑 挑

条(条)

tiáo	条	tiáo	strip; item
	条理	tiáolǐ	proper arrangement
	收条	shōutiáo	receipt

- 7 画
- 合体字

"夂"不是"攵"。
"朩"不是"木"，第三笔楷体是点，宋体是撇。

- 夂(木)部
- 1-4年级

条 | 1 | 2

条 夂 夂 条 条 条 条

调(调)

tiáo	调整	tiáozhěng	adjust; regulate
	调皮	tiáopí	naughty; mischievous
diào	调换	diàohuàn	exchange; swop

- 10 画
- 合体字
- 讠(言)部
- 5-6年级

调 | 1 | 2 3 4

调 调 调 调 调 调 调
调 调 调

跳(跳)

tiào	跳	tiào	jump; leap
	跳舞	tiàowǔ	dance
	心跳	xīntiào	heartbeat; palpitation

- 13 画
- 合体字
- 足(𧾷)部
- 1-4年级

跳 | 1 | 3 | 2

跳 跳 跳 跳 跳 跳 跳
趴 趴 趴 跳 跳 跳

贴 (贴) tiē

贴	tiē	paste; stick
贴补	tiēbǔ	subsidies; allowance
体贴	tǐtiē	show consideration for; give every care to

9 画

合体字

贝部

1-4年级

贴 贝 贝 贝 贝 贝 贝 贴 贴 贴 贴

帖 (帖) tiē

妥帖	tuǒtiē	proper; appropriate
请帖	qǐngtiě	invitation card
字帖	zìtiè	copybook (for calligraphy)

8 画

合体字

巾部

5-6年级

帖 帖 帖 帖 帖 帖 帖 帖

铁 (铁) tiě

铁	tiě	iron
铁拳	tiěquán	iron fist
地铁	dìtiě	underground railway; MRT (Mass Rapid Transport)

10 画

合体字

钅(金)部

1-4年级

铁 铁 铁 铁 铁 铁 铁 铁 铁 铁

听 (听) tīng

听	tīng	listen; hear
听从	tīngcóng	comply with; obey
动听	dòngtīng	pleasant to listen to

7 画

合体字

"斤" 不是 "斥"。

口部

1-4年级

听 听 听 听 听 听 听

厅(厅) tīng

厅	tīng	hall
大厅	dàtīng	hall
餐厅	cāntīng	dining hall; canteen

✏️ 4 画

🗂 合体字

🏛 厂部

🎓 1-4年级

厅 厅 厅 厅

蜓(蜓) tíng

| 蜻蜓 | qīngtíng | dragonfly |

✏️ 12 画

🗂 合体字

"𡈼" 不是 "王"。

🏛 虫部

🎓 高级华文

蜓 口 蜓 口 蜓 虫 蜓 虫 蜒
蛇 蛇 蛙 蛀 蜒 蜓

庭(庭) tíng

庭院	tíngyuàn	courtyard
家庭	jiātíng	family; household
法庭	fǎtíng	court; tribunal

✏️ 9 画

🗂 合体字

"𡈼" 不是 "王"。

🏛 广部

🎓 1-4年级

庭 庭 庭 庭 庭 庭 庭
庭 庭

停(停) tíng

停	tíng	cease; pause
停顿	tíngdùn	stop; halt
调停	tiáotíng	mediate; intervene

✏️ 11 画

🗂 合体字

🏛 亻部

🎓 1-4年级

停 停 停 停 停 停 停
停 停 停 停

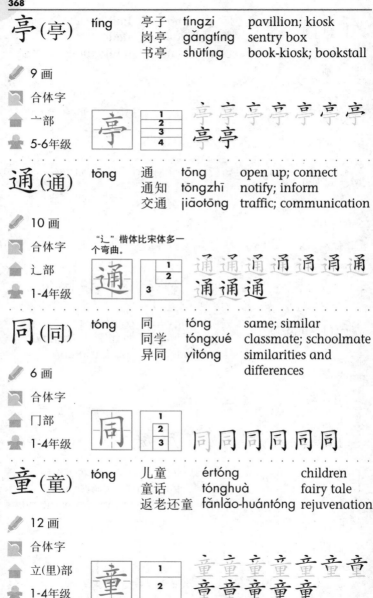

亭(亭)	tíng	亭子	tíngzi	pavillion; kiosk
		岗亭	gǎngtíng	sentry box
		书亭	shūtíng	book-kiosk; bookstall

9 画

合体字

亠部

5-6年级

通(通)	tōng	通	tōng	open up; connect
		通知	tōngzhī	notify; inform
		交通	jiāotōng	traffic; communication

10 画

合体字

"辶"楷体比宋体多一个弯曲。

辶部

1-4年级

同(同)	tóng	同	tóng	same; similar
		同学	tóngxué	classmate; schoolmate
		异同	yìtóng	similarities and differences

6 画

合体字

冂部

1-4年级

童(童)	tóng	儿童	értóng	children
		童话	tónghuà	fairy tale
		返老还童	fǎnlǎo-huántóng	rejuvenation

12 画

合体字

立(里)部

1-4年级

铜 (銅)

tóng

铜	tóng	copper
铜管乐	tóngguǎnyuè	brass music
黄铜	huángtóng	brass

✏ 11 画

▢ 合体字

▣ 钅(金)部

★ 5-6年级

钅铜铜铜铜铜铜钅铜铜铜铜

桶 (桶)

tǒng

桶	tǒng	pail; bucket
水桶	shuǐtǒng	water bucket
饭桶	fàntǒng	rice bucket; fat-head

✏ 11 画

▢ 合体字

▣ 木部

★ 1-4年级

桶桶桶桶桶桶桶桶桶桶桶

统 (統)

tǒng

统一	tǒngyī	unify; integrate
统治	tǒngzhì	rule; dominate
传统	chuántǒng	tradition

✏ 9 画

▢ 合体字

▣ 纟(糸)部

★ 5-6年级

统统统统统统统统统

筒 (筒)

tǒng

| 话筒 | huàtǒng | microphone; telephone transmitter |
| 传声筒 | chuánshēngtǒng | megaphone; mouthpiece |

✏ 12 画

▢ 合体字

▣ 竹(⺮)部

★ 5-6年级

筒筒筒筒筒筒筒筒筒筒筒筒

痛(痛)

tòng

痛	tòng	ache; pain
病痛	bìngtòng	indisposition; ailment
痛快	tòngkuài	delighted; to one's heart's content

12 画

合体字

疒部

1-4年级

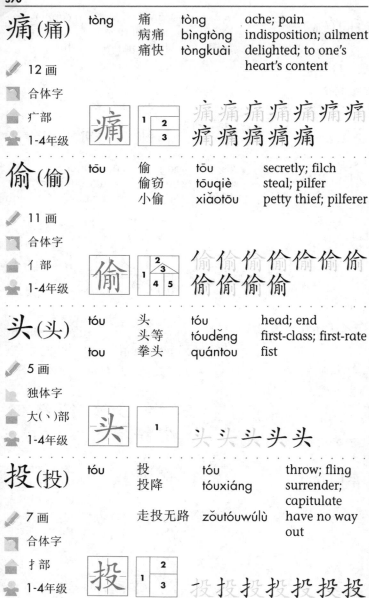

痛痛痏痏痛痛痛
疒疒痏痏痛

偷(偷)

tōu

偷	tōu	secretly; filch
偷窃	tōuqiè	steal; pilfer
小偷	xiǎotōu	petty thief; pilferer

11 画

合体字

亻部

1-4年级

亻亻伫伫偷偷偷
偷偷偷偷

头(头)

tóu

tou

头	tóu	head; end
头等	tóuděng	first-class; first-rate
拳头	quántou	fist

5 画

独体字

大(丶)部

1-4年级

头头头头头

投(投)

tóu

投	tóu	throw; fling
投降	tóuxiáng	surrender; capitulate
走投无路	zǒutóuwúlù	have no way out

7 画

合体字

扌部

1-4年级

投投投投投投投

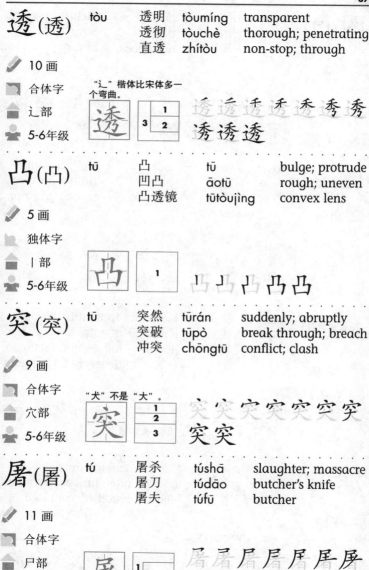

透(透) tòu

透明	tòumíng	transparent
透彻	tòuchè	thorough; penetrating
直透	zhítòu	non-stop; through

10 画

合体字

辶部

5-6年级

"辶"楷体比宋体多一个弯曲。

凸(凸) tū

凸	tū	bulge; protrude
凹凸	āotū	rough; uneven
凸透镜	tūtòujìng	convex lens

5 画

独体字

丨部

5-6年级

突(突) tū

突然	tūrán	suddenly; abruptly
突破	tūpò	break through; breach
冲突	chōngtū	conflict; clash

9 画

合体字

穴部

5-6年级

"犬"不是"大"。

屠(屠) tú

屠杀	túshā	slaughter; massacre
屠刀	túdāo	butcher's knife
屠夫	túfū	butcher

11 画

合体字

尸部

高级华文

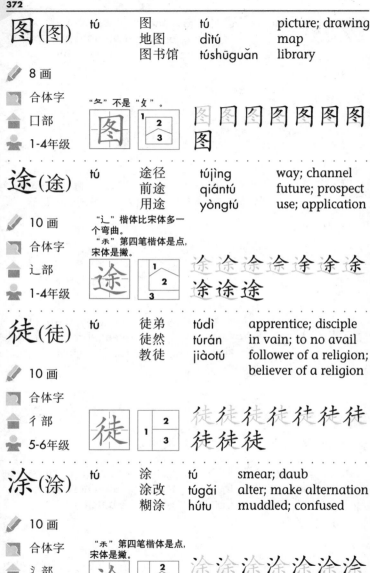

图 (图)   tú

图	tú	picture; drawing
地图	dìtú	map
图书馆	túshūguǎn	library

8 画

合体字

"夂" 不是 "夊"。

口部

1-4年级

图 图 图 图 图 图 图 图

途 (途)   tú

途径	tújìng	way; channel
前途	qiántú	future; prospect
用途	yòngtú	use; application

10 画

合体字

"辶" 楷体比宋体多一个弯曲。
"朿" 第四笔楷体是点,宋体是撇。

辶部

1-4年级

途 途 途 途 全 余 余 途 途 途

徒 (徒)   tú

徒弟	túdì	apprentice; disciple
徒然	túrán	in vain; to no avail
教徒	jiàotú	follower of a religion; believer of a religion

10 画

合体字

彳部

5-6年级

徒 徒 徒 徒 徒 徒 徒 徒 徒

涂 (涂)   tú

涂	tú	smear; daub
涂改	túgǎi	alter; make alternation
糊涂	hútu	muddled; confused

10 画

合体字

"朿" 第四笔楷体是点,宋体是撇。

氵部

5-6年级

涂 涂 涂 涂 涂 涂 涂 涂 涂 涂

土 (土)

tǔ	土	tǔ	soil; clay
	土产	tǔchǎn	local product; native produce
	领土	lǐngtǔ	territory

3 画

独体字

土部

1-4年级

一 十 土

吐 (吐)

tǔ	吐	tǔ	spit; expectorate
	谈吐	tántǔ	style of conversation
tù	呕吐	ǒutù	vomit; throw up

6 画

合体字

口部

1-4年级

吐吐 口 口吐吐

兔 (兔)

tù	兔子	tùzi	rabbit
	野兔	yětù	hare
	守株待兔	shǒuzhūdàitù	hope for gains without pains

8 画

独体字

刀(⺈)部

1-4年级

兔兔兔兔兔兔兔兔

团 (團)

tuán	团体	tuántǐ	group; organization
	团结	tuánjié	unite; rally
	集团	jítuán	group; clique

6 画

合体字

口部

1-4年级

团团团团团团

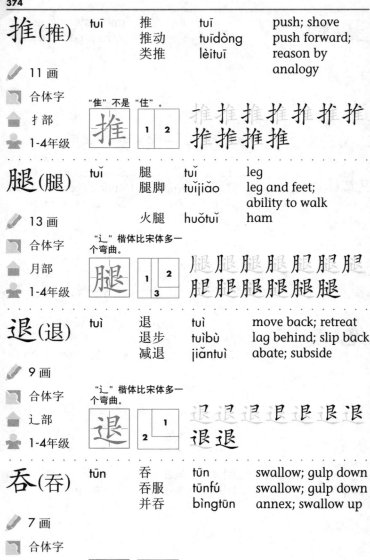

推(推) tuī

推	tuī	push; shove
推动	tuīdòng	push forward;
类推	lèituī	reason by analogy

11 画

合体字

"隹"不是"住"。

扌部

1-4年级

推推推推扌扌扌
扌扌推推

腿(腿) tuǐ

腿	tuǐ	leg
腿脚	tuǐjiǎo	leg and feet; ability to walk
火腿	huǒtuǐ	ham

13 画

合体字

"辶"楷体比宋体多一个弯曲。

月部

1-4年级

丿腿腿腿腿月月月
月月月月服腿

退(退) tuì

退	tuì	move back; retreat
退步	tuìbù	lag behind; slip back
减退	jiǎntuì	abate; subside

9 画

合体字

"辶"楷体比宋体多一个弯曲。

辶部

1-4年级

退退退尸艮艮退
退退

吞(吞) tūn

吞	tūn	swallow; gulp down
吞服	tūnfú	swallow; gulp down
并吞	bìngtūn	annex; swallow up

7 画

合体字

口部

1-4年级

吞吞吞天天吞吞

托(托)　tuō

托	tuō	hold in the palm; support with hand
托付	tuōfù	entrust
寄托	jìtuō	leave with somebody

6 画

合体字

扌部

高级华文

托托托托托托

脱(脱)　tuō

脱	tuō	peel; take off
脱离	tuōlí	break away from; be divorced from
摆脱	bǎituō	shake off; rid oneself of

11 画

合体字

月部

1-4年级

脱月脱脱脱脱脱
脱脱脱脱

拖(拖)　tuō

拖	tuō	pull; drag
拖鞋	tuōxié	slippers
拖延	tuōyán	put off; delay

8 画

合体字

扌部

5-6年级

拖拖拖拖拖拖拖
拖

驼(駝)　tuó

| 驼背 | tuóbèi | hunchback; humpback |
| 驼铃 | tuólíng | camel bell |

8 画

合体字

马部

高级华文

驼马马驼驼驼驼
驼

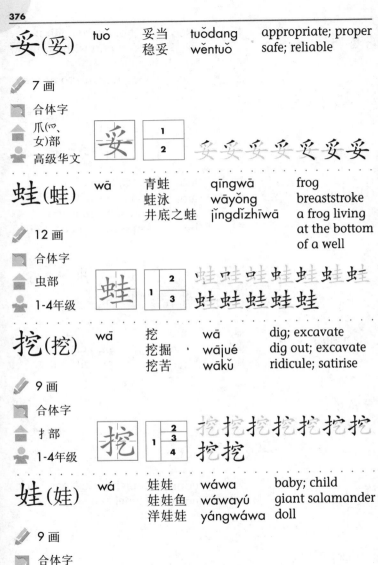

妥(妥) tuǒ

| 妥当 | tuǒdang | appropriate; proper |
| 稳妥 | wěntuǒ | safe; reliable |

✏️ 7 画

📄 合体字

🏠 爪(爫、女)部

🎓 高级华文

妥 妥 妥 妥 妥 妥 妥

蛙(蛙) wā

青蛙	qīngwā	frog
蛙泳	wāyǒng	breaststroke
井底之蛙	jǐngdǐzhīwā	a frog living at the bottom of a well

✏️ 12 画

📄 合体字

🏠 虫部

🎓 1-4年级

蛙 虫 虫 虫 虫 虫 虫 蚌 蛙 蛙 蛙 蛙

挖(挖) wā

挖	wā	dig; excavate
挖掘	wājué	dig out; excavate
挖苦	wākǔ	ridicule; satirise

✏️ 9 画

📄 合体字

🏠 扌部

🎓 1-4年级

挖 挖 挖 挖 挖 挖 挖 挖 挖

娃(娃) wá

娃娃	wáwa	baby; child
娃娃鱼	wáwayú	giant salamander
洋娃娃	yángwáwa	doll

✏️ 9 画

📄 合体字

🏠 女部

🎓 1-4年级

娃 娃 娃 娃 娃 娃 娃 娃 娃

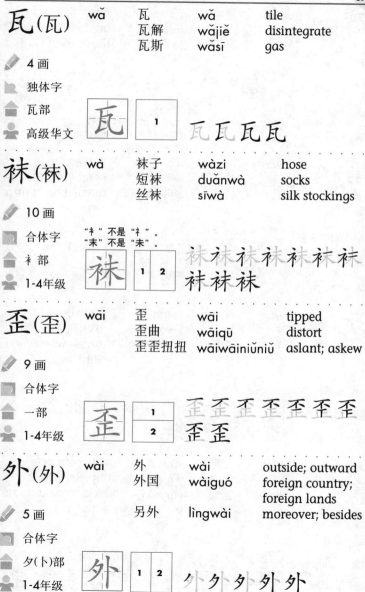

瓦(瓦)	wǎ	瓦	wǎ	tile
		瓦解	wǎjiě	disintegrate
		瓦斯	wǎsī	gas

- 4 画
- 独体字
- 瓦部
- 高级华文

袜(襪)	wà	袜子	wàzi	hose
		短袜	duǎnwà	socks
		丝袜	sīwà	silk stockings

- 10 画
- 合体字

"衤"不是"礻"。
"末"不是"未"。

- 衤部
- 1-4年级

歪(歪)	wāi	歪	wāi	tipped
		歪曲	wāiqū	distort
		歪歪扭扭	wāiwāiniǔniǔ	aslant; askew

- 9 画
- 合体字
- 一部
- 1-4年级

外(外)	wài	外	wài	outside; outward
		外国	wàiguó	foreign country; foreign lands
		另外	lìngwài	moreover; besides

- 5 画
- 合体字
- 夕(卜)部
- 1-4年级

湾 (湾) wān

港湾	gǎngwān	harbour
海湾	hǎiwān	gulf; bay
波斯湾	Bōsīwān	the Persian Gulf

🖊 12 画

📄 合体字

🏠 氵部

👤 高级华文

"亦" 第五笔楷体是点，宋体是撇。

弯 (弯) wān

弯	wān	curved; bend
弯腰	wānyāo	bend down; stoop
转弯	zhuǎnwān	make a turn; turn a corner

🖊 9 画

📄 合体字

🏠 弓(一)部

👤 1-4年级

"亦" 第五笔楷体是点，宋体是撇。

玩 (玩) wán

玩	wán	play; have fun
玩笑	wánxiào	joke; jest
游玩	yóuwán	amuse oneself; go sight-seeing

🖊 8 画

📄 合体字

🏠 王部

👤 1-4年级

完 (完) wán

完毕	wánbì	finish; complete
完全	wánquán	complete; whole
完美	wánměi	perfect; consummate

🖊 7 画

📄 合体字

🏠 宀部

👤 1-4年级

丸(丸)	wán	丸子	wánzi	ball; a round mass of food
		药丸	yàowán	pill; bolus
		定心丸	dìngxīnwán	something capable of setting sombody's mind at ease

- 3 画
- 独体字
- 丿(丶)部
- 1-4年级

丿 九 丸

顽(頑)	wán	顽皮	wánpí	naughty; mischievous
		顽强	wánqiáng	indomitable; tenacious
		凶顽	xiōngwán	savage and stubborn; fierce and insensate

- 10 画
- 合体字
- 页部
- 1-4年级

顽 顽 顽 顽 顽 顽 顽 顽 顽 顽

晚(晚)	wǎn	晚上	wǎnshang	evening; night
		晚安	wǎn'ān	good night
		傍晚	bàngwǎn	at dusk; at nightfall

- 11 画
- 合体字
- 日部
- 1-4年级

丨 日 日 日 旷 晚 晚 晚 晚 晚 晚

碗(碗)	wǎn	碗	wǎn	bowl
		碗橱	wǎnchú	cupboard
		饭碗	fànwǎn	rice bowl; means of livelihood

- 13 画
- 合体字
- 石部
- 1-4年级

"㔾" 不是 "巳"。

碗 碗 碗 碗 碗 碗 碗 碗 碗 碗 碗 碗 碗

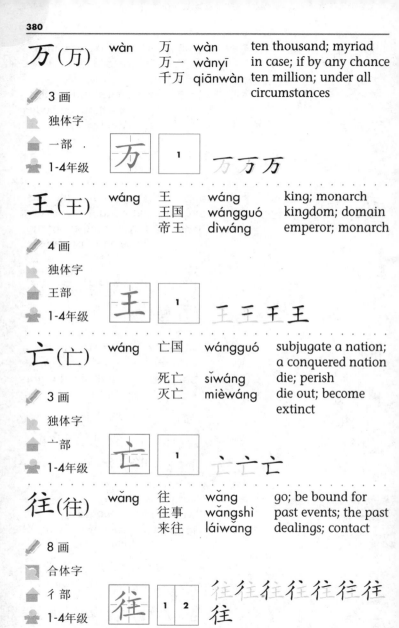

万（万）　wàn

万	wàn	ten thousand; myriad
万一	wànyī	in case; if by any chance
千万	qiānwàn	ten million; under all circumstances

3 画

独体字

一部

1-4年级

万　　万 万 万

王（王）　wáng

王	wáng	king; monarch
王国	wángguó	kingdom; domain
帝王	dìwáng	emperor; monarch

4 画

独体字

王部

1-4年级

王　　王 王 王 王

亡（亡）　wáng

亡国	wángguó	subjugate a nation; a conquered nation
死亡	sǐwáng	die; perish
灭亡	mièwáng	die out; become extinct

3 画

独体字

亠部

1-4年级

亡　　亡 亡 亡

往（往）　wǎng

往	wǎng	go; be bound for
往事	wǎngshì	past events; the past
来往	láiwǎng	dealings; contact

8 画

合体字

彳部

1-4年级

往　　往 往 往 往 往 往 往 往

网 (網)	wǎng	网 wǎng 漏网 lòuwǎng	net; network slip through the net; escape unpunished
		网际网络 wǎngjìwǎngluò	internet

6 画
合体字
冂部
1-4年级

网 网 网 网 网 网

忘 (忘)	wàng	忘 wàng 忘我 wàngwǒ	forget; neglect selfless; oblivious of oneself
		健忘 jiànwàng	forgetful; have a bad memory

7 画
合体字 "心" 第二笔楷体是卧钩，宋体是竖弯钩。
心部
1-4年级

忘 忘 忘 忘 忘 忘 忘

望 (望)	wàng	望 wàng	gaze into the distance; expect
		望远镜 wàngyuǎnjìng	telescope
		威望 wēiwàng	prestige

11 画
合体字
王(月)部
1-4年级

望 望 望 望 望 望 望 望 望 望 望

危 (危)	wēi	危险 wēixiǎn 危急 wēijí 居安思危 jū'ān-sīwēi	danger; peril critical be prepared for danger in times of peace

6 画
合体字 "㔾" 不是 "巳"。
刀(⺈)部
1-4年级

危 危 危 危 危 危

威(威) wēi

威严	wēiyán	dignified; majestic
威信	wēixìn	prestige; popular trust
权威	quánwēi	authority; authoritativeness

9 画

合体字

女(戈)部

5-6年级

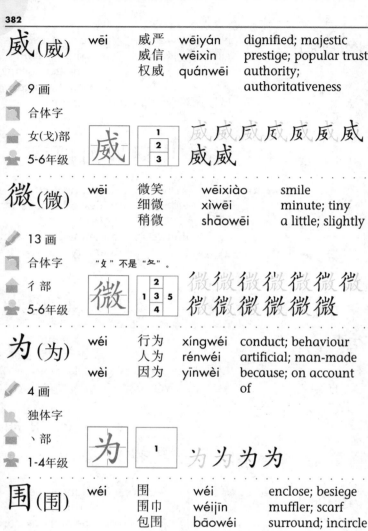

威威威威威威威威威

微(微) wēi

微笑	wēixiào	smile
细微	xìwēi	minute; tiny
稍微	shāowēi	a little; slightly

13 画

合体字   "彳"不是"夂"。

彳部

5-6年级

微微微微微微微微
微微微微微微

为(为) wéi / wèi

行为	xíngwéi	conduct; behaviour
人为	rénwéi	artificial; man-made
因为	yīnwèi	because; on account of

4 画

独体字

、部

1-4年级

为为为为

围(围) wéi

围	wéi	enclose; besiege
围巾	wéijīn	muffler; scarf
包围	bāowéi	surround; incircle

7 画

合体字

口部

1-4年级

围围围围同围围

维(维)	wéi	维持	wéichí	keep; preserve
		维修	wéixiū	maintain; keep in good repair
11 画		思维	sīwéi	thought; thinking
合体字				
纟(糸)部	"隹"不是"住"。			
1-4年级				

维 维 维 维 维 纟 纟 纤 维 维 维

委(委)	wěi	委派	wěipài	appoint; delegate
		委曲	wěiqū	winding; tortuous
8 画		委员会	wěiyuánhuì	committee; council
合体字				
禾(女)部				
高级华文				

委 委 千 禾 禾 禾 委 委

尾(尾)	wěi	尾巴	wěiba	tail
		结尾	jiéwěi	ending
7 画		虎头蛇尾	hǔtóu-shéwěi	in like a lion, out like a lamb
合体字				
尸部				
1-4年级				

尾 尾 尾 尾 尾 尾 尾

伟(伟)	wěi	伟大	wěidà	great; mighty
		伟人	wěirén	great man
6 画		雄伟	xióngwěi	grand; magnificent
合体字				
亻部				
1-4年级				

伟 伟 伟 伟 伟 伟

未(未)

wèi

未来	wèilái	future; approaching
未免	wèimiǎn	rather; truly
从未	cóngwèi	never

5 画

独体字

一(木)部

高级华文

一 二 午 未 未

味(味)

wèi

味道	wèidao	taste; flavour
趣味	qùwèi	interest; delight
风味	fēngwèi	relish; flavour

8 画

合体字

"未" 不是 "末"。

口部

1-4年级

丨 口 口 口 叮 呀 咊 味

卫(卫)

wèi

卫生	wèishēng	hygiene; sanitation
保卫	bǎowèi	defend; safeguard
警卫	jǐngwèi	guard; watch

3 画

独体字

卩部

1-4年级

フ ア 卫

位(位)

wèi

位置	wèizhi	location; position
坐位	zuòwèi	seat; place
岗位	gǎngwèi	post; station

7 画

合体字

亻部

1-4年级

位 位 位 位 位 位 位

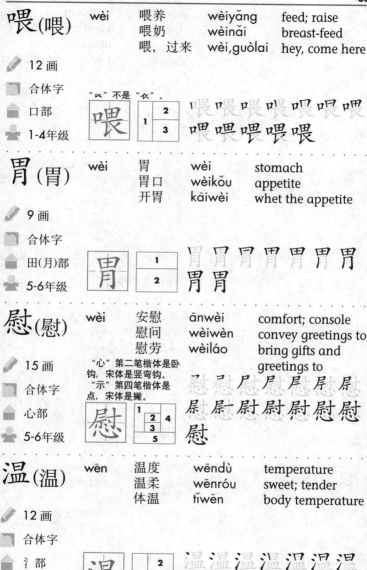

喂(餵) wèi

喂养	wèiyǎng	feed; raise
喂奶	wèinǎi	breast-feed
喂，过来	wèi, guòlai	hey, come here

✏️ 12画

📄 合体字

"𧘇"不是"衣"。

🏠 口部

🎓 1-4年级

喂喂喂喂喂喂喂
喂喂喂喂喂

胃 (胃) wèi

胃	wèi	stomach
胃口	wèikǒu	appetite
开胃	kāiwèi	whet the appetite

✏️ 9画

📄 合体字

🏠 田(月)部

🎓 5-6年级

胃胃胃胃胃胃胃
胃胃

慰(慰) wèi

安慰	ānwèi	comfort; console
慰问	wèiwèn	convey greetings to
慰劳	wèiláo	bring gifts and greetings to

✏️ 15画

📄 合体字

"心"第二笔楷体是卧钩，宋体是竖弯钩。"示"第四笔楷体是点，宋体是撇。

🏠 心部

🎓 5-6年级

慰慰尸尸尸尸尽
尿尿尉尉尉慰慰
慰

温(温) wēn

温度	wēndù	temperature
温柔	wēnróu	sweet; tender
体温	tǐwēn	body temperature

✏️ 12画

📄 合体字

🏠 氵部

🎓 1-4年级

温温温温温温温
温温温温温

文(文)   wén

文章	wénzhāng	essay; article
语文	yǔwén	Chinese; language and literature
华文	huáwén	Chinese; Mandarin

4 画

独体字

文部

1-4年级

蚊(蚊)   wén

蚊子	wénzi	mosquito
蚊帐	wénzhàng	mosquito net

10 画

合体字

虫部

1-4年级

闻(闻)   wén

闻	wén	smell; reek
闻名	wénmíng	well-known; famous
新闻	xīnwén	news

9 画

合体字

门部

5-6年级

纹(纹)   wén

纹路	wénlù	lines; vein
笑纹	xiàowén	lines on one's face when one smiles
花纹	huāwén	decorative pattern; figure

7 画

合体字

纟 (糸)部

5-6年级

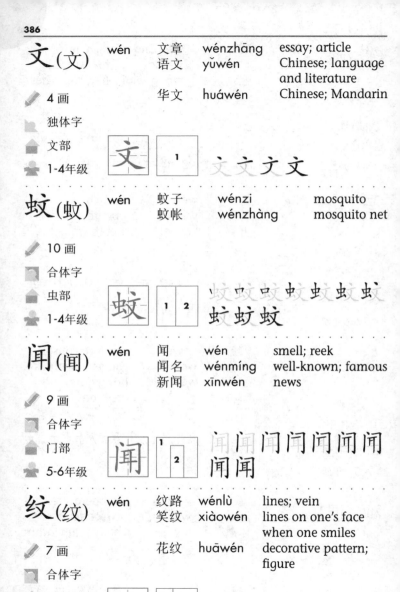

稳 (穩)

wěn

稳	wěn	steady; firm
稳固	wěngù	firm; stable
安稳	ānwěn	smooth and steady; peacefully

🖊 14 画

📄 合体字

"彐" 不是 "彐"。
"心" 第二笔楷体是卧钩，宋体是竖弯钩。

🏠 禾部

🎓 5-6年级

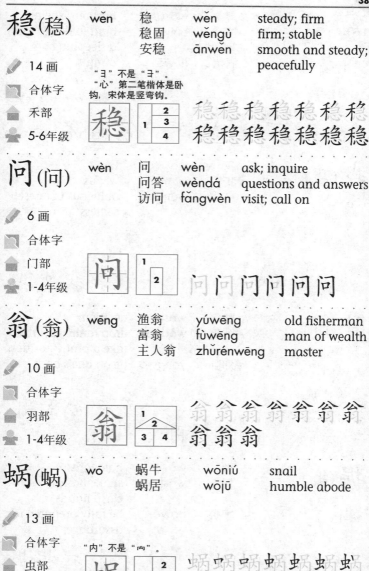

问 (問)

wèn

问	wèn	ask; inquire
问答	wèndá	questions and answers
访问	fǎngwèn	visit; call on

🖊 6 画

📄 合体字

🏠 门部

🎓 1-4年级

翁 (翁)

wēng

渔翁	yúwēng	old fisherman
富翁	fùwēng	man of wealth
主人翁	zhǔrénwēng	master

🖊 10 画

📄 合体字

🏠 羽部

🎓 1-4年级

蜗 (蝸)

wō

蜗牛	wōniú	snail
蜗居	wōjū	humble abode

🖊 13 画

📄 合体字

"内" 不是 "内"。

🏠 虫部

🎓 高级华文

窝 (窩) wō

窝藏	wōcáng	harbour; shelter
被窝	bèiwō	quilt folded to form a sleeping bag
酒窝	jiǔwō	dimple

12 画

合体字

"内"不是"内"。

穴部

1-4年级

窝窝窝窝窝窝窝
宫宫窝窝窝

我 (我) wǒ

我	wǒ	I; me
我们	wǒmén	we; us
忘我	wàngwǒ	oblivious of oneself; selfless

7 画

独体字

丿(戈)部

1-4年级

我我我我我我我

卧 (臥) wò

卧室	wòshì	bedroom
卧倒	wòdǎo	drop to the ground; take a prone position
仰卧	yǎngwò	lie on one's back

8 画

合体字

臣部

高级华文

卧卧卧卧卧臣卧
卧

握 (握) wò

握	wò	hold; grasp
握手	wòshǒu	shake hands; clasp hands
把握	bǎwò	be fully prepared for; assurance

12 画

合体字

扌部

1-4年级

握握握握握握握
握握握握握

巫(巫)　wū　巫婆　wūpó　witch; sorceress
　　　　　　巫族　Wūzú　Malay

- 7 画
- 合体字
- 工(一、人)部
- 高级华文

巫　丁　辽　巫　巫　巫　巫

屋(屋)　wū　屋子　wūzi　room; house
　　　　　　屋顶　wūdǐng　roof; housetop
　　　　　　组屋　zǔwū　HDB flat

- 9 画
- 合体字
- 尸部
- 1-4年级

屋屋屋屋屋屋屋
屋屋

乌(烏)　wū　乌黑　wūhēi　pitch-black
　　　　　　乌龟　wūguī　tortoise
　　　　　　乌合之众　wūhézhīzhòng　a motley crowd

- 4 画
- 独体字
- 丿部
- 1-4年级

乌乌乌乌

污(污)　wū　污水　wūshuǐ　sewage; foul water
　　　　　　污染　wūrǎn　pollute; contaminate
　　　　　　贪污　tānwū　corruption; graft

- 6 画
- 合体字
- 氵部
- 5-6年级

污污污污污污

无(無)

wú | 无 | wú | nothing; nil
无耻 | wúchǐ | shameless; impudent
毫无 | háowú | not in the least; not at all

✏️ 4 画

独体字

一(二)部

1-4年级

无元无无

五(五)

wǔ | 五 | wǔ | five
五金 | wǔjīn | metals; hardware
五光十色 | wǔguāng-shísè | multicoloured

✏️ 4 画

独体字

一部

1-4年级

五丆五五

午(午)

wǔ | 上午 | shàngwǔ | morning; forenoon
端午 | duānwǔ | the Dragon Boat Festival
午饭 | wǔfàn | lunch; midday meal

✏️ 4 画

独体字

丿(十)部

1-4年级

午午午午

舞(舞)

wǔ | 舞蹈 | wǔdǎo | dance
舞台 | wǔtái | stage; arena
鼓舞 | gǔwǔ | inspire; hearten

✏️ 14 画

合体字

丿部

1-4年级

舞舞舞舞舞舞舞舞舞舞舞舞舞舞

伍(伍) wǔ

伍	wǔ	five; army
队伍	duìwǔ	troops; contingent
落伍	luòwǔ	fall behind the ranks; drop behind

✏️ 6画

🔲 合体字

🔲 亻部

🔲 1-4年级

伍伍伍伍伍伍

武(武) wǔ

武器	wǔqì	weapon; arms
武术	wǔshù	martial arts
威武	wēiwǔ	powerful

✏️ 8画

🔲 合体字

🔲 一(止)部

🔲 5-6年级

武武武武武武武武

物(物) wù

物品	wùpǐn	article; goods
物产	wùchǎn	products; produce
公物	gōngwù	public property

✏️ 8画

🔲 合体字

🔲 牛(牜)部

🔲 1-4年级

物物物物物物物物

务(务) wù

事务	shìwù	work; routine
服务	fúwù	give service to; be in the service of
务必	wùbì	must; be sure to

✏️ 5画

🔲 合体字

🔲 夂(力)部

🔲 1-4年级

务务务务务

误(誤) wù

错误	cuòwù	mistake; error
延误	yánwù	delay; put off
误用	wùyòng	misuse

9 画

合体字

讠(言)部

1-4年级

雾(霧) wù

雾	wù	fog; mist
雾气	wùqì	mist; vapour
烟雾	yānwù	smog; haze

13 画

合体字

雨(⻗)部

5-6年级

悟(悟) wù

觉悟	juéwù	consciousness
领悟	lǐngwù	comprehend; grasp
悟性	wùxìng	power of understanding; comprehension

10 画

合体字

忄部

5-6年级

熄(熄) xī

| 熄灭 | xīmiè | put out; die out |
| 熄灯 | xīdēng | put out the light |

14 画

合体字

"心"第二笔楷体是卧钩，宋体是竖弯钩。

火部

高级华文

锡 (锡) xī

| 锡矿 | xīkuàng | tin ore |
| 锡盘 | xīpán | tin tray; tin plate |

- 13 画
- 合体字
- 钅(金)部
- 高级华文

丿 钅 钅 钅 钅 钅 钅 钅
锡 锡 锡 锡 锡 锡

西 (西) xī

西	xī	west; Occidental
西医	xīyī	Western medicine
东西	dōngxi	thing; creature

- 6 画
- 独体字
- 西部
- 1-4年级

西 西 西 西 西 西

吸 (吸) xī

吸	xī	inhale; breathe in
吸收	xīshōu	absorb; assimilate
呼吸	hūxī	breathe; respire

- 6 画
- 合体字
- 口部
- 1-4年级

吸 吸 吸 吸 吸 吸

希 (希) xī

| 希望 | xīwàng | hope; wish |
| 希奇 | xīqí | rare; strange |

- 7 画
- 合体字
- 巾(丿)部
- 1-4年级

希 希 希 希 希 希 希

息(息)

xī

休息	xiūxi	rest; have a rest
消息	xiāoxi	news; information
息怒	xīnù	cease to be angry; calm one's anger

✏ 10 画

📄 合体字

🏠 自(心)部

"心" 第二笔楷体是卧钩，宋体是竖弯钩。

👤 1-4年级

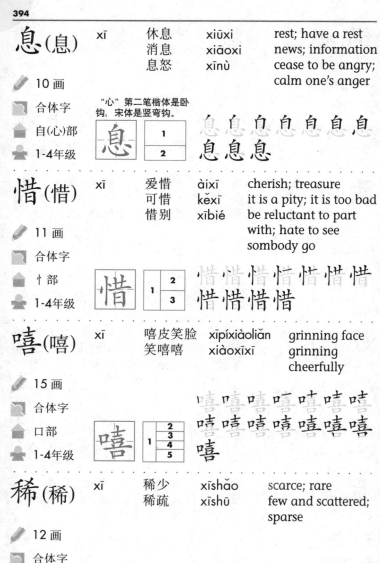

息 息 息 白 白 白 白 白
息 息 息

惜(惜)

xī

爱惜	àixī	cherish; treasure
可惜	kěxī	it is a pity; it is too bad
惜别	xībié	be reluctant to part with; hate to see sombody go

✏ 11 画

📄 合体字

🏠 忄部

👤 1-4年级

惜 惜 惜 惜 惜 惜 惜
惜 惜 惜 惜

嘻(嘻)

xī

| 嘻皮笑脸 | xīpíxiàoliǎn | grinning face |
| 笑嘻嘻 | xiàoxīxī | grinning cheerfully |

✏ 15 画

📄 合体字

🏠 口部

👤 1-4年级

嘻 嘻 嘻 嘻 嘻 嘻 嘻
嘻 嘻 嘻 嘻 嘻 嘻 嘻
嘻

稀(稀)

xī

| 稀少 | xīshǎo | scarce; rare |
| 稀疏 | xīshū | few and scattered; sparse |

✏ 12 画

📄 合体字

🏠 禾部

👤 5-6年级

稀 稀 稀 稀 稀 稀 稀
稀 稀 稀 稀 稀

夕 (夕)   xī

夕阳	xīyáng	the setting sun
前夕	qiánxī	eve
除夕	chúxī	New Year's Eve

✏ 3画
📖 独体字
🏠 夕部
🎓 1-4年级

丿 夕 夕

牺 (牺)   xī

| 牺牲 | xīshēng | sacrifice; lay down one's life |

✏ 10画
📖 合体字
🏠 牛(牜)部
🎓 5-6年级

席 (席)   xí

席子	xízi	mat
缺席	quēxí	absent; absence
主席	zhǔxí	chairman; chairperson

✏ 10画
📖 合体字
🏠 广部
🎓 高级华文

媳 (媳)   xí

| 媳妇 | xífù | daughter-in-law; son's wife |
| 儿媳 | érxí | daughter-in-law; son's wife |

✏ 13画
📖 合体字
"心"第二笔楷体是卧钩，宋体是竖弯钩。
🏠 女部
🎓 高级华文

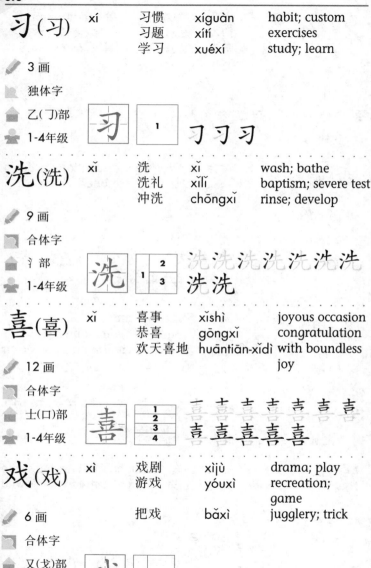

习(習) xí

习惯 xíguàn habit; custom
习题 xítí exercises
学习 xuéxí study; learn

3 画

独体字

乙(丁)部

1-4年级

习 1 丁习习

洗(洗) xǐ

洗 xǐ wash; bathe
洗礼 xǐlǐ baptism; severe test
冲洗 chōngxǐ rinse; develop

9 画

合体字

氵部

1-4年级

洗 1 2 3 洗洗洗洗洗洗洗洗洗

喜(喜) xǐ

喜事 xǐshì joyous occasion
恭喜 gōngxǐ congratulation
欢天喜地 huāntiān-xǐdì with boundless joy

12 画

合体字

士(口)部

1-4年级

喜 1 2 3 4 喜喜喜喜喜喜喜喜喜喜喜喜

戏(戲) xì

戏剧 xìjù drama; play
游戏 yóuxì recreation; game
把戏 bǎxì jugglery; trick

6 画

合体字

又(戈)部

1-4年级

戏 1 2 戏戏戏戏戏戏

细 (細)

xì	细	xì	thin; exquisite
	细心	xìxīn	with care; attentive
	仔细	zǐxì	carefully; attentively

8 画

合体字

纟(系)部

1-4年级

纟 细 纟 纟 纟 纟 纟 细 细

系 (系)

xì	系统	xìtǒng	system; systematic
	关系	guānxì	relation; relationship
jì	系	jì	tie; fasten

7 画

合体字

第六笔楷体是点，宋体是撇。

系(丿)部

5-6年级

系 系 系 系 系 系 系

虾 (蝦)

| xiā | 虾 | xiā | shrimp |
| | 龙虾 | lóngxiā | lobster |

9 画

合体字

虫部

1-4年级

虾 口 口 虫 虫 虫 虫 虾 虾

瞎 (瞎)

| xiā | 瞎 | xiā | blind |
| | 瞎说 | xiāshuō | talk irresponsibly |

15 画

合体字

目部

1-4年级

丨 刀 刀 目 目 目 目 瞎 瞎 瞎 瞎 瞎 瞎 瞎 瞎

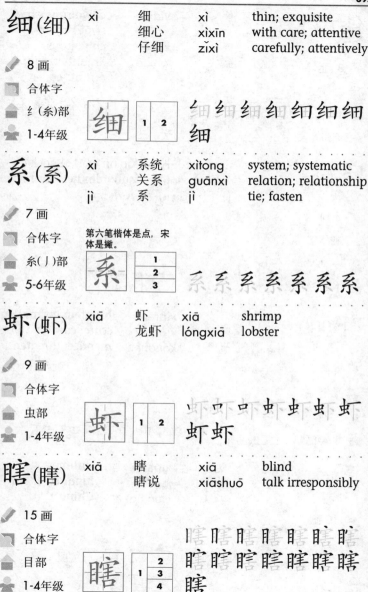

侠(侠)	xiá	侠客	xiákè	chivalrous expert; swordsman
		侠义	xiáyì	chivalrous
8 画		武侠	wǔxiá	knight-errand; errantry
合体字				
亻部				
高级华文				

侠 | 1 2 | 侠 侠 侠 侠 侠 侠 侠 侠

下(下)	xià	下班	xiàbān	go off work; knock off
		下级	xiàjí	subordinate; lower level
3 画		低下	dīxià	low; lowly
独体字				
一部				
1-4年级				

下 | 1 | 下 下 下

吓(吓)	xià	吓人	xiàrén	frighten; intimidate
		吓唬	xiàhu	scare; cow
	hè	恐吓	kǒnghè	menace; threaten
6 画				
合体字				
口部				
1-4年级				

吓 | 1 2 | 吓 吓 吓 吓 吓 吓

夏(夏)	xià	夏天	xiàtiān	summer
		夏历	xiàlì	lunar calendar
		华夏	Huáxià	China
10 画				
合体字				
夂(一)部				
1-4年级				

夏 | 1 2 | 夏 夏 夏 夏 夏 夏 夏 夏 夏 夏 夏

先(先) xiān

先	xiān	before; first
先进	xiānjìn	advanced; developed
预先	yùxiān	in advance; beforehand

6 画

合体字

儿部

1-4年级

先先先先先先

鲜(鮮) xiān

鲜	xiān	fresh; tasty
鲜美	xiānměi	delicious; tasty
新鲜	xīnxiān	fresh; novel

14 画

合体字

鱼(鱼)部

1-4年级

鲜鲜鱼鱼鱼鱼鱼
鲜鲜鲜鲜鲜鲜鲜

仙(仙) xiān

| 仙人 | xiānrén | celestial being; immortal |
| 水仙 | shuǐxiān | narcissus |

5 画

合体字

亻部

1-4年级

仙仙仙仙仙

闲(閑) xián

闲	xián	idle; unoccupied
闲谈	xiántán	chat; chitchat
空闲	kòngxián	leisure; freetime

7 画

合体字

门部

1-4年级

闲闲闲闲闲闲闲

衔(衔) xián

衔	xián	hold in the mouth; harbour
衔接	xiánjiē	link up; join
头衔	tóuxián	title

11 画

合体字

彳部

5-6年级

衔 衔 衔 衔 衔 衔 衔
衔 衔 衔 衔

贤(贤) xián

圣贤	shèngxián	sages; man of virtues
先贤	xiānxián	sages of the ancient times
贤良	xiánliáng	able and virtuous

8 画

合体字

"刂" 不是 "刂"。

贝部

5-6年级

贤 贤 贤 贤 贤 贤 贤
贤

险(险) xiǎn

险情	xiǎnqíng	dangerous situation
危险	wēixiǎn	dangerous; perilous
保险	bǎoxiǎn	insurance; safe

9 画

合体字

阝部

1-4年级

险 险 险 险 险 险 险
险 险

显(显) xiǎn

显示	xiǎnshì	demonstrate; display
显著	xiǎnzhù	notable; remarkable
明显	míngxiǎn	obvious; evident

9 画

合体字

日部

5-6年级

显 显 显 显 显 显 显
显 显

现(現)	xiàn	现在	xiànzài	now; at present
		发现	fāxiàn	find; discover
		出现	chūxiàn	appear; emerge

✏️ 8 画

🔲 合体字

🏠 王部

📊 1-4年级

现 | 1 | 2

现 现 现 现 现 现 现 现

线(綫)	xiàn	线	xiàn	thread; string
		线索	xiànsuǒ	clue; thread
		光线	guāngxiàn	ray; beam

✏️ 8 画

🔲 合体字

🏠 纟(糸)部

📊 1-4年级

线 | 1 | 2

线 线 线 线 线 线 线 线

限(限)	xiàn	限制	xiànzhì	restrict; limit
		界限	jièxiàn	bounds; dividing line
		局限	júxiàn	limitation; confine

✏️ 8 画

🔲 合体字

🏠 阝部

📊 5-6年级

限 | 1 | 2

限 限 限 限 限 限 限 限

献(獻)	xiàn	献	xiàn	donate; dedicate
		献花	xiànhuā	present a bunch of flowers
		贡献	gòngxiàn	contribute; devote

✏️ 13 画

🔲 合体字

🏠 犬部

📊 5-6年级

献 | 1 2 5 / 3 4

献 献 献 南 南 南 南
南 南 南 献 献 献

羡(羨) xiàn 羡慕 xiànmù admire; envy
称羡 chēngxiàn express one's admiration

12 画
合体字
羊(⺶)部
5-6年级

	1	
2		
3	4	
	5	

香(香) xiāng 香 xiāng savoury; sweet-smelling
香水 xiāngshuǐ perfume; scent
芳香 fāngxiāng aromatic; fragrant

9 画
合体字
禾部
1-4年级

| 1 |
| 2 |

相(相) xiāng 互相 hùxiāng each other; one another
相同 xiāngtóng same; similar
xiàng 相貌 xiàngmào appearance; looks

9 画
合体字
木部
1-4年级

| 1 | 2 |

箱(箱) xiāng 箱子 xiāngzi chest; trunk
电冰箱 diànbīngxiāng refrigerator; fridge

15 画
合体字
竹(⺮)部
1-4年级

| 1 | 2 |
| 3 | 4 |

403

| 乡 (乡) | xiāng | 乡村
家乡 | xiāngcūn
jiāxiāng | village; countryside
hometown; native place |
| | | 同乡 | tóngxiāng | fellow villager;
fellow townsman |

✏️ 3 画
🔲 独体字
🏠 乙(乙)部
👤 1-4年级

乡 | 乙 | 乡 乡 乡

| 祥 (祥) | xiáng | 吉祥
慈祥 | jíxiáng
cíxiáng | lucky; auspicious
kindly; benign |

✏️ 10 画
🔲 合体字
🏠 衤(示)部
👤 高级华文

"衤"不是"礻"。

祥 | 1 | 2

祥祥祥祥祥祥祥祥祥祥

| 想 (想) | xiǎng | 想
想象
感想 | xiǎng
xiǎngxiàng
gǎnxiǎng | think; reckon
imagine; fancy
impression;
reflections |

✏️ 13 画
🔲 合体字
🏠 心部
👤 1-4年级

"心"第二笔楷体是卧钩，宋体是竖弯钩。

想 | 1 | 2 | 3

想想想想想想想想想想想想想

| 响 (响) | xiǎng | 响
响亮 | xiǎng
xiǎngliàng | sound; noise
loud and clear;
resonant |
| | | 影响 | yǐngxiǎng | influence; have an
impact on |

✏️ 9 画
🔲 合体字
🏠 口部
👤 1-4年级

响 | 1 | 2 | 3

响响响响响响响响

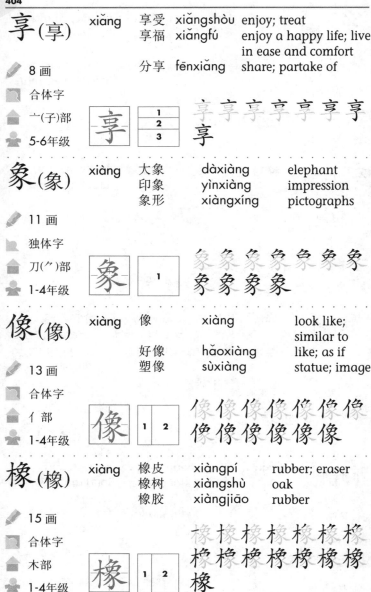

享(享) xiǎng

享受	xiǎngshòu	enjoy; treat
享福	xiǎngfú	enjoy a happy life; live in ease and comfort
分享	fēnxiǎng	share; partake of

8 画

合体字

亠(子)部

5-6年级

享享享享享享享享

象(象) xiàng

大象	dàxiàng	elephant
印象	yìnxiàng	impression
象形	xiàngxíng	pictographs

11 画

独体字

刀(勹)部

1-4年级

象象象象象象象象象象

像(像) xiàng

像	xiàng	look like; similar to
好像	hǎoxiàng	like; as if
塑像	sùxiàng	statue; image

13 画

合体字

亻部

1-4年级

像像像像像像像像像像像像

橡(橡) xiàng

橡皮	xiàngpí	rubber; eraser
橡树	xiàngshù	oak
橡胶	xiàngjiāo	rubber

15 画

合体字

木部

1-4年级

橡橡橡橡橡橡橡橡橡橡橡橡橡

向(向)	xiàng	向 向导 方向	xiàng xiàngdǎo fāngxiàng	to; towards guide direction; orientation

✏️ 6 画

🔲 合体字

🔲 丿(口)部

👤 1-4年级

向向向向向向

巷(巷)	xiàng	巷 巷战 街头巷尾	xiàng xiàngzhàn jiētóu-xiàngwěi	lane street fighting streets and lanes

✏️ 9 画

🔲 合体字

🔲 己(巳、一)部

👤 5-6年级

巷巷巷巷巷共恭
恭巷

项(项)	xiàng	项链 项目 款项	xiàngliàn xiàngmù kuǎnxiàng	necklace item; project a sum of money; fund

✏️ 9 画

🔲 合体字

🔲 工(页)部

👤 5-6年级

项项项项项项项
项项

销(销)	xiāo	销售 销毁 经销	xiāoshòu xiāohuǐ jīngxiāo	sell; market destroy by melting or burning deal in; sell

✏️ 12 画

🔲 合体字

🔲 钅(金)部

👤 高级华文

销销销销销销销
销销销销销

消(消)	xiāo	消毒	xiāodú	disinfect; sterilise
		消息	xiāoxi	news; information
		取消	qǔxiāo	cancel; call off

10 画
合体字
氵部
1-4年级

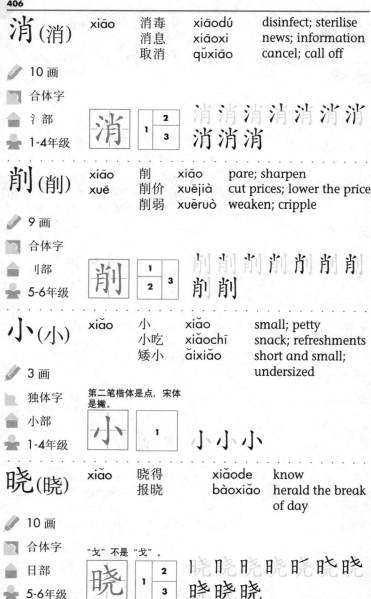

消消消消消消消
消消消

削(削)	xiāo	削	xiāo	pare; sharpen
	xuē	削价	xuējià	cut prices; lower the price
		削弱	xuēruò	weaken; cripple

9 画
合体字
刂部
5-6年级

削削削削削削削
削削

小(小)	xiǎo	小	xiǎo	small; petty
		小吃	xiǎochī	snack; refreshments
		矮小	ǎixiǎo	short and small; undersized

3 画
独体字

第二笔楷体是点，宋体是撇。

小部
1-4年级

小小小

| 晓(晓) | xiǎo | 晓得 | xiǎode | know |
| | | 报晓 | bàoxiǎo | herald the break of day |

10 画
合体字

"戋"不是"戈"。

日部
5-6年级

晓晓晓晓晓晓晓
晓晓晓

校(校)	xiào	学校	xuéxiào	school; educational institution
		少校	shàoxiào	lieutenant commander; major
✏ 10 画				
▢ 合体字	jiào	校对	jiàoduì	proofread; collate
▢ 木部				
☻ 1-4年级				

校校校校校校校
校校校

笑(笑)	xiào	笑	xiào	smile; laugh
		笑容	xiàoróng	smilling expression; smile
✏ 10 画		可笑	kěxiào	laughable; ridiculous
▢ 合体字				
▢ 竹(⺮)部				
☻ 1-4年级				

"夭" 不是 "天"。

笑笑笑笑笑笑笑
笑笑笑

孝(孝)	xiào	孝顺	xiàoshùn	show filial obedience
		孝敬	xiàojìng	give presents (to one's elders or superiors)
✏ 7 画		带孝	dàixiào	in mourning
▢ 合体字				
▢ 子部				
☻ 1-4年级				

孝孝孝孝孝孝孝

效(效)	xiào	效果	xiàoguǒ	effect; result
		效力	xiàolì	render a service to; serve
✏ 10 画		收效	shōuxiào	yield results; bear fruit
▢ 合体字				
▢ 攵 部				
☻ 5-6年级				

"攵" 不是 "夂"。

效效效效效效效
效效效

些(些) xiē

一些	yīxiē	a few; a little
好些	hǎoxiē	quite a lot; a good deal
些微	xiēwēi	slightly; a bit

8 画

合体字

止(二)部

1-4年级

此 此 此 止 止 此 此
些

协(协) xié

协助	xiézhù	assist; help
协商	xiéshāng	consult; talk
妥协	tuǒxié	come to terms; compromise

6 画

合体字

"忄" 不是 "忄"。

十部

高级华文

一 十 力 协 协 协

鞋(鞋) xié

| 鞋子 | xiézi | shoes |
| 拖鞋 | tuōxié | slippers |

15 画

合体字

革部

1-4年级

鞋 鞋 鞋 鞋 鞋 苷 苷
苷 革 革 革 鞋 鞋 鞋
鞋

斜(斜) xié

斜	xié	oblique; tilted
斜视	xiéshì	strabismus; look sideways
倾斜	qīngxié	tilt; slant

11 画

合体字

斗部

5-6年级

丿 亼 仝 仝 午 午 余
余 余 余 斜

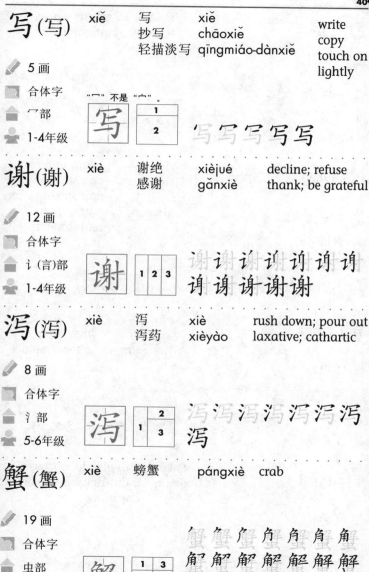

写(寫)	xiě	写	xiě	write
		抄写	chāoxiě	copy
		轻描淡写	qīngmiáo-dànxiě	touch on lightly

5 画
合体字
"冖"不是"宀"。
冖部
1-4年级

| 谢(謝) | xiè | 谢绝 | xièjué | decline; refuse |
| | | 感谢 | gǎnxiè | thank; be grateful |

12 画
合体字
讠(言)部
1-4年级

| 泻(瀉) | xiè | 泻 | xiè | rush down; pour out |
| | | 泻药 | xièyào | laxative; cathartic |

8 画
合体字
氵部
5-6年级

| 蟹(蟹) | xiè | 螃蟹 | pángxiè | crab |

19 画
合体字
虫部
5-6年级

薪 (薪)

xīn

| 薪水 | xīnshuǐ | salary; wages |
| 月薪 | yuèxīn | monthly pay |

✏️ 16 画

🔲 合体字

🔺 艹部

📚 高级华文

"朩" 不是 "木"，第三笔楷体是点，宋体是撇。

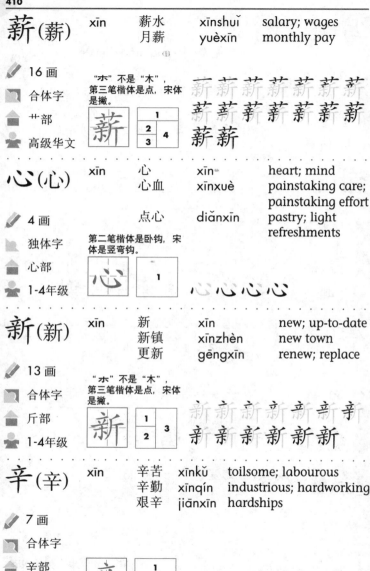

薪

1	
2	4
3	

薪薪薪薪薪薪薪
薪薪薪薪薪薪薪
薪薪

心 (心)

xīn

心	xīn	heart; mind
心血	xīnxuè	painstaking care; painstaking effort
点心	diǎnxīn	pastry; light refreshments

✏️ 4 画

🔲 独体字

🔺 心部

📚 1-4年级

第二笔楷体是卧钩，宋体是竖弯钩。

心

| 1 |

心心心心

新 (新)

xīn

新	xīn	new; up-to-date
新镇	xīnzhèn	new town
更新	gēngxīn	renew; replace

✏️ 13 画

🔲 合体字

🔺 斤部

📚 1-4年级

"朩" 不是 "木"，第三笔楷体是点，宋体是撇。

新

| 1 | 3 |
| 2 | |

新新新新新新辛
辛新新新新新新

辛 (辛)

xīn

辛苦	xīnkǔ	toilsome; labourous
辛勤	xīnqín	industrious; hardworking
艰辛	jiānxīn	hardships

✏️ 7 画

🔲 合体字

🔺 辛部

📚 1-4年级

辛

| 1 |
| 2 |

辛辛辛辛辛辛辛

欣(欣)	xīn	欣喜	xīnxǐ	joyful
		欢欣	huānxīn	rejoice
		欣欣向荣	xīnxīnxiàngróng	flourishing

✏ 8 画

📄 合体字

🏠 欠(斤)部

🎓 5-6年级

| 欣 | 1 2 / 3 | 欣 欣 欣 欣 欣 欣 欣 欣 |

信(信)	xìn	信	xìn	trust; faith
		信任	xìnrèn	trust; have confidence in
		相信	xiāngxìn	believe in; have faith in

✏ 9 画

📄 合体字

🏠 亻部

🎓 1-4年级

| 信 | 1 2 / 3 / 4 | 信 信 信 信 信 信 信 信 信 |

| 兴(興) | xīng | 兴奋 | xīngfèn | be excited; excitation |
| | xìng | 兴趣 | xìngqù | interest |

✏ 6 画

📄 合体字

🏠 八部

🎓 1-4年级

| 兴 | 1 2 | 兴 兴 兴 兴 兴 兴 |

星(星)	xīng	星星	xīngxing	star
		星期	xīngqī	week; Sunday
		明星	míngxīng	movie star

✏ 9 画

📄 合体字

🏠 日部

🎓 1-4年级

| 星 | 1 2 | 星 星 星 星 星 星 星 星 星 |

猩(猩) xīng 猩猩 xīngxing orangutan

12 画
合体字
犭部
1-4年级

猩猩猩猩猩猩猩
猩猩猩猩猩

行(行) xíng 行走 xíngzǒu walk
行为 xíngwéi conduct; behaviour
háng 银行 yínháng bank

6 画
合体字
彳部
1-4年级

行行行行行行

形(形) xíng 形状 xíngzhuàng form; shape
队形 duìxíng formation
整形 zhěngxíng plastic surgery

7 画
合体字
彡部
1-4年级

形形开开形形形

刑(刑) xíng 刑罚 xíngfá penalty; punishment
刑期 xíngqī term of imprisonment; prison term
鞭刑 biānxíng caning; public flogging

6 画
合体字
刂部
5-6年级

刑刑开开刑刑

型 (型)	xíng	型号	xínghào	model; type
		类型	lèixíng	type
		典型	diǎnxíng	typical case; model

9 画

合体字

土部

5-6年级

型 型 于 开 开 刑 刑 型 型 型

| 醒 (醒) | xǐng | 醒 | xǐng | wake up; sober up |
| | | 醒目 | xǐngmù | be striking; attract attention |

16 画

合体字

"酉" 不是 "西"。

酉部

1-4年级

提醒 | tíxǐng | remind

醒 醒 厂 丙 两 西 酉 酉 酊 酊 酲 酲 醒 醒 醒 醒 醒

幸 (幸)	xìng	幸福	xìngfú	happiness; well-being
		幸而	xìng'ér	luckily; fortunately
		庆幸	qìngxìng	rejoice

8 画

合体字

土部

1-4年级

幸 幸 幸 幸 幸 幸 幸 幸

姓 (姓)	xìng	姓	xìng	surname
		姓名	xìngmíng	full name; surname and personal name
		百姓	bǎixìng	common people

8 画

合体字

女部

1-4年级

姓 人 女 女 女 女 女 姓 姓

性(性) xìng

性格	xìnggé	disposition; temperament
性别	xìngbié	sex; sexual distinction
急性	jíxìng	acute

✏ 8 画

▢ 合体字

🏠 忄部

👤 5-6年级

忄 性 忄 忄 忄 忄 忄 性

兄(兄) xiōng

| 兄长 | xiōngzhǎng | elder brother; male friend |
| 弟兄 | dìxiōng | brothers |

✏ 5 画

▢ 合体字

🏠 口(儿)部

👤 1-4年级

兄 兄 兄 兄 兄

凶(凶) xiōng

凶	xiōng	ominous; fierce
凶手	xiōngshǒu	murderer; assassin
帮凶	bāngxiōng	accomplice; accessory

✏ 4 画

▢ 合体字

🏠 凵部

👤 1-4年级

凵 乂 凶 凶

胸(胸) xiōng

| 胸腔 | xiōngtáng | chest |
| 心胸 | xīnxiōng | breadth of mind; broad-minded |

✏ 10 画

▢ 合体字

"匈"不是"匃"。

🏠 月部

👤 5-6年级

胸 月 胸 月 胸 胸 胸 胸 胸 胸

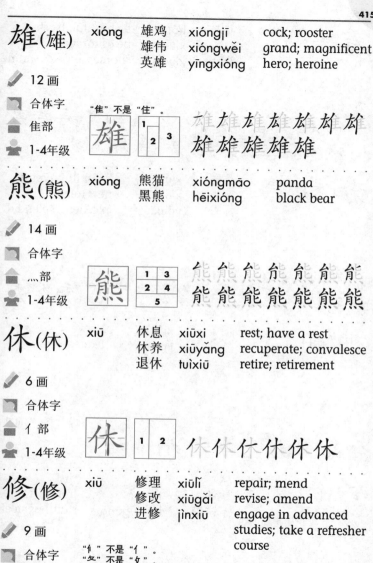

雄(雄)

xióng

雄鸡	xióngjī	cock; rooster
雄伟	xióngwěi	grand; magnificent
英雄	yīngxióng	hero; heroine

- 12 画
- 合体字
- 隹部
- 1-4 年级

"隹" 不是 "住"。

熊(熊)

xióng

| 熊猫 | xióngmāo | panda |
| 黑熊 | hēixióng | black bear |

- 14 画
- 合体字
- 灬部
- 1-4 年级

休(休)

xiū

休息	xiūxi	rest; have a rest
休养	xiūyǎng	recuperate; convalesce
退休	tuìxiū	retire; retirement

- 6 画
- 合体字
- 亻部
- 1-4 年级

修(修)

xiū

修理	xiūlǐ	repair; mend
修改	xiūgǎi	revise; amend
进修	jìnxiū	engage in advanced studies; take a refresher course

- 9 画
- 合体字
- 亻部
- 1-4 年级

"亻" 不是 "亻"。
"攵" 不是 "夂"。

羞(羞) xiū

害羞	hàixiū	be bashful; be shy
羞惭	xiūcán	be ashamed
羞耻	xiūchǐ	shame; sense of shame

10 画

合体字

羊(芏)部

5-6年级

羞 羞 羞 羞 羞 羊 羊 羊 羞 羞

秀(秀) xiù

秀丽	xiùlì	beautiful; pretty
新秀	xīnxiù	new talent
优秀	yōuxiù	excellent; splendid

7 画

合体字

禾部

5-6年级

秀 二 千 禾 禾 秀 秀

袖(袖) xiù

| 袖子 | xiùzi | sleeve |
| 领袖 | lǐngxiù | leader |

10 画

合体字

"衤"不是"礻"。

衤 部

5-6年级

袖 衤 衤 衤 衤 衤 衤 袖 袖 袖

锈(锈) xiù

锈	xiù	rust
铁锈	tiěxiù	iron rust
不锈钢	bùxiùgāng	stainless steel

12 画

合体字

钅(金)部

5-6年级

锈 锈 锈 锈 锈 锈 锈 锈 锈 锈 锈 锈

| 嗅(嗅) | xiù | 嗅 | xiù | smell; sniff |
| | | 嗅觉 | xiùjué | sense of smell; scent |

✏️ 13 画

▨ 合体字

▧ 口部　"犬"不是"大"。

🏆 1-4年级

嗅 叮 叮 叮 叮 叮 叮 叮 叮 嗅 嗅 嗅

须(須)	xū	必须	bìxū	must; have to
		胡须	húxū	beard; moustache
		须知	xūzhī	points for attention; notice

✏️ 9 画

▨ 合体字

▧ 彡(頁)部

🏆 1-4年级

须 须 须 须 须 须 须 须 须

需(需)	xū	需要	xūyào	essential; indispensable
		必需	bìxū	need; require
		急需	jíxū	be badly in need of; urgent need

✏️ 14 画

▨ 合体字

▧ 雨(⻗)部

🏆 1-4年级

需 需 需 需 需 需 需 需 需 需 需 需 需 需

许(許)	xǔ	允许	yǔnxǔ	permit; allow
		许多	xǔduō	many; much
		许可	xǔkě	permit; allow

✏️ 6 画

▨ 合体字

▧ 讠(言)部

🏆 1-4年级

许 许 许 许 许 许 许

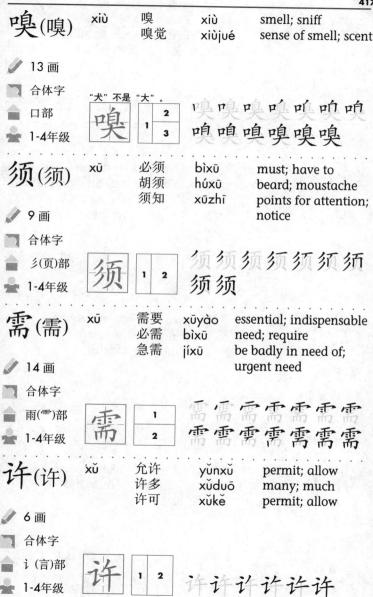

蓄 (蓄) xù

储蓄	chǔxù	save; deposit
积蓄	jīxù	save; accumulate
蓄意	xùyì	premeditated; deliberate

✏ 13 画

▢ 合体字

▣ 艹部

▣ 1-4年级

续 (续) xù

连续	liánxù	continuous; successive
陆续	lùxù	one after another; in succession
续借	xùjiè	renew

✏ 11 画

▢ 合体字

"彐" 不是 "彐"。

▣ 纟(糸)部

▣ 1-4年级

序 (序) xù

次序	cìxù	order; sequence
程序	chéngxù	procedure; programme
序曲	xùqǔ	overture

✏ 7 画

▢ 合体字

"予" 不是 "矛"。

▣ 广部

▣ 1-4年级

婿 (婿) xù

| 女婿 | nǚxu | son-in-law; husband |
| 夫婿 | fūxù | husband |

✏ 12 画

▢ 合体字

▣ 女部

▣ 5-6年级

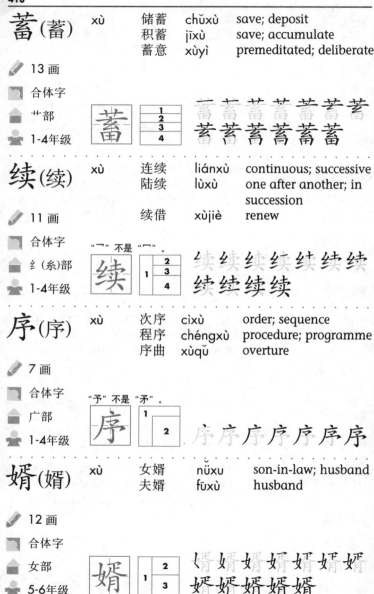

宣(宣)	xuān	宣布	xuānbù	declare; proclaim
		宣传	xuānchuán	propagate; disseminate
✏ 9画		宣言	xuānyán	declaration; manifesto
📄 合体字				
🏠 宀部				
⭐ 1-4年级				

宣宣宣宣宣宣宣
宣宣

旋(旋)	xuán	旋转	xuánzhuǎn	revolve; rotate
		盘旋	pánxuán	spiral; circle; wheel
✏ 11画	xuàn	旋风	xuànfēng	whirlwind
📄 合体字				
🏠 方部				
⭐ 高级华文				

旋旋旋旋旋旋
旋旋旋旋

选(選)	xuǎn	选择	xuǎnzé	select; choose
		推选	tuīxuǎn	elect; choose
✏ 9画		单选区	dānxuǎnqū	single-seat ward
📄 合体字				
🏠 辶部				
⭐ 1-4年级				

"辶"楷体比宋体多一个弯曲。

选选选先先先选
选选

学(學)	xué	学	xué	emulate; study
		学习	xuéxí	study; learn
✏ 8画		自学	zìxué	teach oneself; study on one's own
📄 合体字				
🏠 子部				
⭐ 1-4年级				

学学学学学学学
学

420

雪(雪)	xuě	雪	xuě	snow
		雪白	xuěbái	snow-white
		滑雪	huáxuě	skiing; ski

✏️ 11 画

📋 合体字

🏛️ 雨(⻗)部

⭐ 1-4年级

"⺕" 不是 "⺕"。

雪 雪 雪 雪 雪 雪 雪
雪 雪 雪 雪

血(血)	xuè	血管	xuèguǎn	blood vessel
		贫血	pínxuè	anaemia
	xiě	血	xiě	blood

✏️ 6 画

📋 独体字

🏛️ 血部

⭐ 1-4年级

血 血 白 血 血 血

巡(巡)	xún	巡警	xúnjǐng	policeman
		巡查	xúnchá	go on a tour of inspection; make one's rounds
		出巡	chūxún	royal progress; tour of inspection

✏️ 6 画

📋 合体字

🏛️ 辶部

⭐ 高级华文

"辶" 楷体比宋体多一个弯曲。

巛 巡 巡 巡 巡 巡

| 寻(寻) | xún | 寻找 | xúnzhǎo | seek; look for |
| | | 搜寻 | sōuxún | search; look for |

✏️ 6 画

📋 合体字

🏛️ 彐(寸)部

⭐ 1-4年级

寻 寻 寻 寻 寻 寻

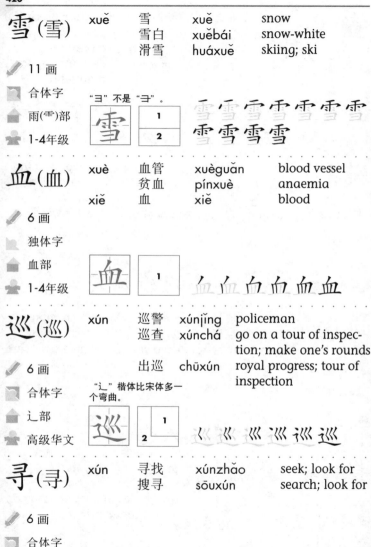

询 (詢)

xún | 询问 | xúnwèn | ask about; inquire
| 查询 | cháxún | inquire about

✏️ 8 画

🔲 合体字

🔳 讠(言)部

🔺 5-6年级

询 询 询 讠 询 询 询 询

讯 (訊)

xùn | 通讯 | tōngxùn | communication
| 音讯 | yīnxùn | message; dispatch
| 审讯 | shěnxùn | interrogate; question

✏️ 5 画

🔲 合体字

"卂" 不是 "凡"。

🔳 讠(言)部

🔺 高级华文

讯 讯 讯 讯 讯

训 (訓)

xùn | 教训 | jiàoxùn | lesson; chide
| 培训 | péixùn | cultivate; train
| 训育 | xùnyù | moral education (in school)

✏️ 5 画

🔲 合体字

🔳 讠(言)部

🔺 1-4年级

训 训 讠 训 训

迅 (迅)

xùn | 迅速 | xùnsù | rapid; swift
| 迅猛 | xùnměng | swift and violent

✏️ 6 画

🔲 合体字

"卂" 不是 "凡"。

🔳 辶部

🔺 5-6年级

迅 卂 卂 讯 讯 迅

呀(呀)　yā　呀，迟到了！　yā,chídàole　Oh, it's late!
　　　　ya　来呀！　　　láiya　　　Come here!

✏ 7 画

🔲 合体字

🏠 口部

👤 1-4年级

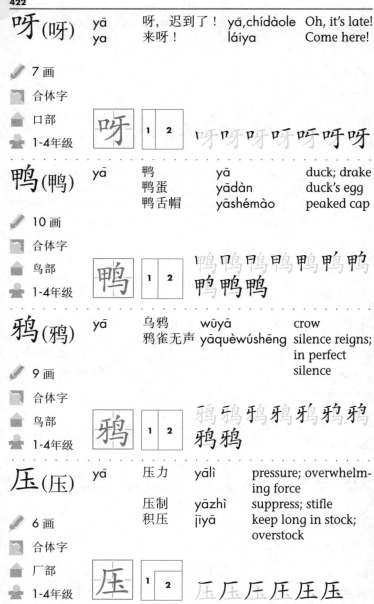

呀　| 1 | 2 |　丨丿口口口口呀呀呀

鸭(鴨)　yā　鸭　　　yā　　　duck; drake
　　　　　鸭蛋　　yādàn　　duck's egg
　　　　　鸭舌帽　yāshémào　peaked cap

✏ 10 画

🔲 合体字

🏠 鸟部

👤 1-4年级

鸭　| 1 | 2 |　丨口口口甲甲甲
　　　　　　鸭鸭鸭

鸦(鴉)　yā　乌鸦　　　wūyā　　　　crow
　　　　　鸦雀无声　yāquèwúshēng　silence reigns;
　　　　　　　　　　　　　　　　in perfect
　　　　　　　　　　　　　　　　silence

✏ 9 画

🔲 合体字

🏠 鸟部

👤 1-4年级

鸦　| 1 | 2 |　丂丂丂丂丂丂丂
　　　　　　鸦鸦

压(壓)　yā　压力　　yālì　　pressure; overwhelm-
　　　　　　　　　　　　ing force
　　　　　压制　　yāzhì　suppress; stifle
　　　　　积压　　jīyā　　keep long in stock;
　　　　　　　　　　　　overstock

✏ 6 画

🔲 合体字

🏠 厂部

👤 1-4年级

压　| 1 | 2 |　压压压压压压

牙 (牙)　yá　牙齿　yáchǐ　tooth; teeth
牙刷　yáshuā　toothbrush
月牙　yuèyá　crescent moon

✏ 4 画

🏠 独体字

🏛 一部

🎓 1-4年级

| 牙 | 一 |

牙 二 牙 牙

芽 (芽)　yá　芽　yá　bud; sprout
豆芽　dòuyá　bean sprout
麦芽糖　màiyátáng　malt sugar; maltose

✏ 7 画

🏠 合体字

🏛 艹部

🎓 5-6年级

| 芽 | 1 |
| | 2 |

芽 芽 芽 芽 芽 芽 芽

哑 (啞)　yǎ　哑　yǎ　mute; dumb
沙哑　shāyǎ　hoarse; husky
聋哑人　lóngyǎrén　deaf-mute

✏ 9 画

🏠 合体字

🏛 口部

🎓 1-4年级

| 哑 | 1 | 2 |

哑 哑 哑 哑 哑 哑 哑
哑 哑

亚 (亞)　yà　亚军　yàjūn　runner-up; second place (in a sports contest)

✏ 6 画

🏠 独体字

🏛 一部

🎓 1-4年级

亚洲　Yàzhōu　Asia
东南亚　Dōngnányà　Southeast Asia

| 亚 | 1 |

亚 亚 亚 亚 亚 亚

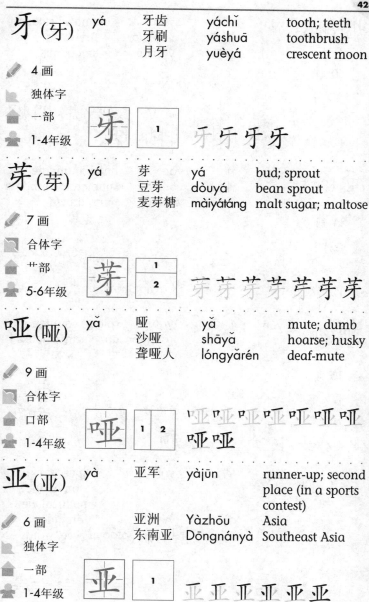

烟(烟) yān

烟	yān	smoke; cigarette
烟花	yānhuā	fireworks
烟雾	yānwù	smog; mist

✏️ 10 画

📄 合体字

🏠 火部

🎓 1-4年级

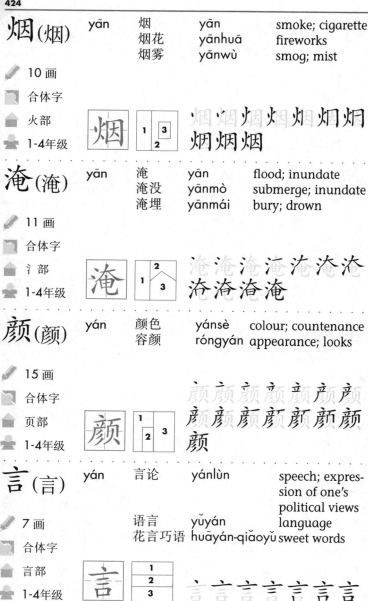

烟 烟 烟 烟 烟 烟 烟 烟 烟

淹(淹) yān

淹	yān	flood; inundate
淹没	yānmò	submerge; inundate
淹埋	yānmái	bury; drown

✏️ 11 画

📄 合体字

🏠 氵部

🎓 1-4年级

淹 淹 淹 淹 淹 淹 淹 淹 淹 淹 淹

颜(颜) yán

颜色	yánsè	colour; countenance
容颜	róngyán	appearance; looks

✏️ 15 画

📄 合体字

🏠 页部

🎓 1-4年级

颜 颜 颜 颜 颜 产 产 颜 彦 颜 颜 颜 颜 颜 颜

言(言) yán

言论	yánlùn	speech; expression of one's political views
语言	yǔyán	language
花言巧语	huāyán-qiǎoyǔ	sweet words

✏️ 7 画

📄 合体字

🏠 言部

🎓 1-4年级

言 言 言 言 言 言 言

沿 (沿) yán

沿途	yántú	on the way; throughout the journey
沿海	yánhǎi	coastal; littoral
床沿	chuángyán	the edge of a bed

8 画

合体字

氵部

1-4年级

沿沿沿沿沿沿沿
沿

严 (嚴) yán

严格	yángé	strict; rigorous
严重	yánzhòng	grave; critical
尊严	zūnyán	dignity; sanctity

7 画

独体字

一部

1-4年级

严严严严严严严

盐 (鹽) yán

盐	yán	salt
盐水	yánshuǐ	salt solution; brine
精盐	jīngyán	refined salt

10 画

合体字

皿部

1-4年级

盐盐盐盐盐盐
盐盐盐

延 (延) yán

延长	yáncháng	lengthen; prolong
延期	yánqī	postpone; put off
拖延	tuōyán	delay; deter

6 画

合体字

"止"不是"正"。

廴部

5-6年级

延延延延延延

炎 (炎) yán

炎热	yánrè	scorching; blazing
发炎	fāyán	inflammation
消炎	xiāoyán	diminish inflammation; dephlogisticate

8 画

合体字

火部

5-6年级

研 (研) yán

研究	yánjiū	research; discuss
研制	yánzhì	develop
科研	kēyán	scientific; research

9 画

合体字

石部

5-6年级

掩 (掩) yǎn

掩	yǎn	cover; hide
掩盖	yǎngài	cover; conceal
遮掩	zhēyǎn	envelop; overspread

11 画

合体字

扌部

高级华文

眼 (眼) yǎn

眼睛	yǎnjīng	eye
枪眼	qiāngyǎn	embrasure
心明眼亮	xīnmíng-yǎnliàng	see and think clearly

11 画

合体字

目部

1-4年级

演 (演) yǎn

演	yǎn	evolve; perform
演讲	yǎnjiǎng	lecture; make a speech
扮演	bànyǎn	play the part of; act

🖊 14 画

▢ 合体字

🏠 氵部

👤 1-4年级

演演演演演演演
演演演演演演演

厌 (厭) yàn

厌烦	yànfán	be sick of; be fed up with
厌恶	yànwù	detest; be disgusted with
讨厌	tǎoyàn	disgusting; repugnant

🖊 6 画

▢ 合体字

"犬" 不是 "大"。

🏠 厂部

👤 1-4年级

厌厌厌厌厌厌

燕 (燕) yàn

燕子	yànzi	swallow
燕窝	yànwō	edible bird's nest
海燕	hǎiyàn	(storm) petrel

🖊 16 画

▢ 合体字

🏠 灬部

👤 1-4年级

燕燕燕燕燕燕燕
燕燕燕燕燕燕燕
燕燕

验 (驗) yàn

验收	yànshōu	check and accept; check before acceptance
试验	shìyàn	trial; experiment
测验	cèyàn	test

🖊 10 画

▢ 合体字

🏠 马部

👤 5-6年级

验马马验验验验
验验验

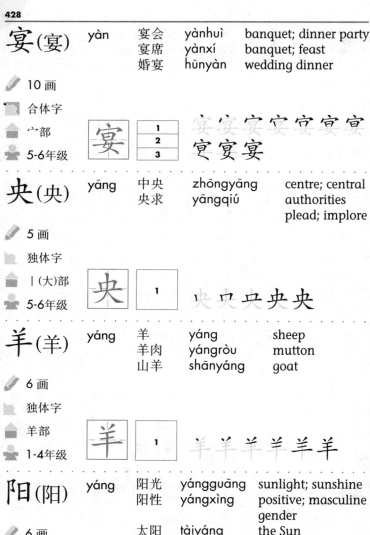

宴(宴) yàn

宴会	yànhuì	banquet; dinner party
宴席	yànxí	banquet; feast
婚宴	hūnyàn	wedding dinner

✏️ 10 画

🔲 合体字

🔺 宀部

👤 5-6年级

宴宴宴宴宴宴宴
宴宴宴

央(央) yāng

| 中央 | zhōngyāng | centre; central authorities |
| 央求 | yāngqiú | plead; implore |

✏️ 5 画

🔲 独体字

🔺 丨(大)部

👤 5-6年级

央凹央央央

羊(羊) yáng

羊	yáng	sheep
羊肉	yángròu	mutton
山羊	shānyáng	goat

✏️ 6 画

🔲 独体字

🔺 羊部

👤 1-4年级

羊羊羊羊羊羊

阳(阳) yáng

阳光	yángguāng	sunlight; sunshine
阳性	yángxìng	positive; masculine gender
太阳	tàiyáng	the Sun

✏️ 6 画

🔲 合体字

🔺 阝部

👤 1-4年级

阳阳阳阳阳阳

洋(洋) yáng

海洋 hǎiyáng — sea; ocean
洋气 yángqì — foreign flavour; outlandish
喜洋洋 xǐyángyáng — beaming with joy; radiant

✏ 9 画
▱ 合体字
🏠 氵部
👥 1-4年级

| 洋 | 1 | 2 |

洋洋洋洋洋洋洋
洋洋

扬(扬) yáng

飘扬 piāoyáng — flutter; wave
表扬 biǎoyáng — praise
扬眉吐气 yángméi-tǔqì — feel proud and elated

✏ 6 画
▱ 合体字
🏠 扌部
👥 1-4年级

| 扬 | 1 | 2 |

扬扬扬扬扬扬

痒(癢) yǎng

痒 yǎng — itch; tickle
心痒 xīnyǎng — longing; eager
痛痒 tòngyǎng — sufferings; difficulties

✏ 11 画
▱ 合体字
🏠 疒部
👥 高级华文

| 痒 | 1 | |
| | 2 | |

痒痒痒痒痒痒痒
痒痒痒痒

养(養) yǎng

养 yǎng — raise; foster
养育 yǎngyù — bring up; rear
保养 bǎoyǎng — maintain; keep in good repair

✏ 9 画
▱ 合体字
🏠 羊(⺷)部
👥 1-4年级

| 养 | 1 | |
| | 2 | |

养养养养养养养
养养

仰 (仰)

yǎng

仰望	yǎngwàng	look up at; look up to
仰慕	yǎngmù	admire; look up to
信仰	xìnyǎng	faith; belief

✏️ 6 画

🔲 合体字

🏠 亻部

👤 5-6年级

"仰"不是"卯"。

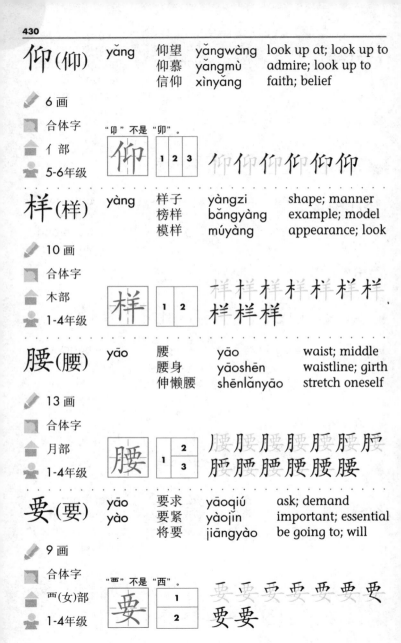

仰 仰 仰 仰 仰 仰

样 (樣)

yàng

样子	yàngzi	shape; manner
榜样	bǎngyàng	example; model
模样	múyàng	appearance; look

✏️ 10 画

🔲 合体字

🏠 木部

👤 1-4年级

样 样 样 样 样 样 样
样 样 样

腰 (腰)

yāo

腰	yāo	waist; middle
腰身	yāoshēn	waistline; girth
伸懒腰	shēnlǎnyāo	stretch oneself

✏️ 13 画

🔲 合体字

🏠 月部

👤 1-4年级

腰 腰 腰 腰 腰 腰 腰
腰 腰 腰 腰 腰 腰

要 (要)

yāo
yào

要求	yāoqiú	ask; demand
要紧	yàojǐn	important; essential
将要	jiāngyào	be going to; will

✏️ 9 画

🔲 合体字

🏠 覀(女)部

👤 1-4年级

"覀"不是"西"。

要 要 要 要 要 要 要
要 要

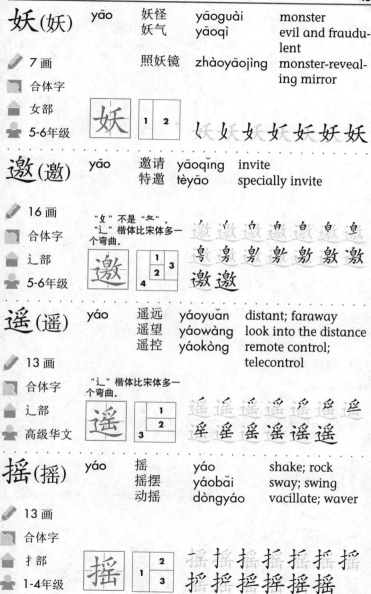

妖(妖) yāo

妖怪	yāoguài	monster
妖气	yāoqì	evil and fraudulent
照妖镜	zhàoyāojìng	monster-revealing mirror

7 画
合体字
女部
5-6年级

妖 1 | 2

妖 女 女 女 妖 妖 妖

邀(邀) yāo

| 邀请 | yāoqǐng | invite |
| 特邀 | tèyāo | specially invite |

16 画
合体字
辶部
5-6年级

"夂"不是"夊"。
"辶"楷体比宋体多一个弯曲。

邀 | 1 3 | 2 | 4

邀 白 白 白 臭 臭
臱 臱 臱 臱 臱 臱
激 邀

遥(遥) yáo

遥远	yáoyuǎn	distant; faraway
遥望	yáowàng	look into the distance
遥控	yáokòng	remote control; telecontrol

13 画
合体字
辶部
高级华文

"辶"楷体比宋体多一个弯曲。

遥 | 1 | 2 | 3

遥 遥 遥 遥 遥 遥 遥
䍃 䍃 䍃 遥 遥 遥

摇(摇) yáo

摇	yáo	shake; rock
摇摆	yáobǎi	sway; swing
动摇	dòngyáo	vacillate; waver

13 画
合体字
扌部
1-4年级

摇 | 1 2 | 3

摇 摇 摇 摇 摇 摇 摇
摇 摇 摇 摇 摇 摇

咬 (咬) yǎo

咬	yǎo — bite
咬耳朵	yǎo'ěrduo — whisper
咬牙切齿	yǎoyá-qièchǐ — gnash one's teeth

- 9 画
- 合体字
- 口部
- 1-4年级

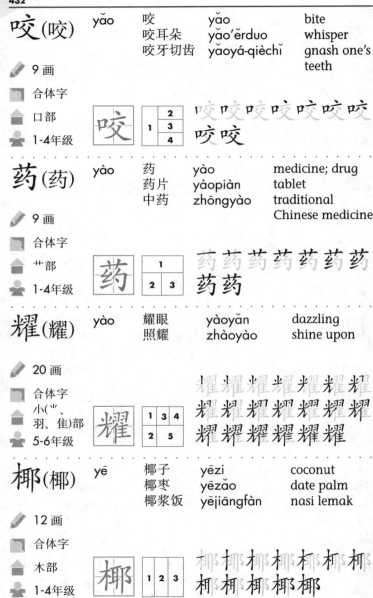

咬 咬 咬 咬 咬 咬 咬
咬 咬

药 (藥) yào

药	yào — medicine; drug
药片	yàopiàn — tablet
中药	zhōngyào — traditional Chinese medicine

- 9 画
- 合体字
- 艹部
- 1-4年级

药 药 药 药 药 药 药
药 药

耀 (耀) yào

耀眼	yàoyǎn — dazzling
照耀	zhàoyào — shine upon

- 20 画
- 合体字
- 小(⺌、羽、隹)部
- 5-6年级

耀 耀 耀 耀 耀 耀 耀
耀 耀 耀 耀 耀 耀 耀
耀 耀 耀 耀 耀 耀

椰 (椰) yē

椰子	yēzi — coconut
椰枣	yēzǎo — date palm
椰浆饭	yējiāngfàn — nasi lemak

- 12 画
- 合体字
- 木部
- 1-4年级

椰 椰 椰 椰 椰 椰 椰
椰 椰 椰 椰 椰

爷 (爷) yé

| 爷爷 | yéye | grandfather; grandpa |
| 老天爷 | lǎotiānyé | God; Heaven |

✏️ 6 画

📑 合体字

🏠 父部

👥 1-4年级

爷 爷 父 父 爷 爷

也 (也) yě

| 也 | yě | also; too |
| 也许 | yěxǔ | perhaps; maybe |

✏️ 3 画

📑 独体字

🏠 乙(乛)部

👥 1-4年级

乛 乜 也

野 (野) yě

野外	yěwài	open country; field
野生	yěshēng	wild; uncultivated
粗野	cūyě	boorish; uncouth

✏️ 11 画

📑 合体字

🏠 里部

👥 1-4年级

"予"不是"矛"。

野 野 野 野 野 野 野
野 野 野 野

液 (液) yè

| 液体 | yètǐ | liquid |
| 血液 | xuèyè | blood |

✏️ 11 画

📑 合体字

🏠 氵部

👥 高级华文

"夂"不是"叉"。

液 液 液 液 液 液 液
液 液 液 液

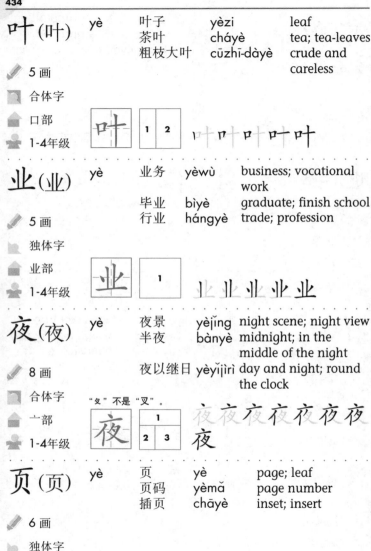

叶 (叶) yè

叶子	yèzi	leaf
茶叶	cháyè	tea; tea-leaves
粗枝大叶	cūzhī-dàyè	crude and careless

5 画

合体字

口部

1-4年级

丨丆丌口口叶

业 (业) yè

业务	yèwù	business; vocational work
毕业	bìyè	graduate; finish school
行业	hángyè	trade; profession

5 画

独体字

业部

1-4年级

业业业业业

夜 (夜) yè

夜景	yèjǐng	night scene; night view
半夜	bànyè	midnight; in the middle of the night
夜以继日	yèyǐjìrì	day and night; round the clock

8 画

合体字

"夂" 不是 "叉"。

亠部

1-4年级

夜夜夜夜夜夜夜夜

页 (页) yè

页	yè	page; leaf
页码	yèmǎ	page number
插页	chāyè	inset; insert

6 画

独体字

页部

5-6年级

页页页页页页

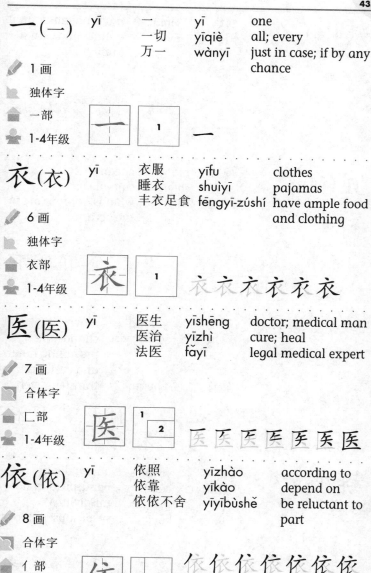

一 (一) yī

二	yī	one
一切	yīqiè	all; every
万一	wànyī	just in case; if by any chance

- 1 画
- 独体字
- 一部
- 1-4年级

一

衣 (衣) yī

衣服	yīfu	clothes
睡衣	shuìyī	pajamas
丰衣足食	fēngyī-zúshí	have ample food and clothing

- 6 画
- 独体字
- 衣部
- 1-4年级

衣 衣 衣 衣 衣 衣

医 (医) yī

医生	yīshēng	doctor; medical man
医治	yīzhì	cure; heal
法医	fǎyī	legal medical expert

- 7 画
- 合体字
- 匚部
- 1-4年级

医 医 医 医 医 医 医

依 (依) yī

依照	yīzhào	according to
依靠	yīkào	depend on
依依不舍	yīyībùshě	be reluctant to part

- 8 画
- 合体字
- 亻部
- 1-4年级

依 依 依 依 依 依 依 依

姨(姨) yí

| 姨妈 | yímā | maternal aunt; aunt |
| 阿姨 | āyí | auntie; nurse (in a family) |

9 画

合体字

女部

1-4年级

く 女 女 女 女 女 女 女 姨 姨

宜(宜) yí

便宜	piányi	cheap
适宜	shìyí	suitable; fit
时宜	shíyí	what is appropriate to the occasion

8 画

合体字

宀部

1-4年级

宜 宜 宜 宜 宜 宜 宜 宜

移(移) yí

移动	yídòng	move; shift
移风易俗	yífēng-yìsú	change the prevailing habits and customs
转移	zhuǎnyí	transfer; divert

11 画

合体字

禾部

1-4年级

移 移 千 移 移 移 移 移 移 移 移

疑(疑) yí

疑问	yíwèn	query; doubt
猜疑	cāiyí	be suspicious; have misgivings
可疑	kěyí	suspicious; dubious

14 画

合体字

丿(矢)部

1-4年级

疑 疑 疑 疑 疑 疑 疑 疑 疑 疑 疑 疑 疑 疑

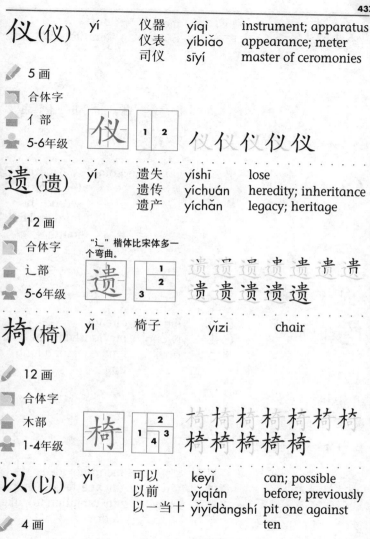

仪(儀) yí

仪器 yíqì instrument; apparatus
仪表 yíbiǎo appearance; meter
司仪 sīyí master of ceromonies

✏️ 5 画
🔲 合体字
🔺 亻部
🎓 5-6年级

仪 | 1 2 | 仪 仪 仪 仪 仪

遗(遺) yí

遗失 yíshī lose
遗传 yíchuán heredity; inheritance
遗产 yíchǎn legacy; heritage

✏️ 12 画
🔲 合体字
🔺 辶部
🎓 5-6年级

"辶"楷体比宋体多一个弯曲。

遗 | 1 2 / 3 | 遗 遗 遗 遗 遗 贵 贵
贵 贵 遗 遗 遗

椅(椅) yǐ

椅子 yǐzi chair

✏️ 12 画
🔲 合体字
🔺 木部
🎓 1-4年级

椅 | 2 / 1 4 3 | 椅 椅 椅 椅 椅 椅 椅
椅 椅 椅 椅 椅

以(以) yǐ

可以 kěyǐ can; possible
以前 yǐqián before; previously
以一当十 yǐyīdàngshí pit one against ten

✏️ 4 画
🔲 独体字
🔺 人(乙)部
🎓 1-4年级

以 | 1 | 以 以 以 以

蚁(蟻) yǐ

蚂蚁 mǎyǐ — ant
白蚁 báiyǐ — termite; white ant

9 画
合体字
虫部
1-4年级

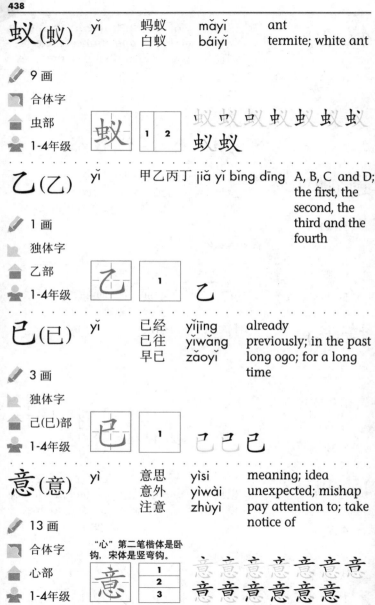

蚁 蚁 蚁 虫 虫 虫 虫
蚁 蚁

乙(乙) yǐ

甲乙丙丁 jiǎ yǐ bǐng dīng — A, B, C and D; the first, the second, the third and the fourth

1 画
独体字
乙部
1-4年级

乙

已(已) yǐ

已经 yǐjīng — already
已往 yǐwǎng — previously; in the past
早已 zǎoyǐ — long ogo; for a long time

3 画
独体字
己(已)部
1-4年级

乙 己 已

意(意) yì

意思 yìsi — meaning; idea
意外 yìwài — unexpected; mishap
注意 zhùyì — pay attention to; take notice of

13 画
合体字

"心" 第二笔楷体是卧钩，宋体是竖弯钩。

心部
1-4年级

意 意 意 意 意 意 意
意 意 意 意 意 意

易 (易) yì

容易	róngyì	easy
交易	jiāoyì	transaction
平易近人	píngyì-jìnrén	amiable and easy of approach

✏️ 8 画

🔲 合体字

🏠 日部

📚 1-4年级

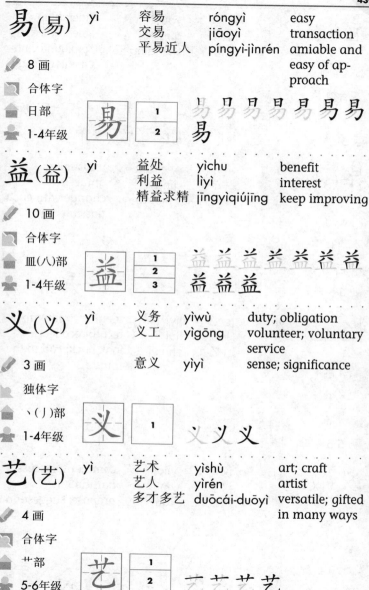

易 易 易 易 易 易 易
易

益 (益) yì

益处	yìchu	benefit
利益	lìyì	interest
精益求精	jīngyìqiújīng	keep improving

✏️ 10 画

🔲 合体字

🏠 皿(八)部

📚 1-4年级

益 益 益 益 益 益 益
益 益 益

义 (義) yì

义务	yìwù	duty; obligation
义工	yìgōng	volunteer; voluntary service
意义	yìyì	sense; significance

✏️ 3 画

🔲 独体字

🏠 、(丿)部

📚 1-4年级

义 义 义

艺 (藝) yì

艺术	yìshù	art; craft
艺人	yìrén	artist
多才多艺	duōcái-duōyì	versatile; gifted in many ways

✏️ 4 画

🔲 合体字

🏠 艹部

📚 5-6年级

艺 艺 艺 艺

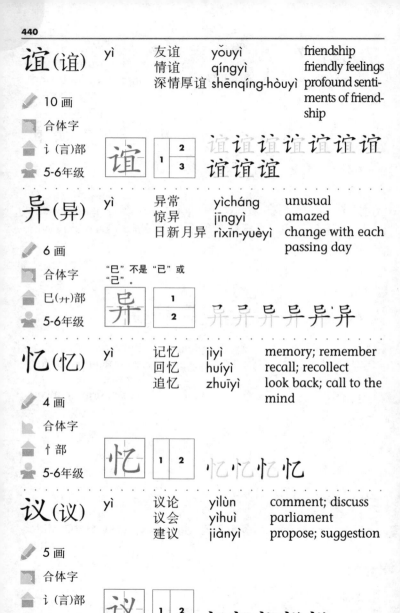

谊(誼) yì

友谊	yǒuyì	friendship
情谊	qíngyì	friendly feelings
深情厚谊	shēnqíng-hòuyì	profound sentiments of friendship

10 画

合体字

讠(言)部

5-6年级

谊 谊 谊 谊 谊 谊 谊 谊 谊 谊

异(異) yì

异常	yìcháng	unusual
惊异	jīngyì	amazed
日新月异	rìxīn-yuèyì	change with each passing day

6 画

合体字

"巳"不是"已"或"己"。

巳(卄)部

5-6年级

异 异 异 异 异 异

忆(憶) yì

记忆	jìyì	memory; remember
回忆	huíyì	recall; recollect
追忆	zhuīyì	look back; call to the mind

4 画

合体字

忄部

5-6年级

忆 忆 忆 忆

议(議) yì

议论	yìlùn	comment; discuss
议会	yìhuì	parliament
建议	jiànyì	propose; suggestion

5 画

合体字

讠(言)部

5-6年级

议 议 议 议 议

因 (因) yīn

因此	yīncǐ	therefore; consequently
因为	yīnwèi	because; on account of
原因	yuányīn	cause; reason

✏️ 6 画

🔲 合体字

🏠 口部

🎓 1-4年级

因 冂 冂 闲 因 因

音 (音) yīn

音乐	yīnyuè	music
音信	yīnxìn	mail; message
声音	shēngyīn	sound; voice

✏️ 9 画

🔲 合体字

🏠 音部

🎓 1-4年级

音 音 音 音 音 音 音 音 音

阴 (陰) yīn

阴天	yīntiān	overcast sky; cloudy sky
阴谋	yīnmóu	plot; scheme
光阴	guāngyīn	time

✏️ 6 画

🔲 合体字

🏠 阝部

🎓 1-4年级

阝 阝 阴 阴 阴 阴

吟 (吟) yín

吟诵	yínsòng	chant; recite
呻吟	shēnyín	moan; groan

✏️ 7 画

🔲 合体字

"今" 不是 "令。

🏠 口部

🎓 高级华文

吟 吟 吟 吟 吟 吟 吟

银 (銀)

yín

银行	yínháng	bank
银幕	yínmù	(motion picture) screen
水银	shuǐyín	mercury; quicksilver

11 画

合体字

钅 (金)部

1-4年级

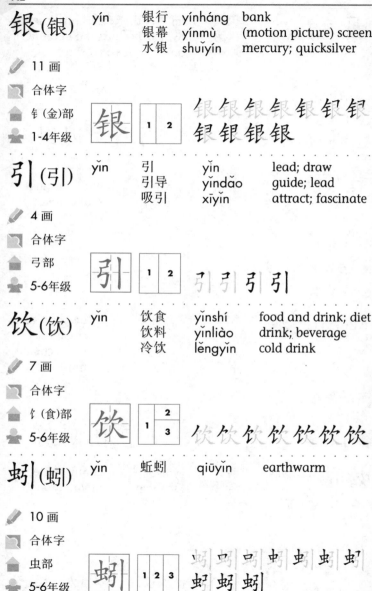

银 | 1 | 2

银银银银银钅钅
钅银银银

引 (引)

yín

引	yǐn	lead; draw
引导	yǐndǎo	guide; lead
吸引	xīyǐn	attract; fascinate

4 画

合体字

弓部

5-6年级

引 | 1 | 2

引引引引

饮 (飲)

yǐn

饮食	yǐnshí	food and drink; diet
饮料	yǐnliào	drink; beverage
冷饮	lěngyǐn	cold drink

7 画

合体字

饣 (食)部

5-6年级

饮 | 1 | 2 / 3

饮饮饮饮饮饮饮

蚓 (蚓)

yǐn

| 蚯蚓 | qiūyǐn | earthwarm |

10 画

合体字

虫部

5-6年级

蚓 | 1 2 3

蚓蚓蚓蚓虫虫虫蚓
蚓蚓蚓

印(印) yìn 印刷 yìnshuā printing
脚印 jiǎoyìn footprint; track
复印机 fùyìnjī duplicator; photocopier

5 画
合体字
卩部
1-4年级

"卩"不是"阝"。

印印印印印

英(英) yīng 英雄 yīngxióng hero
英明 yīngmíng wise; briliant
精英 jīngyīng elite

8 画
合体字
艹部
1-4年级

"央"不是"夬"。

英英英英英英英
英

应(应) yīng 应该 yīnggāi should; ought to
理应 lǐyīng ought to; should
yìng 答应 dāyìng reply; respond

7 画
合体字
广部
1-4年级

应应应应应应应

鹰(鹰) yīng 老鹰 lǎoyīng hawk; eagle

18 画
合体字
鸟(广)部
1-4年级

"鸟"不是"乌"。

鹰鹰鹰鹰鹰鹰鹰
鹰鹰鹰鹰鹰鹰鹰
鹰鹰鹰鹰

婴 (婴)

yīng　婴儿　yīng'ér　baby; infant

- ✏ 11 画
- 🔲 合体字
- 🏠 女部
- 🎓 1-4年级

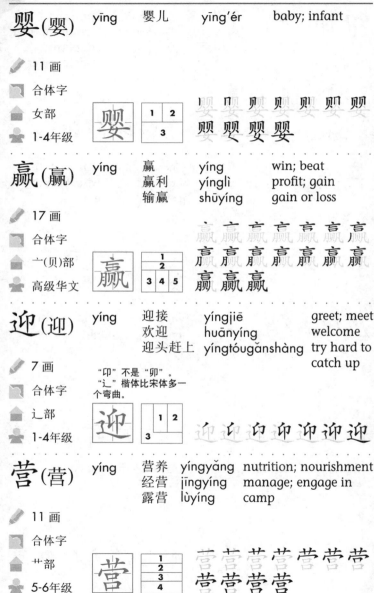

丿 冂 刞 刞 刞 刞 刞
刞 㛮 婴 婴

赢 (赢)

yíng　赢　　yíng　　win; beat
　　　赢利　yínglì　profit; gain
　　　输赢　shūyíng　gain or loss

- ✏ 17 画
- 🔲 合体字
- 🏠 亠(贝)部
- 🎓 高级华文

亠 亠 亠 亠 亠 亠 亠
亠 月 月 月 亠 亠 亠
赢 赢 赢

迎 (迎)

yíng　迎接　　yíngjiē　greet; meet
　　　欢迎　　huānyíng　welcome
　　　迎头赶上　yíngtóugǎnshàng　try hard to catch up

- ✏ 7 画

"卬"不是"卯"。
"辶"楷体比宋体多一个弯曲。

- 🔲 合体字
- 🏠 辶部
- 🎓 1-4年级

㇐ ㇐ 㐄 卬 迎 迎 迎

营 (营)

yíng　营养　　yíngyǎng　nutrition; nourishment
　　　经营　　jīngyíng　manage; engage in
　　　露营　　lùyíng　camp

- ✏ 11 画
- 🔲 合体字
- 🏠 艹部
- 🎓 5-6年级

营 营 营 营 营 营 营
营 营 营 营

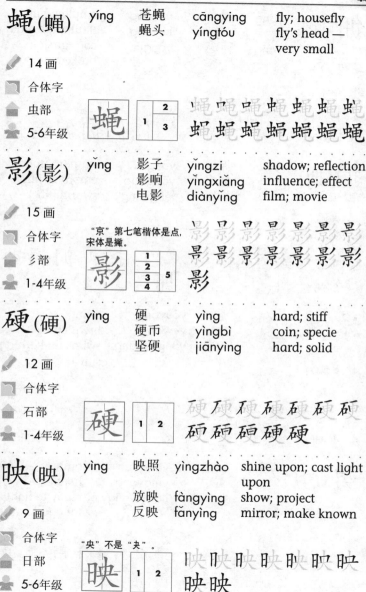

蝇(蠅) yíng 苍蝇 cāngying fly; housefly
蝇头 yíngtóu fly's head — very small

14 画
合体字
虫部
5-6年级

蝇 口 口 虫 蚍 虫 虫
蚰 蚰 蚰 蛹 蜩 蝻 蝇

影(影) yǐng 影子 yǐngzi shadow; reflection
影响 yǐngxiǎng influence; effect
电影 diànyǐng film; movie

15 画
合体字
"京" 第七笔楷体是点，宋体是撇。
彡部
1-4年级

影 影 影 影 影 影 景 景
景 景 景 景 景 影 影
影

硬(硬) yìng 硬 yìng hard; stiff
硬币 yìngbì coin; specie
坚硬 jiānyìng hard; solid

12 画
合体字
石部
1-4年级

硬 石 石 石 石
砑 砑 硬 硬 硬

映(映) yìng 映照 yìngzhào shine upon; cast light upon
放映 fàngyìng show; project
反映 fǎnyìng mirror; make known

9 画
合体字
"央" 不是 "夬"。
日部
5-6年级

映 映 映 映 映 映 映
映 映

佣 (傭)

yōng 雇佣 gùyōng employ; hire
菲佣 fēiyōng Philippine maid
yòng 佣金 yòngjīn commission; brokerage

- 7 画
- 合体字
- 亻 部
- 5-6年级

佣佣佣们们佣佣

拥 (擁)

yōng 拥护 yōnghù support; uphold
拥抱 yōngbào embrace; hug
蜂拥 fēngyōng swarm; flock

- 8 画
- 合体字
- 扌 部
- 5-6年级

拥拥拥扪拥拥拥
拥

泳 (泳)

yǒng 游泳 yóuyǒng swim
蛙泳 wāyǒng breaststroke
泳装 yǒngzhuāng swimsuit; bathing suit

- 8 画
- 合体字
- 氵 部
- 1-4年级

泳泳泳泳泳泳泳
泳

勇 (勇)

yǒng 勇敢 yǒnggǎn brave
英勇 yīngyǒng heroic
见义勇为 jiànyìyǒngwéi ready to fight for a just cause

- 9 画
- 合体字
- 力 部
- 1-4年级

勇勇勇勇勇勇勇
勇勇

永(永) yǒng
永远 yǒngyuǎn perpetually; forever
永久 yǒngjiǔ permanent; everlasting

✏️ 5 画
独体字
、部
1-4年级

永 永 永 永 永

用(用) yòng
用 yòng use; employ
使用 shǐyòng make use of; use
用功 yònggōng hardworking; studious

✏️ 5 画
独体字
用部
1-4年级

用 月 月 月 用

忧(忧) yōu
忧愁 yōuchóu depressed; worried
担忧 dānyōu worry; be anxious
分忧 fēnyōu help somebody to get over a difficulty

✏️ 7 画
合体字
忄部
高级华文

忧 忧 忧 忙 忧 忧 忧

优(优) yōu
优良 yōuliáng fine; good
优点 yōudiǎn merit; advantage
优先 yōuxiān have priority; take precedence

✏️ 6 画
合体字
亻部
5-6年级

优 优 仇 优 优 优

游(游) yóu

游	yóu	tour; wander
游玩	yóuwán	go sight-seeing
导游	dǎoyóu	conduct a sightseeing tour; guide

12 画

合体字

氵部

1-4年级

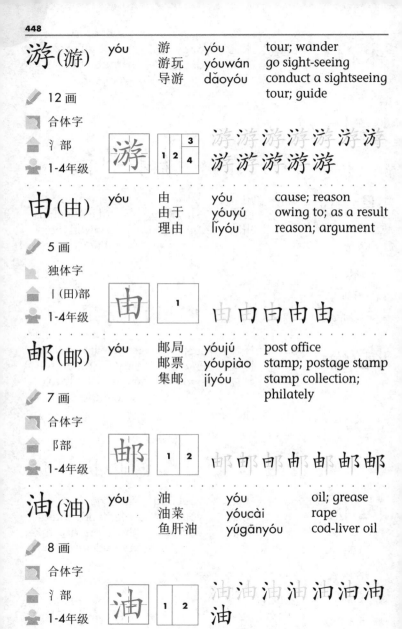

游 游 游 游 游 游 游 游 游 游 游 游

由(由) yóu

由	yóu	cause; reason
由于	yóuyú	owing to; as a result
理由	lǐyóu	reason; argument

5 画

独体字

丨(田)部

1-4年级

由 冂 曰 由 由

邮(邮) yóu

邮局	yóujú	post office
邮票	yóupiào	stamp; postage stamp
集邮	jíyóu	stamp collection; philately

7 画

合体字

阝部

1-4年级

邮 冂 曰 由 由 邮 邮

油(油) yóu

油	yóu	oil; grease
油菜	yóucài	rape
鱼肝油	yúgānyóu	cod-liver oil

8 画

合体字

氵部

1-4年级

油 油 油 油 油 油 油 油

尤(尤) **yóu**

| 尤其 | yóuqí | especially; particularly |
| 效尤 | xiàoyóu | knowingly follow the example of a wrongdoer |

4 画

独体字

尢部

5-6年级

一 尢 尢 尤

友(友) **yǒu**

友好	yǒuhǎo	close friend; amiable
朋友	péngyou	friend
良师益友	liángshī-yìyǒu	good teacher and worthy friend

4 画

合体字

一(又)部

1-4年级

友 ナ 方 友

有(有) **yǒu**

有	yǒu	have; possess
有趣	yǒuqù	interesting; amusing
富有	fùyǒu	rich; wealthy

6 画

合体字

一(月)部

1-4年级

有 ナ オ 有 有 有

又(又) **yòu**

| 又 | yòu | again; time and again |

2 画

独体字

又部

1-4年级

フ 又

右(右) yòu

右	yòu	right
右边	yòubian	the right side; right-hand
左右	zuǒyòu	the left and the right; control

✏️ 5 画

🗂 合体字

🏠 一(口)部

👤 1-4年级

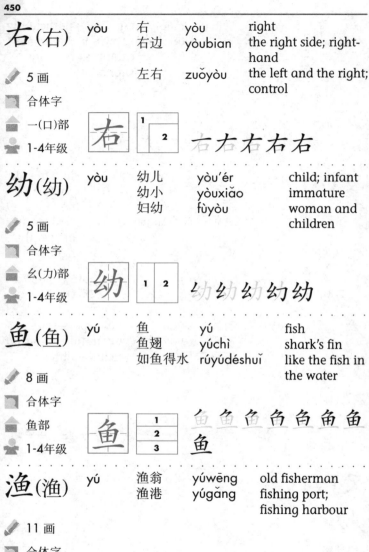

右右右右右

幼(幼) yòu

幼儿	yòu'ér	child; infant
幼小	yòuxiǎo	immature
妇幼	fùyòu	woman and children

✏️ 5 画

🗂 合体字

🏠 幺(力)部

👤 1-4年级

幼幼幼幼幼

鱼(鱼) yú

鱼	yú	fish
鱼翅	yúchì	shark's fin
如鱼得水	rúyúdéshuǐ	like the fish in the water

✏️ 8 画

🗂 合体字

🏠 鱼部

👤 1-4年级

鱼鱼鱼鱼鱼鱼鱼
鱼

渔(渔) yú

渔翁	yúwēng	old fisherman
渔港	yúgǎng	fishing port; fishing harbour

✏️ 11 画

🗂 合体字

🏠 氵部

👤 1-4年级

渔渔渔渔渔渔渔
渔渔渔渔

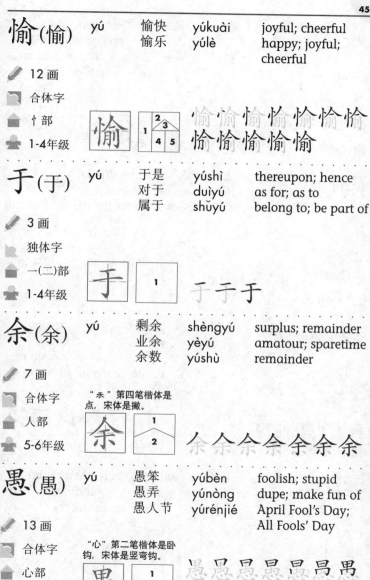

愉(愉) yú 愉快 yúkuài joyful; cheerful
愉乐 yúlè happy; joyful; cheerful

12 画
合体字
忄部
1-4年级

于(于) yú 于是 yúshì thereupon; hence
对于 duìyú as for; as to
属于 shǔyú belong to; be part of

3 画
独体字
一(二)部
1-4年级

余(余) yú 剩余 shèngyú surplus; remainder
业余 yèyú amatour; sparetime
余数 yúshù remainder

7 画
合体字
"禾"第四笔楷体是点，宋体是撇。
人部
5-6年级

愚(愚) yú 愚笨 yúbèn foolish; stupid
愚弄 yúnòng dupe; make fun of
愚人节 yúrénjié April Fool's Day; All Fools' Day

13 画
合体字
"心"第二笔楷体是卧钩，宋体是竖弯钩。
心部
5-6年级

娱(娛)

yú

| 娱乐 | yúlè | amusement; entertainment |
| 文娱 | wényú | cultural recreation; entertainment |

10 画

合体字

女部

5-6年级

丨 娱 娱 娱 娱 娱 娱 娱 娱 娱

雨(雨)

yǔ

雨	yǔ	rain; drizzle
雨伞	yǔsǎn	umbrella
暴雨	bàoyǔ	torrential rain; rainstorm

8 画

独体字

雨部

1-4年级

雨 雨 雨 雨 雨 雨 雨 雨

语(語)

yǔ

语言	yǔyán	language
外语	wàiyǔ	foreign language
三言两语	sānyán-liǎngyǔ	in a few words

9 画

合体字

讠(言)部

1-4年级

语 语 语 语 语 语 语 语 语

羽(羽)

yǔ

| 羽毛 | yǔmáo | feather; plume |
| 羽球 | yǔqiú | badminton; shuttlecock |

6 画

合体字

羽部

1-4年级

丁 丬 羽 羽 羽 羽

与 (与)

yǔ 与 yǔ grant; offer
与其 yǔqí it is better than; rather than
yù 参与 cānyù participate in; have a hand in

3 画

独体字

一部

5-6年级

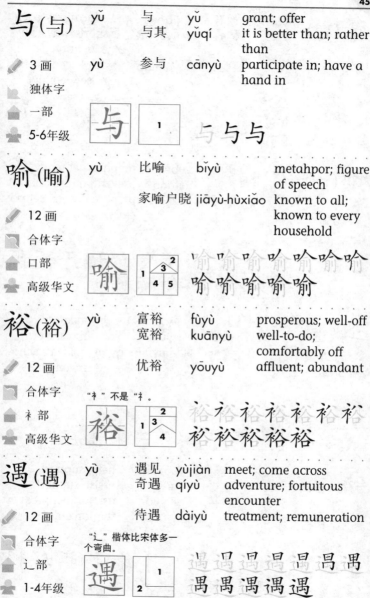

与 | 丨

与 与 与

喻 (喻)

yù 比喻 bǐyù metahpor; figure of speech

家喻户晓 jiāyù-hùxiǎo known to all; known to every household

12 画

合体字

口部

高级华文

口 | 喻喻口喻 口喻口喻
口喻口喻喻喻喻喻

裕 (裕)

yù 富裕 fùyù prosperous; well-off
宽裕 kuānyù well-to-do; comfortably off
优裕 yōuyù affluent; abundant

12 画

合体字

"衤" 不是 "礻"。

衤 部

高级华文

裕 | 裕衤裕裕裕裕裕
衤裕衤裕裕

遇 (遇)

yù 遇见 yùjiàn meet; come across
奇遇 qíyù adventure; fortuitous encounter
待遇 dàiyù treatment; remuneration

12 画

合体字

"辶" 楷体比宋体多一个弯曲。

辶 部

1-4年级

遇 | 遇遇遇遇遇昌禺
禺禺遇遇遇

育(育) yù　教育　jiàoyù　education; teach
　　　　　体育　tǐyù　sports; physical education

8画
合体字
月部　育苗　yùmiáo　grow seedlings; raise seedlings
1-4年级

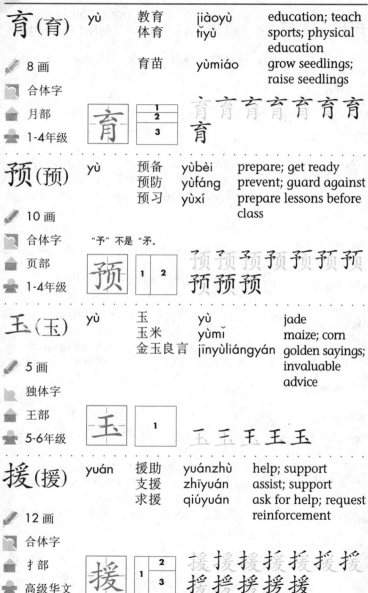

育育育育育育育育

预(預) yù　预备　yùbèi　prepare; get ready
　　　　　预防　yùfáng　prevent; guard against
　　　　　预习　yùxí　prepare lessons before class

10画
合体字　"予"不是"矛"。
页部
1-4年级

预预予予预预预
预预预

玉(玉) yù　玉　yù　jade
　　　　　玉米　yùmǐ　maize; corn
　　　　　金玉良言　jīnyùliángyán　golden sayings; invaluable advice

5画
独体字
王部
5-6年级

玉玉王王玉

援(援) yuán　援助　yuánzhù　help; support
　　　　　支援　zhīyuán　assist; support
　　　　　求援　qiúyuán　ask for help; request reinforcement

12画
合体字
扌部
高级华文

援援援援援援
援援援援援

园 (园) yuán 公园 gōngyuán park
校园 xiàoyuán campus; school yard

7 画

合体字

口部

1-4年级

园丁 yuándīng gardener; teacher

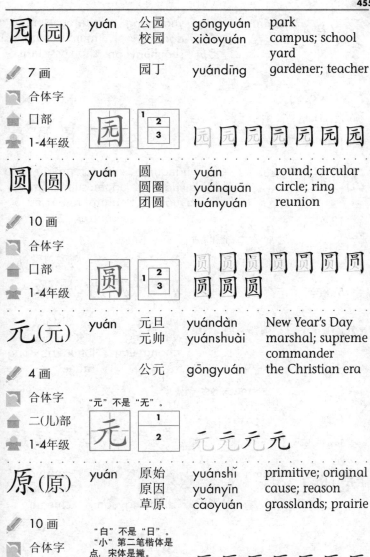

丨 冂 冂 同 囘 园 园

圆 (圆) yuán 圆 yuán round; circular
圆圈 yuánquān circle; ring
团圆 tuányuán reunion

10 画

合体字

口部

1-4年级

元 (元) yuán 元旦 yuándàn New Year's Day
元帅 yuánshuài marshal; supreme commander
公元 gōngyuán the Christian era

4 画

合体字

"元" 不是 "无"。

二 (儿) 部

1-4年级

元 元 元 元

原 (原) yuán 原始 yuánshǐ primitive; original
原因 yuányīn cause; reason
草原 cǎoyuán grasslands; prairie

10 画

合体字

"白" 不是 "日"。
"小" 第二笔楷体是
点, 宋体是撇。

厂部

1-4年级

员 (員) yuán

员工	yuángōng	staff; personnel
动员	dòngyuán	mobilize; arouse
售货员	shòuhuòyuán	shop assistant

- 7 画
- 合体字
- 口(贝)部
- 1-4年级

员 员 员 员 员 员 员

源 (源) yuán

源泉	yuánquán	source; fountain head
起源	qǐyuán	origin; stem from
资源	zīyuán	natural resources; resources

- 13 画
- 合体字
- 氵部
- 5-6年级

"白"不是"日"。
"小"第二笔楷体是点，宋体是撇。

源 源 源 源 源 源 源
源 源 源 源 源 源

远 (遠) yuǎn

远	yuǎn	far; distant
远方	yuǎnfāng	distant place
长远	chángyuǎn	long-term; long-range

- 7 画
- 合体字
- 辶部
- 1-4年级

"辶"楷体比宋体多一个弯曲。

远 远 元 元 沅 远 远

院 (院) yuàn

院子	yuànzi	courtyard
医院	yīyuàn	hospital
电影院	diànyǐngyuàn	cinema

- 9 画
- 合体字
- 阝部
- 1-4年级

院 院 院 院 院 院 院
院 院

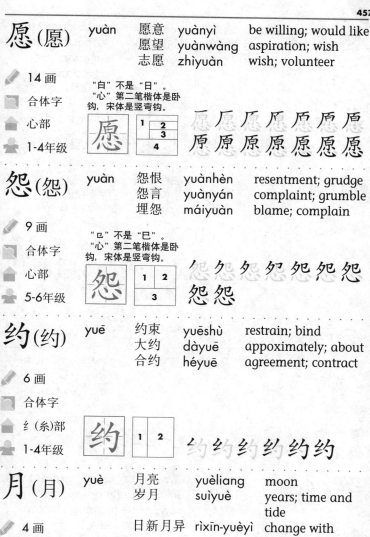

愿(願) yuàn 愿意 yuànyì be willing; would like
愿望 yuànwàng aspiration; wish
志愿 zhìyuàn wish; volunteer

14 画
合体字
心部
1-4年级

"白"不是"日"。
"心"第二笔楷体是卧钩，宋体是竖弯钩。

愿愿愿愿愿愿愿
愿愿愿愿愿愿愿

怨(怨) yuàn 怨恨 yuànhèn resentment; grudge
怨言 yuànyán complaint; grumble
埋怨 máiyuàn blame; complain

9 画
合体字
心部
5-6年级

"⺈"不是"巳"。
"心"第二笔楷体是卧钩，宋体是竖弯钩。

怨怨怨怨怨怨怨
怨怨

约(約) yuē 约束 yuēshù restrain; bind
大约 dàyuē appoximately; about
合约 héyuē agreement; contract

6 画
合体字
纟(糸)部
1-4年级

约约约约约约

月(月) yuè 月亮 yuèliang moon
岁月 suìyuè years; time and tide

4 画
独体字
月部
1-4年级

日新月异 rìxīn-yuèyì change with each passing day

月月月月

越(越)

yuè

越过	yuèguò	cross; surmount
超越	chāoyuè	surpass; transcend
优越	yōuyuè	superior; advantageous

✏️ 12 画

📋 合体字

🏠 走部

🎓 1-4年级

"戉" 不是 "戊"。

越越越越越越越越
走走越越越

阅(閱)

yuè

阅读	yuèdú	read
阅览	yuèlǎn	reading
检阅	jiǎnyuè	review; inspect

✏️ 10 画

📋 合体字

🏠 门部

🎓 5-6年级

阅阅阅阅阅阅阅
阅阅阅

云(雲)

yún

云	yún	cloud
云雾	yúnwù	cloud and mist; mist
愁云	chóuyún	gloom; melancholy

✏️ 4 画

📋 合体字

🏠 二部

🎓 1-4年级

云云云云

孕(孕)

yùn

孕育	yùnyù	breed; be pregnant with
孕妇	yùnfù	pregnant woman
怀孕	huáiyùn	be pregnant; be conceived

✏️ 5 画

📋 合体字

🏠 子部

🎓 高级华文

孕孕孕孕孕

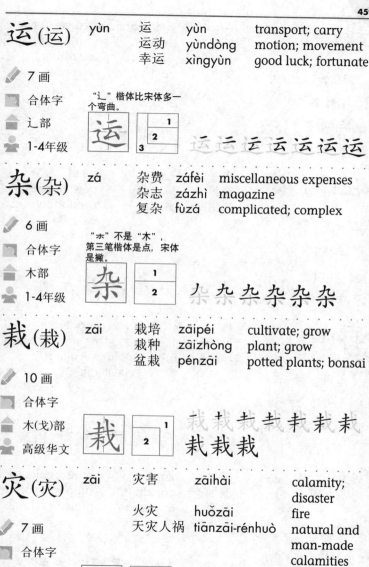

459

运 (运) yùn

运	yùn	transport; carry
运动	yùndòng	motion; movement
幸运	xìngyùn	good luck; fortunate

✏️ 7 画

📄 合体字

"辶" 楷体比宋体多一个弯曲。

🏠 辶部

👤 1-4年级

运 运 运 运 运 运 运

杂 (杂) zá

杂费	záfèi	miscellaneous expenses
杂志	zázhì	magazine
复杂	fùzá	complicated; complex

✏️ 6 画

📄 合体字

"朩" 不是 "木"，第三笔楷体是点，宋体是撇。

🏠 木部

👤 1-4年级

杂 杂 杂 杂 杂 杂

栽 (栽) zāi

栽培	zāipéi	cultivate; grow
栽种	zāizhòng	plant; grow
盆栽	pénzāi	potted plants; bonsai

✏️ 10 画

📄 合体字

🏠 木(戈)部

👤 高级华文

栽 栽 栽 栽 栽 栽 栽 栽 栽 栽

灾 (灾) zāi

灾害	zāihài	calamity; disaster
火灾	huǒzāi	fire
天灾人祸	tiānzāi-rénhuò	natural and man-made calamities

✏️ 7 画

📄 合体字

🏠 宀部

👤 1-4年级

灾 灾 灾 灾 灾 灾 灾

载(載)

	zǎi	一年半载	yīnián-bànzǎi	a year or so
		记载	jìzǎi	put down in writing
10 画	zài	载体	zàitǐ	carrier

合体字

车(戈)部

1-4年级

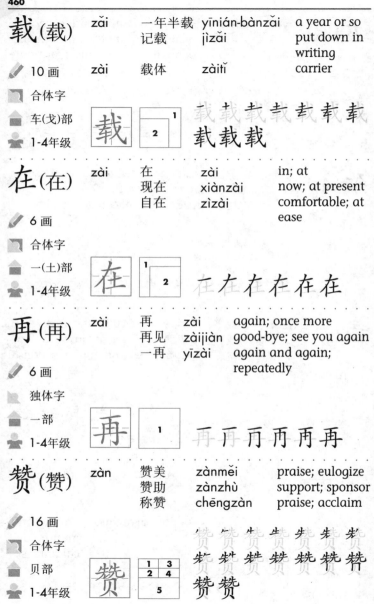

载载载载载载载
軷载载

在(在)

	zài	在	zài	in; at
		现在	xiànzài	now; at present
		自在	zìzài	comfortable; at ease

6 画

合体字

一(土)部

1-4年级

一ナ大在在在

再(再)

	zài	再	zài	again; once more
		再见	zàijiàn	good-bye; see you again
		一再	yīzài	again and again; repeatedly

6 画

独体字

一部

1-4年级

再一一厂冂冂再再

赞(贊)

	zàn	赞美	zànměi	praise; eulogize
		赞助	zànzhù	support; sponsor
		称赞	chēngzàn	praise; acclaim

16 画

合体字

贝部

1-4年级

赞赞赞赞先先先
先赞赞赞赞赞赞
赞赞

脏(臟) zāng 脏 zāng dirty; filthy
肮脏 āngzāng dirty; foul
zàng 心脏 xīnzàng heart

✏ 10 画

▢ 合体字

🏠 月部

🎓 1-4年级

丿 刀 月 月 肝 肝 脏 脏 脏 脏

葬(葬) zàng 葬礼 zànglǐ burial rites; funeral
葬送 zàngsòng ruin; spell an end to
埋葬 máizàng bury

✏ 12 画

▢ 合体字

🏠 艹部

🎓 高级华文

葬 葬 莽 葬 葬 莽 茐
莽 苑 莚 葬 葬

早(早) zǎo 早 zǎo early; ahead of time
早餐 zǎocān breakfast
提早 tízǎo shift to an earlier time;
be earlier than planned

✏ 6 画

▢ 合体字

🏠 日部

🎓 1-4年级

日 口 日 日 旦 早 早

燥(燥) zào 干燥 gānzào dry; arid
枯燥 kūzào dull and dry;
uninteresting

✏ 17 画

▢ 合体字

🏠 火部

🎓 高级华文

燥 燥 燥 燥 燥 燥 燥
燥 燥 燥 燥 燥 燥 燥
煠 燥 燥

造(造)

zào

造	zào	make; build
造句	zàojù	make sentences
创造	chuàngzào	create; bring about

10 画

合体字

"辶" 楷体比宋体多一个弯曲。

辶部

1-4年级

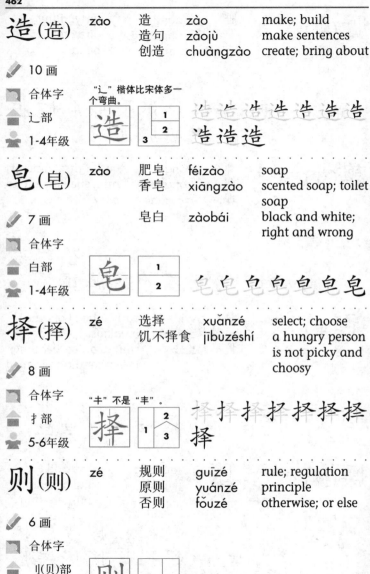

造造造造告告告 造造造

皂(皂)

zào

肥皂	féizào	soap
香皂	xiāngzào	scented soap; toilet soap
皂白	zàobái	black and white; right and wrong

7 画

合体字

白部

1-4年级

皂皂白白皂皂皂

择(择)

zé

选择	xuǎnzé	select; choose
饥不择食	jībùzéshí	a hungry person is not picky and choosy

8 画

合体字

"扌" 不是 "丰"。

扌部

5-6年级

择择择择择择择 择

则(则)

zé

规则	guīzé	rule; regulation
原则	yuánzé	principle
否则	fǒuzé	otherwise; or else

6 画

合体字

刂(贝)部

5-6年级

则刀刃贝则则

责 (責) zé

责任　zérèn　duty; responsibility
责备　zébèi　reproach; blame
负责　fùzé　be responsible for; be in charge of

✏️ 8 画

▢ 合体字

▦ 贝部

👤 5-6年级

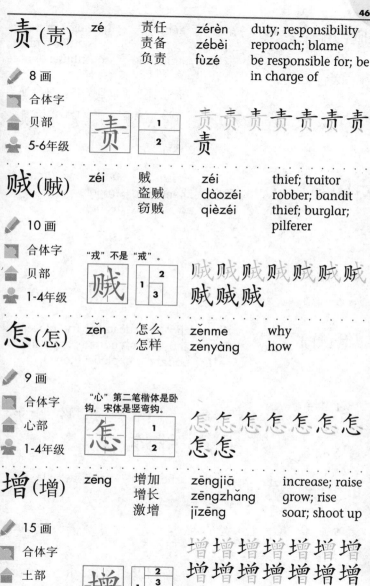

责 责 责 责 责 责 责 责

贼 (賊) zéi

贼　zéi　thief; traitor
盗贼　dàozéi　robber; bandit
窃贼　qièzéi　thief; burglar; pilferer

✏️ 10 画

▢ 合体字

▦ 贝部

👤 1-4年级

"戎" 不是 "戒"。

贼 贼 贼 贼 贼 贼 贼 贼 贼 贼

怎 (怎) zěn

怎么　zěnme　why
怎样　zěnyàng　how

✏️ 9 画

▢ 合体字

▦ 心部

👤 1-4年级

"心" 第二笔楷体是卧钩，宋体是竖弯钩。

怎 怎 怎 怎 怎 怎 怎 怎 怎

增 (增) zēng

增加　zēngjiā　increase; raise
增长　zēngzhǎng　grow; rise
激增　jīzēng　soar; shoot up

✏️ 15 画

▢ 合体字

▦ 土部

👤 1-4年级

增 增 增 增 增 增 增 增 增 增 增 增 增 增 增

赠(赠)

zèng

| 赠 | zèng | give as a present; present as a gift |
| 捐赠 | juānzèng | contribute; donate |

- 16 画
- 合体字
- 贝部
- 5-6年级

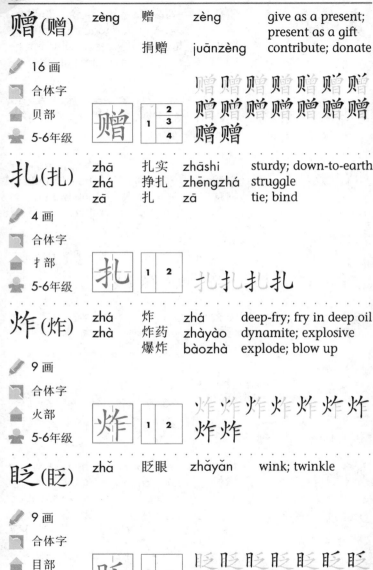

扎(扎)

zhā
zhá
zā

扎实	zhāshi	sturdy; down-to-earth
挣扎	zhēngzhá	struggle
扎	zā	tie; bind

- 4 画
- 合体字
- 扌部
- 5-6年级

炸(炸)

zhá
zhà

炸	zhá	deep-fry; fry in deep oil
炸药	zhàyào	dynamite; explosive
爆炸	bàozhà	explode; blow up

- 9 画
- 合体字
- 火部
- 5-6年级

眨(眨)

zhǎ

| 眨眼 | zhǎyǎn | wink; twinkle |

- 9 画
- 合体字
- 目部
- 1-4年级

斋 (斋)

zhāi

书斋 shūzhāi study
开斋节 kāizhāijié Hari Raya Puasa; the Festival of Fast-Breaking

✏️ 10 画

▢ 合体字

◻️ 文部 "文"不是"攵"。

🎓 高级华文

斋 亠 亠 文 文 文 斉
斉 斋 斋

摘 (摘)

zhāi

摘 zhāi pluck; take off
摘要 zhāiyào summary; abstract
文摘 wénzhāi abstract; digest

✏️ 14 画

▢ 合体字

◻️ 扌部 "商"不是"问"。

🎓 1-4年级

摘 扌 扌 扌 扌 扩
扩 捇 捇 摘 摘 摘 摘

窄 (窄)

zhǎi

窄 zhǎi narrow
窄小 zhǎixiǎo narrow and small

✏️ 10 画

▢ 合体字

◻️ 穴部

🎓 1-4年级

窄 窄 窄 窄 窄 窄 窄
窄 窄 窄

占 (占)

zhān 占卜 zhānbǔ divine; divination
zhàn 占领 zhànlǐng occupy; seize
占有 zhànyǒu own; possess

✏️ 5 画

▢ 合体字

◻️ 卜(卜、口)部

🎓 1-4年级

占 占 占 占 占

展(展)

zhǎn

展览	zhǎnlǎn	exhibit; show
展销	zhǎnxiāo	sales exhibition
发展	fāzhǎn	develop; expand

- 10 画
- 合体字
- 尸部
- 5-6年级

"ㄨ"不是"衣"。

展展展展展展展展展展

站(站)

zhàn

站	zhàn	stand; take a stand
站岗	zhàngǎng	stand guard; stand sentry
车站	chēzhàn	station; depot

- 10 画
- 合体字
- 立部
- 1-4年级

站站站站立站站站站站

战(战)

zhàn

战争	zhànzhēng	war; warfare
战斗	zhàndòu	fight; battle
作战	zuòzhàn	combat; conduct operations

- 9 画
- 合体字
- 戈部
- 1-4年级

战战战战战占战战战

张(张)

zhāng

张开	zhāngkāi	open; stretch
张望	zhāngwàng	peep; look around
纸张	zhǐzhāng	paper

- 7 画
- 合体字
- 弓部
- 1-4年级

张张张张张张张

章 (章)

zhāng

章程	zhāngchéng	rules; regulations
文章	wénzhāng	essay; article
肩章	jiānzhāng	shoulder loop; epaulet

✏️ 11 画
🔲 合体字
🏠 立部
👤 5-6年级

章 章 章 章 章 章 音
音 音 章 章

掌 (掌)

zhǎng

掌握	zhǎngwò	grasp; master
手掌	shǒuzhǎng	palm
仙人掌	xiānrénzhǎng	cactus

✏️ 12 画
🔲 合体字
🏠 手(⺌)部
👤 1-4年级

掌 掌 掌 掌 掌 掌 掌
掌 掌 掌 掌 掌

涨 (漲)

zhǎng

| 涨价 | zhǎngjià | rise in price |
| 涨潮 | zhǎngcháo | rising tide |

zhàng

| 头昏脑涨 | tóuhūn-nǎozhàng | swell one's head |

✏️ 10 画
🔲 合体字
🏠 氵部
👤 5-6年级

涨 涨 涨 涨 涨 涨 涨
涨 涨 涨

仗 (仗)

zhàng

| 胜仗 | shèngzhàng | victorious battle |
| 仗义 | zhàngyì | uphold justice |

✏️ 5 画
🔲 合体字
🏠 亻部
👤 1-4年级

仗 仗 仗 仗 仗

丈(丈)	zhàng	丈夫	zhàngfu	husband
		一落千丈	yīluòqiānzhàng	extremely rapid decline

3 画

独体字

一部

1-4年级

丁 大 丈

帐(帳)	zhàng	帐目	zhàngmù	items of an account; accounts
		欠帐	qiànzhàng	bills due; outstanding accounts
		蚊帐	wénzhàng	mosquito net

7 画

合体字

巾部

5-6年级

帐帐帐帐帐帐帐帐

招(招)	zhāo	招手	zhāoshǒu	beckon; wave
		招待	zhāodài	receive; entertain
		花招	huāzhāo	trick; game

8 画

合体字

扌部

1-4年级

招招招招招招招招招

找(找)	zhǎo	找	zhǎo	try to find; look for
		寻找	xúnzhǎo	look for; seek
		找钱	zhǎoqián	give change

7 画

合体字

右边是"戈"不是"弋"或"戋"。

扌部

1-4年级

找找找找找找找

爪(爪)

zhǎo	爪牙	zhǎoyá	lackey; jackal
	脚爪	jiǎozhǎo	paw; claw
zhuǎ	爪子	zhuǎzi	claw; talon

✏️ 4 画

🏠 独体字

📁 爪部

👤 1-4年级

照(照)

zhào	照	zhào	shine; illuminate
	照顾	zhàogù	look after; care for
	按照	ànzhào	according to; in accordance with

✏️ 13 画

🏠 合体字

📁 灬部

👤 1-4年级

遮(遮)

zhē	遮	zhē	screen
	遮盖	zhēgài	overspread
	一手遮天	yīshǒuzhētiān	hoodwink the public

✏️ 14 画

🏠 合体字

"辶"楷体比宋体多一个弯曲。

📁 辶部

👤 高级华文

折(折)

zhē	折跟头	zhēgēntou	turn a somersault
zhé	折纸	zhézhǐ	paper folding
shé	折本	shéběn	sustain losses in business; run a business at a loss

✏️ 7 画

🏠 合体字

右边是"斤",不是"斤"。

📁 扌部

👤 1-4年级

者(者) zhě

读者 dúzhě reader
学者 xuézhě scholar; man of learning
或者 huòzhě or; maybe

✏ 8 画
📄 合体字
🏠 日部
👤 1-4年级

者 | 者者者者者者者
者

这(这) zhè

这 zhè this; these
这样 zhèyàng so; this way
这(口语音) zhèi this (pronunciation used in oral Chinese)
zhèi

✏ 7 画
📄 合体字
"辶"楷体比宋体多一个弯曲。
🏠 辶部
👤 1-4年级

这 | 这这文文这这这

蔗(蔗) zhè

甘蔗 gānzhè sugarcane
蔗糖 zhètáng cane sugar; sucrose

✏ 14 画
📄 合体字
🏠 艹部
👤 5-6年级

蔗 | 蔗蔗蔗蔗蔗蔗蔗
芦芇芇蔗蔗蔗蔗

真(真) zhēn

真 zhēn true; genuine
真理 zhēnlǐ truth
认真 rènzhēn serious; earnest

✏ 10 画
📄 合体字
中间是"且",不是"且"。
🏠 十(八)部
👤 1-4年级

真 | 真真真真真真真
真真真

针 (针)

zhēn

针	zhēn	needle; stitch
针对	zhēnduì	be aimed at; counter
方针	fāngzhēn	policy; guiding principle

✏️ 7 画

🔲 合体字

🔺 钅 (金) 部

🔺 1-4年级

针 | 1 | 2

丿 钅 钅 钅 针 针 针

珍 (珍)

zhēn

珍珠	zhēnzhū	pearl
珍惜	zhēnxī	treasure; cherish
袖珍	xiùzhēn	pocket-size; pocket

✏️ 9 画

🔲 合体字

🔺 王部

🔺 1-4年级

珍 | 1 2 / 3

珍 珍 耳 珍 珍 珍 珍 珍

枕 (枕)

zhěn

| 枕头 | zhěntou | pillow |
| 抱枕 | bàozhěn | rest one's head on the pillow |

✏️ 8 画

🔲 合体字

右边是 "尤", 不是 "冗"。

🔺 木部

🔺 1-4年级

枕 | 1 | 2

枕 枕 枕 枕 枕 枕 枕 枕

诊 (诊)

zhěn

诊所	zhěnsuǒ	clinic
门诊	ménzhěn	outpatient service
急诊	jízhěn	emergency call; emergency treatment

✏️ 7 画

🔲 合体字

🔺 讠 (言) 部

🔺 5-6年级

诊 | 1 2 / 3

 诊 诊 诊 诊 诊 诊

振(振) zhèn

| 振动 | zhèndòng | vibration |
| 振奋 | zhènfèn | be inspired with enthusiasm; stimulate |

- 10 画
- 合体字
- 扌部
- 高级华文

振振振振振振振 振振振

阵(阵) zhèn

阵地	zhèndì	position; front
阵容	zhènróng	battle array; line-up
出阵	chūzhèn	go into battle; pitch in

- 6 画
- 合体字
- 阝部
- 1-4年级

阵阵阵阵阵阵

镇(镇) zhèn

镇静	zhènjìng	calm; composed
镇压	zhènyā	suppress; repress
市镇	shìzhèn	cities and towns

- 15 画
- 合体字　右边中间是"且",不是"且"。
- 钅(金)部
- 5-6年级

镇镇镇镇镇镇镇 镇镇镇镇镇镇镇 镇

争(争) zhēng

争	zhēng	contend; dispute
争气	zhēngqì	try to win credit for; try to bring credit to
战争	zhànzhēng	war; warfare

- 6 画
- 独体字　中间是"彐",不是"彐"。
- 刀(⺈)部
- 1-4年级

争争争争争争

筝(箏) zhēng 风筝 fēngzhēng kite
古筝 gǔzhēng a Chinese zither with 21 or 25 strings

12 画
合体字 中间是 "ヨ"，不是 "彐"。
竹(⺮)部
1-4年级

正(正) zhēng 正月 zhēngyuè the first moon
zhèng 正当 zhèngdāng just when; just time for
端正 duānzhèng upright; correct

5 画
独体字
一(止)部
1-4年级

征(徵) zhēng 征服 zhēngfú conquer; subjugate
征求 zhēngqiú solicit; ask for
应征 yìngzhēng enlist; answer to requests

8 画
合体字
彳部
5-6年级

挣(挣) zhēng 挣扎 zhēngzhá struggle
zhèng 挣钱 zhèngqián earn money; make money
挣脱 zhèngtuō struggle to get free; try to throw off

9 画
合体字 右中是 "ヨ"，不是 "彐"。
扌部
5-6年级

睁 (睜)

zhēng 睁
睁眼瞎　zhēngyǎnxiā

open
illiterate person

- 11 画
- 合体字
- 目部
- 5-6年级

右中是"丰"，不是"彐"。

蒸 (蒸)

zhēng 蒸
蒸笼　zhēnglóng
水蒸汽　shuǐzhēngqì

evaporate; steam
food steamer
steam; water vapour

- 13 画
- 合体字
- 艹(灬)部
- 5-6年级

整 (整)

zhěng 整理　zhěnglǐ

调整　tiáozhěng

straighten out;
put in order
adjust; revise

- 16 画
- 合体字
- 一(止)部
- 1-4年级

上右是"攵"，不是"夂"。

政 (政)

zhèng 政府　zhèngfǔ
政治　zhèngzhì
邮政　yóuzhèng

government
politics
postal service

- 9 画
- 合体字
- 攵部
- 1-4年级

右边是"攵"，不是"夂"。

证(証)	zhèng	证明	zhèngmíng	prove; testify
		保证	bǎozhèng	pledge; guarantee
		准证	zhǔnzhèng	permission; permit

✏ 7 画
◻ 合体字
🏠 讠(言)部
👤 1-4年级

证 证 证 证 证 证 证

只(只)	zhī	只	zhī	one; only one
		船只	chuánzhī	shipping; vessels
	zhǐ	只有	zhǐyǒu	only; alone

✏ 5 画
◻ 合体字
🏠 口(八)部
👤 1-4年级

只 只 只 只 只

汁(汁)	zhī	汁液	zhīyè	juice
		果汁	guǒzhī	fruit juice
		墨汁	mòzhī	prepared Chinese ink

✏ 5 画
◻ 合体字
🏠 氵部
👤 1-4年级

汁 汁 汁 汁 汁

枝(枝)	zhī	枝叶	zhīyè	branches and leaves
		粗枝大叶	cūzhī-dàyè	crude and careless

✏ 8 画
◻ 合体字
🏠 木部
👤 1-4年级

枝 枝 枝 枝 枝 枝 枝 枝

知(知) zhī
知道 zhīdào know; realize
知觉 zhījué consciousness; perception
通知 tōngzhī notice; inform

8 画
合体字
矢(口)部
1-4年级

支(支) zhī
支持 zhīchí stand by; sustain
支部 zhībù branch
收支 shōuzhī income and expenses; revenue and expenditure

4 画
合体字
十(又)部
1-4年级

蜘(蜘) zhī
蜘蛛 zhīzhū spider

14 画
合体字
虫部
1-4年级

之(之) zhī
之后 zhīhòu later; afterwards
三分之一 sānfēnzhīyī one third

3 画
独体字
、部
1-4年级

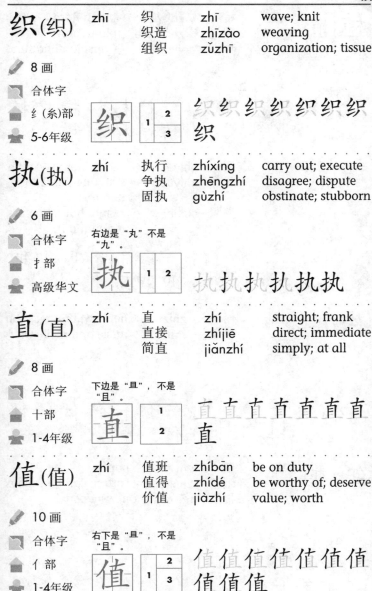

织(織) zhī

织	zhī	wave; knit
织造	zhīzào	weaving
组织	zǔzhī	organization; tissue

✏️ 8 画
🔲 合体字
🏠 纟(糸)部
🎓 5-6年级

织织织织织织织
织

执(執) zhí

执行	zhíxíng	carry out; execute
争执	zhēngzhí	disagree; dispute
固执	gùzhí	obstinate; stubborn

✏️ 6 画
🔲 合体字 　右边是"丸"不是"九"。
🏠 扌部
🎓 高级华文

执执执执执执

直(直) zhí

直	zhí	straight; frank
直接	zhíjiē	direct; immediate
简直	jiǎnzhí	simply; at all

✏️ 8 画
🔲 合体字 　下边是"且",不是"且"。
🏠 十部
🎓 1-4年级

直直直直直直直
直

值(值) zhí

值班	zhíbān	be on duty
值得	zhídé	be worthy of; deserve
价值	jiàzhí	value; worth

✏️ 10 画
🔲 合体字 　右下是"且",不是"且"。
🏠 亻部
🎓 1-4年级

值值值值值值值
值值值

植 (植) zhí

植物	zhíwù	plant; flora
种植	zhòngzhí	plant; grow
移植	yízhí	transplant; grafting

12 画

合体字

右下是 "且"，不是 "且"。

木部

1-4年级

植 植 植 植 植 植 植 植 植 植 植

职 (职) zhí

职业	zhíyè	occupation; vocation
职员	zhíyuán	staff member; functionary
辞职	cízhí	resign; hand in one's resignation

11 画

合体字

耳部

1-4年级

职 职 职 职 职 职 职 职 职 职 职

侄 (侄) zhí

| 侄子 | zhízi | nephew; brother's son |
| 叔侄 | shūzhí | uncle and nephew |

8 画

合体字

亻部

1-4年级

侄 侄 侄 侄 侄 侄 侄 侄

纸 (纸) zhǐ

纸	zhǐ	paper
纸箱	zhǐxiāng	carton; cardboard box
报纸	bàozhǐ	newspaper

7 画

合体字

右边是 "氏"，不是 "氐"。

纟(糸)部

1-4年级

纸 纸 纸 纸 纸 纸 纸

指(指)   zhǐ

指	zhǐ	finger; point
指挥	zhǐhuī	command; direct
食指	shízhǐ	index finger

✏ 9 画

▢ 合体字

▤ 扌部

👥 1-4年级

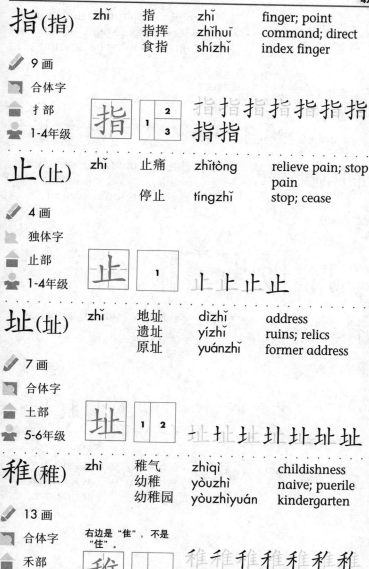

指指指指指指指
指指

止(止)   zhǐ

| 止痛 | zhǐtòng | relieve pain; stop pain |
| 停止 | tíngzhǐ | stop; cease |

✏ 4 画

▢ 独体字

▤ 止部

👥 1-4年级

止 止 止 止

址(址)   zhǐ

地址	dìzhǐ	address
遗址	yízhǐ	ruins; relics
原址	yuánzhǐ	former address

✏ 7 画

▢ 合体字

▤ 土部

👥 5-6年级

址 十 圤 圤 圵 址 址

稚(稚)   zhì

稚气	zhìqì	childishness
幼稚	yòuzhì	naive; puerile
幼稚园	yòuzhìyuán	kindergarten

✏ 13 画

▢ 合体字   右边是"隹"，不是"住"。

▤ 禾部

👥 高级华文

稚稚稚稚稚稚稚
稚稚稚稚稚稚

志 (志)

zhì

志气	zhìqì	aspiration; ambition
斗志	dòuzhì	will to fight; fighting will
立志	lìzhì	resolve; be determined

✏️ 7 画

🔲 合体字

🏠 士部

👤 1-4年级

上边是"士"不是"土"。
"心"第二笔楷体是卧钩，
宋体是竖弯钩。

志 志 志 志 志 志 志 志

制 (制)

zhì

制造	zhìzào	manufacture; fabricate
制度	zhìdù	system; institution
克制	kèzhì	restrain; control

✏️ 8 画

🔲 合体字

🏠 刂部

👤 1-4年级

制 制 制 乍 乍 乍 制 制

秩 (秩)

zhì

| 秩序 | zhìxù | order; sequence |

✏️ 10 画

🔲 合体字

🏠 禾部

👤 1-4年级

秩 秩 秩 秩 秩 秩 秩 秩 秩 秩

至 (至)

zhì

至少	zhìshǎo	at least
至于	zhìyú	as for; as to
直至	zhízhì	until; up to

✏️ 6 画

🔲 合体字

🏠 一(土)部

👤 5-6年级

至 至 至 至 至 至 至

治(治)

zhì

治理	zhìlǐ	govern; bring under control
治疗	zhìliáo	treat; cure
医治	yīzhì	cure; heal

8 画

合体字

氵部

5-6年级

治治治治治治治 治

致(致)

zhì

致敬	zhìjìng	salute; pay tribute to
景致	jǐngzhì	view; scenery
细致	xìzhì	meticulous; painstaking

10 画

合体字

攵部

5-6年级

致致致致致致致 致致致

置(置)

zhì

位置	wèizhi	position; place
装置	zhuāngzhì	installation; device
设置	shèzhì	set up; establish

13 画

合体字

下边是"直"不是"且"。

皿部

5-6年级

置置置置置置置 置置置置置置

质(质)

zhì

质量	zhìliàng	quality
性质	xìngzhì	nature; character
体质	tǐzhì	physique; constitution

8 画

合体字

贝部

5-6年级

质质质质质质质 质

智 (智) | zhì | 智慧 zhìhuì wisdom; intelligence
智力 zhìlì intelligence
才智 cáizhì ability and wisdom

✏️ 12 画

📑 合体字

🏠 日部

👤 5-6年级

中 (中) | zhōng | 中间 zhōngjiān between; middle
zhòng | 中奖 zhòngjiǎng draw a prize winning ticket in a lottery

✏️ 4 画

📑 独体字

🏠 丨部

👤 1-4年级

忠 (忠) | zhōng | 忠心 zhōngxīn loyalty; devotion
忠诚 zhōngchéng loyal; faithful
尽忠 jìnzhōng be loyal to; sarcifice one's life for

✏️ 8 画

📑 合体字

"心" 第二笔楷体是卧钩，宋体是竖弯钩。

🏠 心部

👤 1-4年级

钟 (钟) | zhōng | 钟 zhōng bell; clock
钟楼 zhōnglóu bell tower; clock tower
警钟 jǐngzhōng alarm bell; tocsin

✏️ 9 画

📑 合体字

🏠 钅 (金)部

👤 1-4年级

终 (終)

zhōng　终点　zhōngdiǎn　terminal point; destination

始终　shǐzhōng　from beginning to end; throughout

✏️ 8 画

◻️ 合体字

右上是 "夂"，不是 "夂"。

🏠 纟(糸)部

🎓 1-4年级

终 终 终 终 终 终 终 终

种 (種)

zhǒng　种子　zhǒngzi　seed
特种　tèzhǒng　particular kind

zhòng　种田　zhòngtián　till the land; farm

✏️ 9 画

◻️ 合体字

🏠 禾部

🎓 1-4年级

种 禾 千 禾 禾 禾 禾 和 种

肿 (腫)

zhǒng　肿　zhǒng　swelling; swollen
浮肿　fúzhǒng　dropsy; edema
红肿　hóngzhǒng　red and swollen

✏️ 8 画

◻️ 合体字

🏠 月部

🎓 5-6年级

肿 刀 月 月 月 肌 肌 肿

重 (重)

zhòng　重　zhòng　weight; heavy
重要　zhòngyào　important; significant

chóng　重复　chóngfù　repeat; duplicate

✏️ 9 画

◻️ 独体字

🏠 丿部

🎓 1-4年级

重 重 重 重 重 重 重 重 重

众(眾) zhòng 众多 zhòngduō multitudinous; numerous
公众 gōngzhòng the public
大众化 dàzhònghuà popular; in a popular style

6 画
合体字
人部
1-4年级

众众众众众众

州(州) zhōu 州 zhōu prefecture; administrative division
神州 Shénzhōu the Divine Land (a poetic name for China)

6 画
独体字
、部
高级华文

州州州州州州

舟(舟) zhōu 龙舟 lóngzhōu dragon boat
木已成舟 mùyǐchéngzhōu what is done cannot be undone

6 画
独体字
舟部
高级华文

舟丿丿丹舟舟

周(周) zhōu 周围 zhōuwéi around; about
周刊 zhōukān weekly publication; weekly

8 画
合体字
冂(口)部
1-4年级

周周周周周周周
周

洲 (洲)	zhōu	绿洲	lǜzhōu	oasis
		亚洲	Yàzhōu	Asia
		神州	Shénzhōu	the Divine Land (a poetic name for China)

- 9 画
- 合体字
- 氵部
- 5-6年级

| 粥 (粥) | zhōu | 粥 | zhōu | gruel; porridge |

- 12 画
- 合体字
- 弓(米)部
- 5-6年级

| 帚 (帚) | zhǒu | 扫帚 | sàozhǒu | broom |
| | | 鸡毛帚 | jīmáozhǒu | feather duster |

- 8 画
- 合体字

上边是"彐"，不是"彐"。

- 彐(巾)部
- 1-4年级

| 诸 (诸) | zhū | 诸位 | zhūwèi | you; everyone present |
| | | 诸亲好友 | zhūqīn-hǎoyǒu | friends and relatives |

- 10 画
- 合体字
- 讠(言)部
- 高级华文

486

猪 (猪) zhū

猪	zhū	pig; swine
猪肉	zhūròu	pork
野猪	yězhū	wild boar

- 11 画
- 合体字
- 犭部
- 1-4年级

猪猪猪猪猪猪猪猪猪猪猪

珠 (珠) zhū

珠算	zhūsuàn	consultation with an abacus; reckoning by the abacus
珍珠	zhēnzhū	pearl
圆珠笔	yuánzhūbǐ	ball-point pen

- 10 画
- 合体字
- 王部
- 1-4年级

珠珠珠珠珠珠珠珠珠珠

蛛 (蛛) zhū

| 蜘蛛 | zhīzhū | spider |
| 蛛丝马迹 | zhūsī-mǎjì | thread of a spider and trail of horse-clues; traces |

- 12 画
- 合体字
- 虫部
- 1-4年级

蛛蛛蛛蛛蛛蛛蛛蛛蛛蛛蛛蛛

株 (株) zhū

| 株 | zhū | individual plant |
| 守株待兔 | shǒuzhūdàitù | wait by the stump of a tree for the appearance of hares |

- 10 画
- 合体字
- 木部
- 5-6年级

株株株株株株株株株株

竹(竹)

zhú

竹子	zhúzi	bamboo
竹竿	zhúgān	bamboo pole
爆竹	bàozhú	fire cracker; fireworks

✏️ 6画

独体字

竹部

1-4年级

竹 竹 竹 竹 竹 竹

烛(燭)

zhú

蜡烛	làzhú	candle
香烛	xiāngzhú	joss sticks
烛光	zhúguāng	candlelight

✏️ 10画

合体字

火部

5-6年级

烛 烛 烛 烛 烛 烛 烛 烛 烛 烛

主(主)

zhǔ

主要	zhǔyào	main; major
主意	zhǔyi	idea; decision
主任	zhǔrèn	director; head

✏️ 5画

独体字

、(王)部

1-4年级

主 主 主 主 主

煮(煮)

zhǔ

煮	zhǔ	boil; cook
一锅煮	yīguōzhǔ	treat different persons or things alike

✏️ 12画

合体字

灬部

1-4年级

煮 煮 煮 煮 煮 者 者 者 者 煮 煮 煮

蛀(蛀)

zhù

蛀	zhù	eat; bore through
蛀虫	zhùchóng	moth; borer
蛀齿	zhùchǐ	decayed tooth; dental caries

🖊 11 画

▨ 合体字

🏠 虫部

👤 高级华文

蛀蛀蛀蛀蛀蛀蛀
蛀蛀蛀蛀

住(住)

zhù

住	zhù	live; stay
住宿	zhùsù	put up; get accommodation
记住	jìzhu	remember; learn by heart

🖊 7 画

▨ 合体字

🏠 亻部

👤 1-4年级

住住住住住住住

助(助)

zhù

帮助	bāngzhù	help; aid
助手	zhùshǒu	assistant; aide
助威	zhùwēi	boost the moral of; cheer for

🖊 7 画

▨ 合体字

🏠 力部

👤 1-4年级

助助助助助助助

注(注)

zhù

注意	zhùyì	pay attention to; take note of
注射	zhùshè	inject; injection
关注	guānzhù	show solicitude for; pay close attention to

🖊 8 画

▨ 合体字

🏠 氵部

👤 1-4年级

注注注注注注注
注

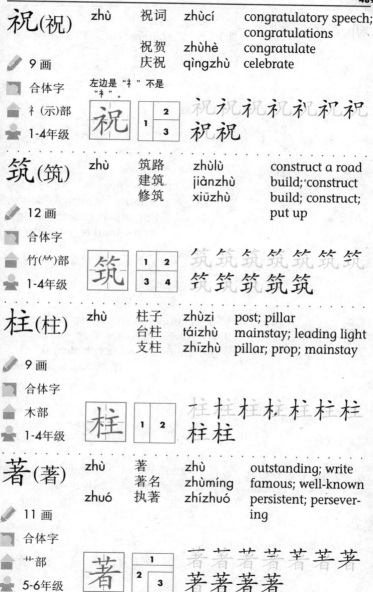

祝(祝) zhù 祝词 zhùcí congratulatory speech; congratulations

9 画

祝贺 zhùhè congratulate
庆祝 qìngzhù celebrate

合体字

左边是"礻"不是"衤"。

礻(示)部

1-4年级

祝祝

筑(筑) zhù 筑路 zhùlù construct a road
建筑 jiànzhù build; construct
修筑 xiūzhù build; construct; put up

12 画

合体字

竹(⺮)部

1-4年级

筑筑筑筑筑

柱(柱) zhù 柱子 zhùzi post; pillar
台柱 táizhù mainstay; leading light
支柱 zhīzhù pillar; prop; mainstay

9 画

合体字

木部

1-4年级

柱柱

著(著) zhù 著 zhù outstanding; write
著名 zhùmíng famous; well-known
zhuó 执著 zhízhuó persistent; persevering

11 画

合体字

艹部

5-6年级

著著著著

抓(抓) | zhuā | 抓　　zhuā | clutch; seize
| | 抓紧　zhuājǐn | firmly grasp; pay close attention to

✏️ 7 画

📖 合体字

右边是 "爪"，不是 "瓜"。

🏠 扌部

👤 1-4年级

抓 抓 抓 抓 抓 抓 抓

砖(砖) | zhuān | 砖头　　　zhuāntóu | bricks
| | 抛砖引玉　pāozhuān-yǐnyù | offer a few remarks by introduction so that others may come up with valuable opinions.

✏️ 9 画

📖 合体字

🏠 石部

👤 高级华文

砖 砖 砖 石 石 石 砖 砖 砖

专(专) | zhuān | 专门　zhuānmén | special; specialised
| | 专家　zhuānjiā | expert; specialist
| | 专心　zhuānxīn | concentrate one's attention; be absorbed

✏️ 4 画

📖 独体字

🏠 一(二)部

👤 1-4年级

专 专 专 专

转(转) | zhuǎn | 转换　zhuǎnhuàn | change; transform
| zhuàn | 转椅　zhuànyǐ | swivel chair; revolving chair

✏️ 8 画

📖 合体字

🏠 车部

👤 1-4年级

转 转 转 转 转 转 转 转

赚(赚) zhuàn 赚钱 zhuànqián make money; make a profit

/ 14 画

合体字

贝部

5-6年级

装(装) zhuāng 假装 jiǎzhuāng pretend; feign
装修 zhuāngxiū fit up; renovation
服装 fúzhuāng clothing; costume

/ 12 画

合体字 右上是"士",不是"土"。

衣部

1-4年级

壮(壮) zhuàng 壮大 zhuàngdà grow in strength; expand
健壮 jiànzhuàng healthy and strong; robust

/ 6 画

合体字 右边是"士",不是"土"。

丬士部

1-4年级

撞(撞) zhuàng 撞 zhuàng bump against
顶撞 dǐngzhuàng contradict; answer back

/ 15 画

合体字

扌部

1-4年级

状(狀) zhuàng 状况 zhuàngkuàng condition; state of affairs

形状 xíngzhuàng shape; form
告状 gàozhuàng bring a lawsuit against

7 画

合体字 右边是"犬",不是"大"。

犭 伏部

5-6年级

状状状状状状状

追(追) zhuī 追 zhuī chase after
追求 zhuīqiú seek
急起直追 jíqǐ-zhízhuī rouse oneself to catch up

9 画

合体字 "自"不是"启"。
"辶"楷体比宋体多一个弯曲。

辶部

1-4年级

追追追追追追追
追追

准(準) zhǔn 准 zhǔn allow; grant
准确 zhǔnquè accurate; precise
批准 pīzhǔn rectify; approve

10 画

合体字 "隹"不是"住"。

冫部

1-4年级

准准准准准准准
准准准

捉(捉) zhuō 捉 zhuō clutch; catch
捉弄 zhuōnòng tease; make fun of
捕捉 bǔzhuō seize

10 画

合体字

扌部

1-4年级

捉捉捉捉捉捉捉
捉捉捉

桌(桌)

zhuō

桌布 zhuōbù tablecloth
书桌 shūzhuō desk

10 画

合体字

木(卜)部

1-4年级

桌 桌 桌 桌 桌 桌 桌
桌 桌 桌

着(着)

zhuó 着手 zhuóshǒu put one's hand to
zhāo 着数 zhāoshù a move in chess
zháo 着迷 zháomí be fascinated
zhe 沿着 yánzhe along; follow

11 画

合体字

羊(羊、八)部

1-4年级

着 着 着 着 着 着 着
着 着 着 着

姿(姿)

zī 姿势 zīshì posture; gesture
姿态 zītài pose; carriage
英姿 yīngzī heroic bearing

9 画

合体字

女部

5-6年级

姿 姿 姿 姿 姿 姿 姿
姿 姿

资(资)

zī 资料 zīliào means; data
资格 zīgé qualification; seniority
工资 gōngzī wages; salary

10 画

合体字

贝部

5-6年级

资 资 资 资 资 资 资
资 资 资

子(子) zǐ 子女 zǐnǚ sons and daughters; juniors; children
子弟 zǐdì
zi 桌子 zhuōzi table; desk

- 3 画
- 独体字
- 子部
- 1-4年级

子 了子

紫(紫) zǐ 紫色 zǐsè purple; violet
紫外线 zǐwàixiàn ultraviolet ray
万紫千红 wànzǐ-qiānhóng a riot of colour

- 12 画
- 合体字
- 糸部
- 1-4年级

"糸"第五笔楷体是点，宋体是撇。

紫 紫 紫 紫 紫 紫 紫 紫 紫 紫 紫 紫

仔(仔) zǐ 仔细 zǐxì careful; attentive
zǎi 牛仔 niúzǎi cowboy

- 5 画
- 合体字
- 亻部
- 5-6年级

仔 仔 仔 仔 仔 仔

字(字) zì 字典 zìdiǎn dictionary
字句 zìjù words and expressions
文字 wénzì written language; script

- 6 画
- 合体字
- 宀部
- 1-4年级

字 字 宁 字 字 字

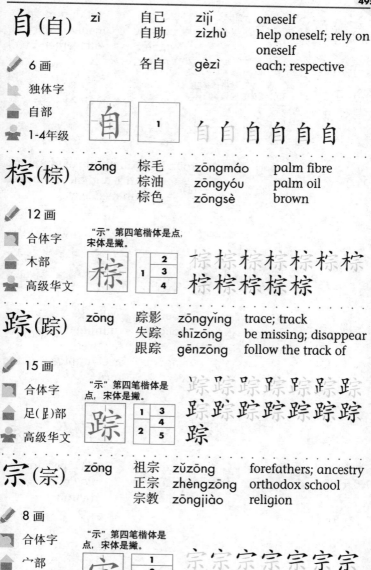

自 (自)

zì

自己   zìjǐ   oneself
自助   zìzhù   help oneself; rely on oneself
各自   gèzì   each; respective

6 画

独体字

自部

1-4年级

白 白 白 白 白 白

棕 (棕)

zōng

棕毛   zōngmáo   palm fibre
棕油   zōngyóu   palm oil
棕色   zōngsè   brown

12 画

合体字

"示"第四笔楷体是点, 宋体是撇。

木部

高级华文

棕 棕 棕 棕 棕 棕 棕
棕 棕 棕 棕 棕

踪 (踪)

zōng

踪影   zōngyǐng   trace; track
失踪   shīzōng   be missing; disappear
跟踪   gēnzōng   follow the track of

15 画

合体字

"示"第四笔楷体是点, 宋体是撇。

足(⻊)部

高级华文

踪 踪 踪 踪 踪 踪 踪
踪 踪 踪 踪 踪 踪 踪
踪

宗 (宗)

zōng

祖宗   zǔzōng   forefathers; ancestry
正宗   zhèngzōng   orthodox school
宗教   zōngjiào   religion

8 画

合体字

"示"第四笔楷体是点, 宋体是撇。

宀部

5-6年级

宗 宗 宗 宗 宗 宗 宗
宗

总 (總)

zǒng

总	zǒng	total; sum up
总部	zǒngbù	general office
一总	yīzǒng	altogether; in all

✏️ 9 画

📑 合体字

🏠 心部

👤 1-4年级

"心"第二笔楷体是卧钩，宋体是竖弯钩。

总 总 总 总 总 总 总 总 总

粽 (糭)

zòng

肉粽	ròuzòng	dumpling of glutinous rice and meat wrapped in reed leaves

✏️ 14 画

📑 合体字

🏠 米部

👤 5-6年级

"示"第四笔楷体是点，宋体是撇。

粽 粽 粽 粽 粽 粽 粽 粽 粽 粽 粽 粽 粽 粽

走 (走)

zǒu

走	zǒu	walk; go
走狗	zǒugǒu	running dog; servile follower
竞走	jìngzǒu	heel-and-toe walking race

✏️ 7 画

📑 合体字

🏠 走部

👤 1-4年级

走 走 走 走 走 走 走

奏 (奏)

zòu

奏	zòu	play; perform
奏乐	zòuyuè	play music
节奏	jiézòu	rhythm

✏️ 9 画

📑 合体字

🏠 一(大)部

👤 5-6年级

"天"不是"夭"。

奏 奏 奏 奏 奏 奏 奏 奏 奏

租(租)

	zū	租	zū	rent; hire
		租金	zūjīn	rent; rental
		出租	chūzū	hire; let

- 10 画
- 合体字
- 禾部
- 1-4年级

租 | 1 | 2

租租耗租租和和
租租租

足(足)

	zú	足球	zúqiú	football
		充足	chōngzú	adequate
		美中不足	měizhōngbùzú	a blemish in an otherwise perfect thing

- 7 画
- 合体字
- 足部
- 1-4年级

足 | 1 | 2

足足足足足足足

族(族)

	zú	种族	zhǒngzú	race
		家族	jiāzú	clan; family
		贵族	guìzú	noble; aristocrat

- 11 画
- 合体字
- 方部
- 1-4年级

族 | 2 | 1 | 3

族族族族族族族
族族族族

组(组)

	zǔ	组长	zǔzhǎng	head of a group
		小组	xiǎozǔ	group
		改组	gǎizǔ	reorganize; reshuffle

- 8 画
- 合体字
- 纟(糸)部
- 1-4年级

组 | 1 | 2

组组组组纽组组
组

祖(祖) zǔ

祖先	zǔxiān	ancestry; forbears
祖宗	zǔzong	forefathers; ancestors
外祖父	wàizǔfù	maternal grandfather

9 画

合体字

礻(示)部

1-4年级

左边是"礻"，不是"衤"。

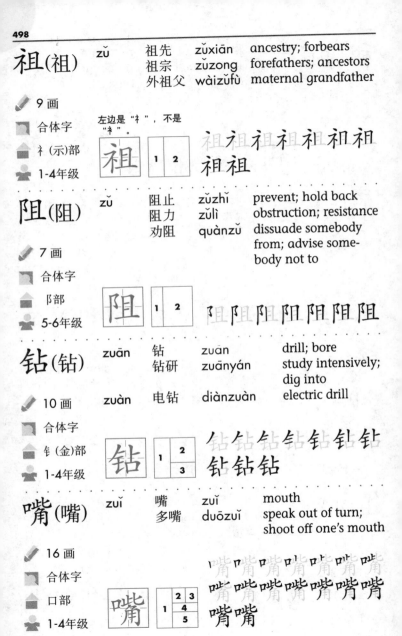

阻(阻) zǔ

阻止	zǔzhǐ	prevent; hold back
阻力	zǔlì	obstruction; resistance
劝阻	quànzǔ	dissuade somebody from; advise somebody not to

7 画

合体字

阝部

5-6年级

钻(钻) zuān

| 钻 | zuān | drill; bore |
| 钻研 | zuānyán | study intensively; dig into |

zuàn

| 电钻 | diànzuàn | electric drill |

10 画

合体字

钅(金)部

1-4年级

嘴(嘴) zuǐ

| 嘴 | zuǐ | mouth |
| 多嘴 | duōzuǐ | speak out of turn; shoot off one's mouth |

16 画

合体字

口部

1-4年级

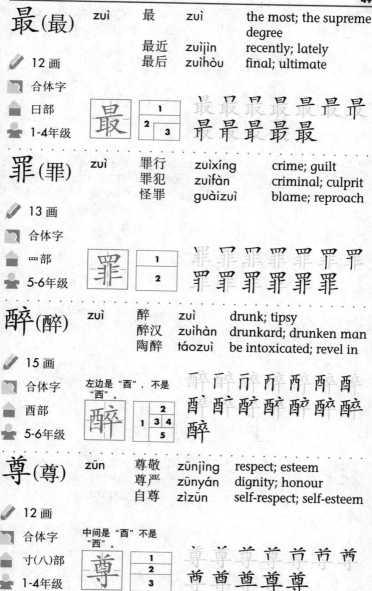

最 (最) zuì

最 zuì the most; the supreme degree
最近 zuìjìn recently; lately
最后 zuìhòu final; ultimate

12 画
合体字
日部
1-4年级

罪 (罪) zuì

罪行 zuìxíng crime; guilt
罪犯 zuìfàn criminal; culprit
怪罪 guàizuì blame; reproach

13 画
合体字
罒部
5-6年级

醉 (醉) zuì

醉 zuì drunk; tipsy
醉汉 zuìhàn drunkard; drunken man
陶醉 táozuì be intoxicated; revel in

15 画
合体字
左边是"酉"，不是"西"。
酉部
5-6年级

尊 (尊) zūn

尊敬 zūnjìng respect; esteem
尊严 zūnyán dignity; honour
自尊 zìzūn self-respect; self-esteem

12 画
合体字
中间是"酉"不是"西"。
寸(八)部
1-4年级

遵(遵)

zūn

| 遵守 | zūnshǒu | obey; abide by |
| 遵从 | zūncóng | defer to; comply with |

- ✏️ 15 画
- ▨ 合体字
- 🏠 辶部
- 👤 5-6年级

"辶" 楷体比宋体多一个弯曲。
"酋" 不是 "酉"。

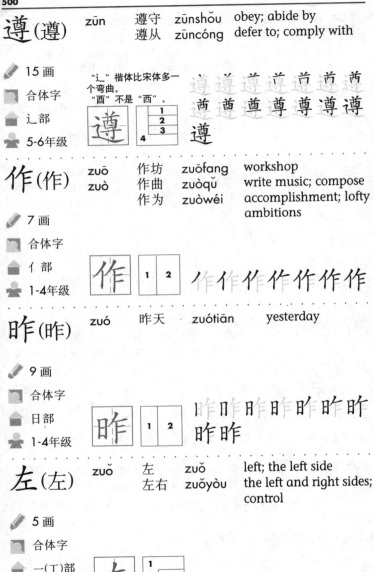

作(作)

zuō
zuò

作坊	zuōfang	workshop
作曲	zuòqǔ	write music; compose
作为	zuòwéi	accomplishment; lofty ambitions

- ✏️ 7 画
- ▨ 合体字
- 🏠 亻部
- 👤 1-4年级

昨(昨)

zuó

| 昨天 | zuótiān | yesterday |

- ✏️ 9 画
- ▨ 合体字
- 🏠 日部
- 👤 1-4年级

左(左)

zuǒ

| 左 | zuǒ | left; the left side |
| 左右 | zuǒyòu | the left and right sides; control |

- ✏️ 5 画
- ▨ 合体字
- 🏠 一(工)部
- 👤 1-4年级

坐 (坐)　zuò

坐　　　　zuò　　　　sit; take a seat

坐位　　　zuòwèi　　　seat; a place to sit

坐享其成　zuòxiǎngqíchéng　sit idle and enjoy the fruits of others' work

7 画

合体字

土部

1-4年级

坐坐坐坐坐坐坐

做 (做)　zuò

做　　　　zuò　　　　make
做作　　　zuòzuò　　　affected
小题大做　xiǎotí-dàzuò　make much ado about nothing

11 画

合体字

亻部

1-4年级

"攵"不是"夂"。

做做做做做做做
做做做做

座 (座)　zuò

座谈　　　zuòtán　　　have an informal discussion
星座　　　xīngzuò　　　constellation

10 画

合体字

广部

1-4年级

座座座座座座座
座座座

附录
Appendices

一 汉字笔形名称表
Strokes of Chinese Characters

【说明】 本表所列笔形共分30类，以宋体为依据，以本字典所收2000字为范围。

单笔笔形

笔形类别	名称	例字
一 丨 丿 丶 乀 ㇀	横 竖 撇 点 捺 提	一 个 人 广 打 丛 卫 千 办 之 汗 大 门 月 区 瓜 地

复笔笔形

笔形类别	名称	例字
㇕ ㇆	横折	口 又 马 冬 今 子
㇈	横撇	买 觉 欠
㇇	横钩	凹
㇌ ㇗	横折折	朵 没
㇛	横折弯	讲
㇍	横折提	书 永 有
㇆ ㇉	横折钩	风 飞 讯
乙 ㇈	横折斜钩	亿 九 几
	横折弯钩	

笔形类别	名称	例字		
ㄋ	横撇弯钩	陪	邻	
ㄅ	横折折折	凸		
ㄋ	横折折撇	及	建	
ㄋ	横折折折钩	仍	场	
⎿	竖提	长	以	饱
⎦	竖钩	小	手	利
∟	竖折	山	母	巨
ㄩ	竖弯	四	西	酒
ㄴ	竖弯钩	己	儿	*忄
ㄣ	竖折撇	专		
ㄅ	竖折折钩	马	与	弓
ㄥ	撇折	台	私	给
ㄑ	撇点	女	巡	
ㄟ	斜钩	我	浅	式
ノ	左弯钩	家	狼	

* "心" 的第二笔，楷体是 ㇃，称为卧钩；宋体是竖弯钩。

二　汉字偏旁名称表
Components of Chinese Characters

【说明】　1. 本表列举常用偏旁共109个。有的偏旁有几种不同的叫法，本表只取较为通行的名称。

2. 本表按偏旁笔画数排列，笔画数相同的，依笔形次序排列。

偏旁	名称	例字	偏旁	名称	例字
厂	厂字头	历 厅 厚	巾	巾字旁	帆 帐 布
匚	三框栏	区 匠 医	山（屵）	山字旁	峰 岸 岛
刂	立刀旁	到 列 别	彳	双人旁	得 行 街
冂（冂）	同字框	同 网 周	彡	三撇儿	形 彩 参
亻	单人旁	你 位 住	犭	反犬旁	狂 独 狗
八（丷）	八字头	公 分 关	夕	夕字旁	外 名 多
人	人字头	会 今 命	夂	折文头	冬 夏 备
勹	包字头	句 勾 包	饣	食字旁	饭 饮 馆
冫	两点水	次 冷 冲	广	广字头	床 店 度
冖	秃宝盖	写 军 冠	丬	将字旁	壮 状 将
讠	言字旁	读 说 论	忄	竖心旁	快 忙 怕
卩	单耳旁	印 却 即	门	门字框	问 闷 闹
阝	双耳旁		氵	三点水	江 活 游
	（左耳旁）	队 防	宀	宝盖头	安 定 家
	（右耳旁）	那 邻 都	辶	走之底	这 过 送
力	力字旁	加 动 努	尸	尸字头	居 屋 层
又（又）	又字旁	对 支 圣	弓	弓字旁	引 张 强
廴	建字底	建 延	子	子字旁	孩 孙 孔
工（工）	工字旁	功 巧 贡	女	女字旁	好 妈 要
土（土）	提土旁	地 城 块	纟（糸）	绞丝旁	红 约 紧
扌	提手旁	操 担 捉	马（馬）	马字旁	骑 驶 骂
艹	草字头	花 草 英	王（王）	王字旁	玩 珠 琴
寸	寸字旁	封 耐 寻	龶	青字头	责 素 毒
廾	弄字底	弄 异 弃	耂	老字头	考 孝 者
口	口字旁	唱 只 占	木（木）	木字旁	校 枝 查
囗	大口框	园 图 国	车（車）	车字旁	轻 较 军

偏旁	名称	例字	偏旁	名称	例字
戈	戈字旁	划 战 成	穴	穴宝盖	空 穿 穷
瓦	瓦字旁	瓶	衤	衣字旁	初 袖 被
止（止）	止字旁	此 肯 齿	耳（耳）	耳字旁	取 聪 聋
日	日字旁	时 明 晚	𢦏	栽字头	栽 裁 载
贝	贝字旁	财 贩 贫	西	西字头	要 票 覆
牛(𠂒、牛)	牛字旁	物 告 牵	页	页字旁	顺 项 烦
攵	反文旁	收 改 教	虍	虎字头	虎 虑
斤	斤字旁	新 所 欣	虫	虫字旁	虾 虹 蝇
爫（爪）	爪字旁	受 爱 爬	缶	缶字旁	缺 缸 罐
父	父字头	爸 爹 爷	舌	舌字旁	甜 乱 辞
月	月字旁	胞 肥 期	𥫗	竹字头	笑 笔 等
欠	欠字旁	次 欢 歌	臼	臼字头	舅
方	方字旁	放 旗 旁	舟	舟字旁	船 般 航
火（火）	火字旁	灯 灵 灰	衣	衣字旁	装 袋 裂
灬	四点底	点 热 照	羊 (𦍌、𡿨)	羊字旁	群 差 美
户	户字头	房 扇 扁	龹	卷字头	卷 券 拳
礻	示字旁	礼 社 视	𭭁（米）	米字旁	粒 粗 类
心	心字底	志 思 想	羽	羽字旁	翅 翁
夫	春字头	奉 奏	纟	绞丝底	紧 繁 累
石	石字旁	破 碍 研	走	走字旁	起 超 趁
常	常字头	常 尝 赏	酉	酉字旁	配 酸 醒
目	目字旁	眼 睡 眉	里	里字旁	野
田	田字旁	略 男 畜	𧾷（足）	足字旁	跑 跟 跌
罒	四字头	罗 罢 罪	身	身字旁	躲 躺
皿	皿字底	益 盐 盛	角	角字旁	解 触
钅	金字旁	错 铜 铃	鱼（鱼）	鱼字旁	鲜
矢	矢字旁	知 短 矮	革	革字旁	鞋 鞭
禾（禾）	禾字旁	和 秋 香			
白	白字旁	的 泉 皂			
鸟	鸟字旁	鸡 鸭 鸽			
疒	病字头	疼 痕 疲			
立（立）	立字旁	站 端 童			

三 汉字结构类型表
Types of Character Structures

	结构类型	基本图形	例字
独体		1	东 雨 非
合体	左右结构	1 2	加 始 数
	左中右结构	1 2 3	班 粥 街
	上下结构	1 / 2	艺 华 露
		1 / 2	公 各
		1 / 2 3	品 晶
	上中下结构	1 / 2 / 3	京 总 算
		1 / 2 / 3	参 巷
		1 / 2 / 3	合 夸
	半包围结构	1 / 2	历 病 庭
		2 / 1	司 栽 或
		2 / 1	达 延 造
		1 / 2	医 匠 匪
		1 / 2	向 风 周
		1 / 2	凶
	全包围结构	1 2	国 图 圆
	镶嵌结构	1 2 / 3	坐
		1 / 2 3	乖
		2 1 3	乘 爽

四 部首总表
Radical Index

【说明】1. 本表所收部首限于本字典对2000字的部首归类，共有181类。

2. 本表按部首笔画数目多少排列。笔画数目相同的，按起笔笔形的顺序排列。

部首	例字	部首	例字
一画		卩（㔾）	卫　印　却
		阝（在左）	队　阳　陪
一	一　七　才	阝（在右）	邦　那　邮
丨	中　北　电	凵	凶　击　画
丿	九　升　重	刀（⺈）	刀　切　危
丶	之　为　州	力	力　加　努
乙（一、乛、乚）	乙　也　习	厶	参　能　台
二画		又（㐅）	又　双　叔
		廴	延　建
二	二　云　亏	*三画*	
十	十　协　直		
厂	厂　厅　原	工	工　功　贡
匚	区　巨　匪	土	土　地　坐
卜（⺊）	卜　外　桌	士	士　志　声
刂	刚　创　剧	艹	艺　花　苗
冂	内　同　网	艹（在下）	异　弄　弃
亻	仁　份　促	大	大　奇　奖
八（丷）	八　公　并	尢	尤　就
人（入）	人　入　今	扌	打　托　报
勹	勾　匆　包	寸	寸　封　寿
儿	儿　先　兄	弋	式
几（⺇）	几　凡　凭	小（⺌）	小　少　尝
亠	亡　交　离	口	口　叶　另
冫	冲　冰　决	口	因　回　图
冖	写　冠　军	巾	巾　帅　帐
讠	计　认　访		

部首	例字		部首	例字	
山	峰	岗	瓦	瓶	
彳	行	得	止	止	此 步
彡	形	往 彩 影	支		
犭	狗	猪 猫	日	敲	
夕	多	梦	日（曰）	日	早 时
夂	冬	条 夏 饼	水（氺）	冒	最
饣	饥	饭	贝	水	浆 泉
丬	壮	状 将 应	见	贝	财 责
广	广	庆	牛（牜、牛）	见	规 觉
门	门	闪 问 汽	手（扌）	牛	物 靠 拳
氵	汁	汉 恭	毛	手	拜 毫
忄（小）	忙	快 实	气	毛	
宀	宁	安 近	攵	气	
辶（辶）	边	过 屋	片	收	政 效 牌 断
彐（彐、彑）	归	录 灵 导	斤	片	版 所 采 爸
尸	尸	尺 弯	爪（爫）	斤	爷 爬 育 歌
己（巳）	己	已 张 姿	父	爪	肚 款
弓	弓	好 学	月（⺼）	父	斋
女	女	孙 纷	欠	月	毁 齐 旗 烟
子（孑）	子	纪 驾	风	欠	飘 施 料 照
纟	红	驶	殳	风	段 灯 斜 扇
马	马	幼	文	文	烈 社 祝
幺			方	方	点 扁 忠 念
			火	火	礼 律
四画			斗	斗	肃
王	王	班	灬		
木	木	现 杂 死	户		
犬	献	枝 哭 轰	礻		
歹	犬	残 轮 战	心		
车	歹	戒	聿（⺺、⺻）		
戈	车	成 毕			
比	比				

部首	例字		部首	例字	
五画			虍	虎	虑
示	示	票	虫	虫	虾 蟹
石	石	砖 砍	缶	缸	缺 罐
龙	龙	聋	舌	舌	甜 辞
业	业		竹（⺮）	竹	竿 笔
目	目	看 略 眼 留	臼		
田	田	罚 置	自	舅	
罒	四	监	血	自	臭 息
皿	盆	盐 铁	舟	血	
钅	钉	钟 短	衣	舟	航 船
矢	矢	矮 知	羊（⺶、⺷）	衣	袋 裁
禾	稻	季 乘	米	羊	养 美 类
白	白	的 皇	艮（⻟）	米	粉 垦
瓜	瓜		羽	既	良 翻
用	用		糸	羽	翅 紫
鸟	鸟	鸡 鸭		素	紧
疒	疗	病 疼 产 亲	**七画**		
立	立	穿 窗	麦	麦	
穴	穷	初 袜	走	走	赶 起
衤	补	蛋 楚	赤	赤	
疋（⺪）	疏	柔	豆	豆	登 酱
皮	皮		酉	配	酸
矛	矛	每 毒	辰		
母	母		里	里	野 量
六画			足（⻊）	足	距 踏
耒	耕		身	身	躲 躺
老	老	考 聚	采		
耳	耳	聪 卧	谷	释	
臣	臣	覆 要	豸	谷	貌
西（覀）	西	顶 顺	角	豹	触 解
页	页		言	角	警
			辛（辛）	言	辣 辩
				辛	

部首	例字

八画	
青	青　静
其	其　期　基
雨（⻗）	雨　雪　雷
齿	齿　龄　集
隹	雄　雀　集
金	金
鱼	鱼　鲜　鳄

九画	
革	革　鞋
骨	骨
鬼	鬼　魔
食	食　餐
音	音

十一画	
麻	麻　磨
鹿	鹿

十二画以上	
黑	黑　默　墨
鼠	鼠
鼻	鼻